Amour latino

LES ÉDITIONS DES INTOUCHABLES
5, rue Sainte-Ursule
Québec, Québec
G1R 4C7
Téléphone : 418 692-0377
Télécopieur : 418 692-0605
www.lesintouchables.com

DISTRIBUTION : PROLOGUE
1650, boul. Lionel-Bertrand
Boisbriand (Québec)
J7H 1N7
Téléphone : 450 434-0306
Télécopieur : 450 434-2627

Impression : Imprimerie HLN inc.
Conception graphique : Paul Brunet
Illustration de la couverture : Chantal McMillan
Photographie de l'auteure : Stephen Aubuchon
Correction : Patricia Juste Amédée

Les Éditions des Intouchables bénéficient du soutien financier du gouvernement du Québec — Programme de crédit d'impôt pour l'édition de livres — Gestion SODEC et sont inscrites au Programme de subvention globale du Conseil des Arts du Canada.

Nous reconnaissons l'aide financière du gouvernement du Canada par l'entremise du Programme d'aide au développement de l'industrie de l'édition (PADIÉ) pour nos activités d'édition.

Dépôt légal : 2015
Bibliothèque et Archives nationales du Québec
Bibliothèque et Archives Canada

ISBN : 978-2-89549-738-7
978-2-89549-739-4 (ePUB)

KARINE RICHARD

AMOUR LATINO

TOME 1

LES INTOUCHABLES

Pour toi, grand-maman, qui y a toujours cru.

CHAPITRE 1

— Alors, on se rejoint chez elle à 19 h, chéri ?

— Est-ce qu'on est vraiment obligés d'y aller ? a soupiré Georges. Il y a un match de hockey ce soir en plus… Je l'aime bien, ta sœur, mais elle est tout le temps en peine d'amour. Je ne vois pas ce qu'il y aurait de différent avec celui-là.

— Je sais, mais tu aurais dû l'entendre au téléphone… Je ne pouvais pas lui dire non. Et puis, le hockey, tu peux le regarder là-bas si tu veux.

Mon copain m'a regardée en hésitant. Il était assis à la table de la cuisine et avait relevé son regard de la tranche de pain multigrain fraîchement grillée qui ne demandait qu'à être badigeonnée de confiture. Il portait la robe de chambre en soie vert forêt que je lui avais achetée pour Noël l'année précédente, et qui lui donnait un air de dandy. Évidemment, pour voir la ressemblance, il fallait faire abstraction du pantalon de pyjama avec des autos de course que sa mère lui avait offert, par pur hasard, lors de la même occasion. Ses cheveux, habituellement bien rangés sur le côté, étaient séparés en des endroits incongrus le long de son crâne. Il a saisi sa tasse de la Polytechnique dans le creux de ses mains et a bu une longue gorgée de café, comme pour se donner du courage, avant de continuer :

— Je sais, mais il y a des gars de la job qui allaient au bar à côté du bureau pour la regarder et je leur ai dit que j'y allais aussi…

C'était à mon tour de soupirer. J'adorais ma petite sœur, mais je comptais quand même un peu sur Georges pour détendre l'atmosphère comme seuls les hommes savent le faire par leur insouciance et leur nonchalance parfois exaspérantes. Surtout quand il s'agissait de la peine d'amour de la sœur de sa blonde qui, il était vrai, en avait significativement plus que la moyenne de la population mondiale. Je ne voulais cependant pas être la fille qui contrôle son chum, et, par-dessus tout, je ne voulais pas commencer à argumenter un lundi matin.

— O.K., c'est bon. Je vais y aller toute seule alors, ai-je dit en me résignant.

— Tu es certaine?

— Ben oui. On se verra plus tard à la maison. Allez, je file, sinon je vais être en retard. Bonne journée!

— Bye, ma belle! À plus tard! a-t-il lancé, trop enthousiaste.

Je l'ai embrassé sur le front, j'ai agrippé mon sac à main et j'ai descendu en trombe les deux étages qui séparaient notre appartement du trottoir. En marchant jusqu'à l'arrêt d'autobus, j'ai jonglé avec mon thermos de café et mon cellulaire avant de réussir le tour de force d'envoyer un texto à ma sœur pour la prévenir que Georges avait déjà autre chose de prévu pour ce soir. La réponse n'a pas tardé à arriver.

Rose – 8 h 34
Tu vois comment ils ne sont pas fiables? On ne peut jamais compter sur eux! C'est fini. Je n'y crois plus.

Seulement 8 h 34 et je poussais déjà mon deuxième soupir de la journée. Ma sœur avait toujours eu tendance à dramatiser. Même quand nous étions enfants, Rose donnait l'impression d'avoir été élevée avec la petite fille aux allumettes, tant elle laissait croire que sa vie était misérable.

D'ailleurs, avec les années, elle avait réussi à élaborer un genre de regard, à mi-chemin entre le regard implorant d'un épagneul et celui blessé et fier d'un héros de guerre, qui lui permettait d'avoir ce qu'elle voulait. Habituellement, je ne pouvais pas supporter ce type de personne qui se lamente constamment, mais c'était ma petite sœur… et, moi non plus, je ne pouvais résister à ses grands yeux.

Alors que j'étais dans l'autobus en train de regarder défiler le paysage urbain du boulevard René-Lévesque, j'ai rapidement visualisé toutes les tâches de ma journée. Je me suis retenue pour ne pas soupirer encore une fois. Au coin de la rue Université, j'ai sonné l'arrêt et, comme tous les matins, j'ai tenté de me frayer un chemin pour descendre sans enfoncer un de mes talons aiguilles dans le pied de quelqu'un. J'avais essayé de prendre la voiture pour me rendre au bureau, mais, après de nombreux tours circulaires tous les matins, je m'étais rendue à l'évidence que les stationnements au centre-ville étaient une denrée rare, et m'étais résolue à adopter le transport en commun. L'hiver, ça me dérangeait moins de le prendre, mais l'été!… L'été, c'était pénible. Les odeurs corporelles, toujours plus accentuées en fin de journée, me levaient le cœur. Et puis, je détestais le fait que nous soyons tous entassés à essayer de nous accrocher à un poteau, à une fenêtre ou même à l'épaule de quelqu'un quand l'autobus freinait brusquement. Je m'étais d'ailleurs toujours demandé si le chauffeur ne prenait pas plaisir à faire des freinages-surprises pour nous regarder, pauvres petites sardines, nous cogner les uns contre les autres en maugréant des excuses confuses.

Une fois sur le trottoir, j'ai rapidement parcouru, enfin aussi vite que mes chaussures à talons trop hauts me le permettaient, la distance qui me séparait d'Oméga Assurances. J'avais une réunion à 9 h 30 et il était 9 h 02. J'aurais tout juste le temps de rassembler mes documents et de boire en vitesse mon troisième café matinal.

— Allô, la meilleure directrice des communications du monde !

— Salut, Rox ! Ça va ? ai-je répondu en souriant à Roxanne.

Roxanne et moi étions arrivées chez Oméga la même journée, il y avait de cela presque quatre ans. Nous nous étions rapidement liées d'amitié même si sa personnalité était aux antipodes de la mienne : elle n'avait pas la langue dans sa poche, et ne se gênait pas pour dire ce qu'elle pensait, peu importe son interlocuteur. Embauchée comme réceptionniste, elle avait systématiquement refusé, depuis ses débuts dans l'entreprise, toutes les tâches qui n'avaient pas un rapport direct avec son poste. Elle avait été engagée pour répondre au téléphone et accueillir les clients, et ne voulait pas en faire plus que ce qui était sur son contrat. Elle était brusque, directe, mais je l'adorais, peut-être, justement, parce qu'elle représentait tout ce que je n'étais pas. Elle avait fait des pantalons serrés et des décolletés plongeants ses uniformes de travail. Sur n'importe quelle autre fille, j'aurais trouvé ça de très mauvais goût, mais elle savait comment le doser. Toujours parfaitement maquillée, comme cette journée-là, avec ses lignes noires finement tracées sur ses paupières, elle avait une chevelure à faire mourir de jalousie : noire, lisse et, surtout, épaisse. Je faisais une fixation sur l'épaisseur de sa crinière et j'essayais, en vain, de la reproduire avec tous les produits volumateurs qui me tombaient sous la main. J'avais beau les crêper, les asphyxier de fixatif, les sécher à l'envers, rien à faire. Mes cheveux finissaient toujours par se plier aux lois de la gravité, à mon grand désespoir.

— Moi, ça va mais, TOI, tu vas aller encore mieux ! m'a-t-elle dit, pleine d'entrain.

— Moi ? Pourquoi ?

— Tu sais, ta rencontre de ce matin qui te stresse et qui a fini par me stresser aussi, tellement tu en parles ?

— Oui…

— Ben, elle a été reportée à la semaine prochaine !

Rox a levé les bras au ciel comme pour célébrer une victoire. Je n'étais pas du tout du même avis qu'elle.

— Quoi ? Comment ça ? Je suis restée réveillée jusqu'à 2 h pour être certaine d'être vraiment prête !

— Ah ben, ça, je ne sais pas. Monsieur Richer m'a juste dit de te dire que c'était annulé et remis à la semaine prochaine. Je ne lui ai pas demandé de me mettre au courant du pourquoi du comment.

— Aarrgghh. Bon, ai-je répondu en regardant les courriels reçus sur mon cellulaire pour voir si mon patron avait essayé de me contacter.

— On va toujours manger au nouveau chinois ce midi ? s'est enquise Roxanne distraitement, tout occupée qu'elle était maintenant à éplucher les pages du magazine de mode qu'elle avait entre les mains.

J'ai rangé mon cellulaire dans la poche de mon manteau avant de lui répondre.

— Oh non ! C'est vrai, j'ai oublié de te dire… Je dois aller visiter le condo sur de la Visitation pendant l'heure du dîner… J'ai déplacé le rendez-vous parce que je dois aller souper chez Rose ce soir.

— Tu dois aller souper chez Rose ? Encore ? a-t-elle dit en relevant la tête.

— Son chum l'a laissée et elle m'a appelée hier soir pour nous inviter, Georges et moi. Elle a dit qu'elle était anéantie.

— Comment, son chum ? Je pensais qu'il fallait que tu sois en relation pour appeler le gars ton « chum ».

— Oui, mais tu sais comment elle est…, ai-je commencé.

— Justement! Faut que quelqu'un lui dise comment ça marche, la vie! Elle ne peut pas passer son temps à brailler pour des gars qu'elle a fréquentés pendant deux semaines!

— Non, je sais. Mais elle l'aimait beaucoup, Alex, et je pense qu'elle y croyait vraiment.

— Non, m'a-t-elle répondu fermement, elle n'y croyait pas, Jas, voyons! Elle fait tout le temps ça. Tu l'écoutes toujours, elle te draine toute ton énergie, et elle recommence deux semaines plus tard… un mois si tu es chanceuse!

— Mais non! Elle ne me draine pas toute mon énergie!

— Oui, oui, c'est ça… Continue à te mettre la tête dans le sable.

Roxanne s'est replongée dans la lecture de sa revue après m'avoir fait un signe de main, comme pour m'inviter à disposer. J'ai haussé les épaules et me suis dirigée vers mon bureau d'un pas chancelant à cause de la faible adhérence de mes escarpins au tapis recouvrant le plancher des corridors. J'ai salué mes voisins de bureau en marchant, ce qui me donnait une parfaite raison pour ralentir le pas sans avoir l'air de ne pas savoir marcher.

Alors que je mettais le pied dans mon bureau, mon téléphone a sonné.

— Tu m'appelles pour t'excuser? ai-je répondu en riant et en reconnaissant le son distinct de la sonnerie de la réception.

— Pfffffff, non. Je t'appelle parce que j'ai oublié de te dire que ta mère a appelé deux fois ce matin. Elle a dit que c'était, et je cite, « une question de vie ou de mort » que tu la rappelles aussitôt que tu allais arriver. Je te laisse, j'ai un appel en attente. Bonne chance! a dit Roxanne en raccrochant.

J'avais tenté d'éviter les appels de ma très chère mère pendant mon trajet dans l'autobus. Je l'aimais beaucoup, mais, avec les années, j'avais compris qu'il fallait la prendre à petites doses. Surtout le lundi matin. Pourtant, d'expérience, je savais très bien que si je ne la rappelais pas, elle serait tout à fait capable de débarquer dans mon bureau avec des larmes de crocodile en me reprochant de ne pas l'aimer, elle qui avait sacrifié sa vie pour le bonheur de ses filles. Résignée, j'ai donc pris le combiné et composé son numéro de téléphone.

— Oui, allô ? a répondu ma mère.

— Allô, maman !

— Oh ! Bonjour, ma chérie !

— Ça va ? Qu'est-ce qui se passe ? Rox vient de me dire que tu as appelé.

— Ah oui ! J'avais oublié !

Je n'ai pas pu m'empêcher de lever les yeux au ciel en me calant dans mon fauteuil. Cette position me donnait directement vue sur une énorme toile d'araignée dans le coin droit du plafond.

— Maman, tu m'as appelée trois fois sur mon cellulaire et deux fois au bureau. Comment tu peux déjà avoir oublié ? ai-je dit en cherchant nerveusement du regard la créatrice de la toile.

— Mais non ! Je n'ai pas vraiment oublié, c'est juste que j'étais en train de lire quelque chose de très intéressant sur les quartz. Savais-tu qu'une nouvelle étude vient tout juste d'être publiée ? Ça affirme hors de tout doute, a-t-elle déclaré en insistant sur les derniers mots, que le quartz fumé garantit le calme émotionnel !

— Maman, tu sais ce que je pense de ces sites, et surtout ce que je pense de tous tes cristaux magiques…

— Tu peux continuer à penser ce que tu veux, ma fille… Moi, je te dis que ça marche ! Regarde comment j'ai réussi à me débarrasser de mes problèmes respiratoires !

Je n'ai rien dit et me suis contentée de lire les messages que Roxanne venait de m'apporter. Ce n'était pas de mon devoir de lui signaler la troublante coïncidence de sa guérison soudaine et de sa nouvelle prise de médicaments.

— De toute façon, ma chérie, ce n'est pas pour ça que je t'appelais. As-tu parlé à ta sœur? a-t-elle continué en changeant de ton.

— Oui. Je vais souper chez elle ce soir.

— Ah! Très bien! Pauvre puce… Elle a beaucoup de peine. J'en suis toute remuée. Je voudrais bien y aller, mais il y a une conférence ce soir sur l'art de laisser aller. Youssef m'a dit que je devais absolument y aller. Je vais pouvoir y apprendre plein de choses que j'enseignerai à Rose. Ça va être bon pour elle.

Youssef, en plus d'être le digne propriétaire de la boutique de cristaux où ma mère passait la moitié de son temps, s'était aussi improvisé gourou et donnait des conférences que ma mère qualifiait de révélatrices dans le sous-sol de sa boutique. Bien des fois, elle avait essayé de me convaincre de la suivre en m'assurant que j'allais sortir de là transformée, mais l'idée de m'extasier devant une roche me laissait de marbre, sans vouloir faire de mauvais jeux de mots.

— Oui, oui, sûrement. Je dois te rappeler, maman. Je suis débordée aujourd'hui et je dois aller visiter un condo à 13 h.

— Oh! Ça avance, la recherche?

— Mmoui.. non… pas vraiment, en fait. Je n'ai pas encore trouvé LE condo.

— Je ne sais pas pourquoi tu t'entêtes à vouloir acheter quelque chose avec autant de pièces. Je comprends que tu veux avoir des enfants, mais es-tu certaine que tu ne te projettes pas trop dans l'avenir?

— Non. Je ne vois pas l'intérêt d'acheter maintenant pour déménager dans un an ou deux. Et puis, je te l'ai déjà dit, Georges et moi avons un accord là-dessus. Il le sait que j'ai toujours voulu des enfants avant trente-deux ans. Et là, j'en ai trente.

— Je sais bien, ma chérie, mais les choses peuvent changer en deux ans… Je ne veux juste pas que tu aies mal inutilement.

— Mais non, maman, je n'aurai pas mal, ne t'inquiète pas. Bon, je dois vraiment raccrocher. Mon patron vient de m'envoyer un courriel et il faut que je réponde.

— D'accord, chérie. Bonne journée!

Absorbée par la lecture de mon courriel, je suis restée là, le téléphone sur l'oreille, pendant cinq bonnes minutes jusqu'à ce qu'il sonne puissamment et me fasse sursauter. La journée commençait et promettait d'être chargée.

***

Neuf heures plus tard, après avoir gaspillé mon heure de dîner à visiter un cinquième condo, et géré des urgences qui n'en étaient pas vraiment, je me suis lourdement traîné les pieds hors de l'immeuble pour me rendre chez Rose. J'ai été tentée, pendant un bref instant, de m'arrêter à l'épicerie pour acheter un truc mangeable, sachant très bien que Rose me servirait sans doute une de ses grandes spécialités culinaires : un bol de céréales Honeycomb ou un Kraft Dinner. Je n'avais d'ailleurs jamais compris comment elle restait aussi mince avec la quantité de malbouffe qu'elle pouvait manger en une semaine, et je devais avouer que j'étais profondément jalouse de sa capacité à perdre toutes les graisses au moment même où elle les ingérait. Je n'étais quand même pas du type à compter toutes mes calories, mais comme j'avais été un peu enrobée pendant mon secondaire, et que j'avais travaillé très fort pour perdre ce poids, je devais faire attention.

Pendant que je marchais, j'ai essayé de joindre Georges, mais, au lieu d'entendre sa voix à l'autre bout du fil, c'est celle automatisée de la boîte vocale qui a résonné dans mes oreilles.

— Allô, chéri, c'est moi ! Je viens juste de sortir du bureau, et je suis en chemin pour aller chez Rose. Je voulais savoir comment avait été ta journée et vers quelle heure tu pensais être à la maison. Rappelle-moi !

Je soupçonnais mon copain de ne pas répondre intentionnellement pour être certain que je ne le force pas à m'accompagner chez Rose. J'ai rangé mon téléphone dans mon sac tout en gravissant les trois étages menant à l'appartement de ma sœur. Visiblement, elle me guettait depuis sa fenêtre, puisqu'à peine rendue au deuxième étage, je l'ai entendue déverrouiller sa serrure et vue bondir sur son balcon.

— Enfin ! Pourquoi ça t'a pris tant de temps ? Je pensais que tu finissais à 17 h. J'ai même appelé maman pour savoir si tu l'avais appelée !

— Tu as appelé maman ? ai-je dit en me moquant en peu. Mon Dieu, que tu es impatiente, Rose ! Je finissais un peu plus tard aujourd'hui parce que je devais reprendre le temps que j'ai pris ce midi pour aller visiter le condo sur de la Visitation…

— Ah ! Et puis ? m'a-t-elle demandé presque par obligation en rentrant dans l'appartement.

— Bah. Il était beau, mais beaucoup trop petit. Il y avait quatre pièces, mais sérieusement je ne sais pas comment j'aurais réussi à rentrer plus qu'un meuble dans chacune d'entre elles.

— Et Georges est allé le visiter avec toi ?

— Non, il avait une réunion ce midi.

— Est-ce qu'il a déjà été en visiter un avec toi ou c'est toi qui fais tout le travail toute seule, Jasmine ?

— Mais non, je ne fais pas tout le travail toute seule ! Il en cherche sur Internet, mais il est tellement occupé au bureau qu'il n'a pas toujours le temps de venir.

— Ah bon, a répondu ma sœur d'un ton qui masquait à peine son jugement. De toute façon, a-t-elle continué, c'est mieux que ce soit juste toi et moi ce soir. Ça fait deux jours que je pleure, que je n'ai pas pris de douche et que je suis habillée en mou. M'as-tu vu les yeux?

Elle me regardait en ouvrant les yeux tellement grands que j'ai eu peur qu'elle se foule une paupière. Je la regardais, mais, même en essayant, je n'arrivais pas à trouver la moindre ressemblance avec moi quand j'avais de la peine. Elle était resplendissante. Et puis, qu'on se le tienne pour dit, ses vêtements mous n'étaient pas du même mou que les miens. Elle était vêtue d'un ensemble de yoga moulant, ses longs cheveux blonds étaient remontés en chignon et ses yeux, même si elle refusait de l'admettre, étaient légèrement maquillés. Bref, une honte pour toutes les filles comme moi qui se promènent en vieux coton ouaté troué en reniflant péniblement avec un contenant de crème glacée dans une main et une boîte de mouchoirs dans l'autre quand elles sont en peine d'amour.

— Peu importe, a-t-elle poursuivi devant mon silence, j'étais trop triste et trop laide pour aller chercher quelque chose à l'épicerie pour souper… Mais je suis quand même allée au dépanneur chercher du vin, m'a-t-elle fièrement dit. Tu veux qu'on commande?

— Tu aurais dû m'appeler pour me le dire! Je suis passée devant l'épicerie et j'ai failli m'arrêter chercher quelque chose. C'est bon, on commande. Tu as des menus?

— Pour quoi faire? On a juste à commander une pizza. Je n'ai même pas faim de toute façon. Ma peine me coupe l'appétit depuis trois jours.

— Laisse-moi juste appeler la pizzeria et je t'écoute tout de suite après, ai-je dit en composant le numéro d'un restaurant quelconque que j'avais trouvé dans la montagne de menus qu'elle laissait traîner en permanence sur sa table de salon. Toute garnie?

— Comme tu veux, a-t-elle répondu en sortant son regard d'épagneul. Je n'ai pas faim, je t'ai dit!

Une fois la commande passée et la bouteille de vin de dépanneur entamée, Rose a commencé son habituel monologue sur l'amour de sa vie qu'elle venait de perdre. Je l'avais rencontré seulement une fois, son Alex, et c'était uniquement parce que Rose, qui sublimait la totalité de ses relations, s'imaginait que tous les hommes avaient le potentiel d'être l'homme de sa vie. Elle insistait donc pour nous les présenter, à ma mère et à moi, après environ trois jours de fréquentation. Maintes fois je lui avais répété qu'elle mettait beaucoup trop de pression sur le pauvre gars et qu'elle devait essayer de ralentir un peu, mais sa réponse restait invariablement la même : « Contrairement à toi, je crois en l'amour absolu et non en l'amour confortable. Et puis, quand c'est de l'amour absolu, on est supposé tout faire pour l'autre. Pourquoi je perdrais mon temps à être avec quelqu'un qui veut juste me voir une ou deux fois par semaine? »

— J'étais certaine qu'on était faits pour être ensemble, m'a-t-elle dit de sa petite voix larmoyante. On s'entendait tellement bien! On s'aimait! Enfin… moi, je l'aimais.

— Il t'a dit pourquoi ça ne marchait pas?

— Pas vraiment. Il a juste dit qu'il avait besoin de temps pour lui.

— Mais, Rose, c'est normal, ça. Tout le monde a besoin de temps pour soi. Tu dois leur laisser ça. Tu le sais que tu peux être un peu… intense, ai-je répondu en me reprenant à temps pour ne pas dire « accaparante ».

— *Too much*, tu veux dire? Je ne suis pas *too much,* tu sauras. Je suis comme ça quand je suis en amour. Je veux juste être avec le gars. Est-ce que c'est si mal que ça?

— Absolument pas, Rose. C'est sûr que ce n'est pas mal !
Mais tu ne choisis pas les bonnes personnes. Combien de fois
il va falloir que tu te fasses mal avant de le comprendre ? Et
combien de fois il va falloir que je te dise que le vrai gars, celui
qui sera vraiment pour toi, voudra être avec toi. Comme moi
et Georges.

— Comme toi et Georges ? a-t-elle répété en levant les
yeux vers moi comme si je venais de dire la chose la plus
ridicule qu'elle ait jamais entendue.

— Oui.

— Mais je ne voudrais jamais d'une relation comme la
tienne ! Vous faites vos choses chacun de votre côté, vous ne
faites presque jamais rien ensemble ! Regarde, vous n'êtes
même pas capables de visiter un condo ensemble !

— Ça, c'est parce qu'il y a la vie qui entre en ligne de
compte aussi. On a des emplois, des responsabilités. On habite
ensemble : on n'est pas obligés de se voir ou de s'appeler à
chaque minute d'une journée pour se dire qu'on s'aime. Tu
sais, contrairement à ce que tu peux penser, l'amour, ce n'est
pas juste l'intensité, c'est aussi l'estime, le respect et le calme.

— C'est tellement déprimant, ce que tu dis, a soupiré
Rose.

— Mais non, ce n'est pas déprimant ! Je te jure que c'est
rassurant, même ! Tu cours après quelque chose que tu ne
trouveras pas, Rose. Tu vas continuer à frapper des murs avec
tous les gars que tu rencontreras parce qu'il n'y en a pas un
qui va vouloir vivre uniquement d'intensité. Ils ne sont pas
comme ça, les hommes.

— Le bon gars m'acceptera comme je suis. Tout le monde
me l'a dit. Même maman.

— Maman est comme toi, tu le sais bien. Vous êtes tellement intenses, toutes les deux. Elle t'a dit quoi à propos
d'Alex ?

— Rien. Elle m'a juste dit de suivre mon cœur. Elle va venir demain pour me parler de la conférence à laquelle elle assiste ce soir. Je ne me souviens plus de quoi ça parle par contre… L'art de s'en aller, je pense.

Je me suis mordu la lèvre pour ne pas rire.

— L'art de laisser aller, tu veux dire.

— Oui! C'est ça! Elle t'en a parlé?

— Pas vraiment. Elle m'a juste dit qu'elle y allait. Mais tu sais qu'il faut que tu en prennes et que tu en laisses avec maman. Entre-temps, trouve-toi un projet. Tu pourrais suivre un cours…

— Un cours de quoi?

— Je ne sais pas… Quelque chose que tu aimes.

J'ai regardé ma petite sœur pendant qu'elle réfléchissait à l'idée que je venais de lui lancer. Elle regardait le plancher, les sourcils froncés, probablement à la recherche d'une activité qu'elle aimait, autre que celle de se trouver un chum.

Si, au moins, elle pouvait trouver quelque chose pour s'occuper pendant les prochaines semaines, ça lui éviterait au moins une peine d'amour et, si on était chanceux, peut-être même deux. Je ne pouvais pas m'empêcher de la trouver quand même attachante et naïve avec toutes ses idées de grand amour passionnel. Je n'avais jamais été comme ça, puisque visiblement la passion et l'intensité avaient été réparties entre ma mère et ma sœur exclusivement. Même si elles étaient parfois incrédules et perplexes devant ce qu'elles appelaient ma neutralité émotionnelle, je pouvais quand même dire que, contrairement à elles, je n'avais pas l'impression de frapper des murs à répétition et d'être en perpétuelle peine d'amour.

***

Quand je suis arrivée à la maison quelques heures plus tard, Georges n'était toujours pas rentré. J'ai allumé la télévision avant de me rendre dans la cuisine pour laver la vaisselle que je n'avais pas eu le temps de faire avant de partir. J'entendais en sourdine le commentateur sportif annoncer en grande pompe que si le Canadien jouait aussi brillamment qu'il l'avait fait jusqu'à maintenant, il était hors de tout doute qu'il allait remporter la troisième période qui s'amorçait. Étonnée, je me suis tournée vers l'horloge du four pour voir quelle heure il était. En arrivant, j'étais convaincue qu'il devait être près de minuit, mais le cadran indiquait 21 h 46. Je pouvais quand même faire l'effort d'attendre que Georges rentre pour passer un peu de temps avec lui.

J'ai rapidement terminé la vaisselle et je me suis assise sur le sofa en essayant de me concentrer sur le match. Quinze minutes plus tard, je me suis éveillée en sursaut en regardant autour de moi. Décidément, j'avais besoin de sommeil et, même si j'avais envie de voir mon copain, je n'ai pu faire autrement que de me traîner jusqu'à la chambre et de dormir profondément cinq minutes plus tard.

CHAPITRE 2

Le lendemain matin, j'étais d'une humeur maussade. Georges avait passé la nuit à faire des allers-retours du lit à la salle de bain et, chaque fois qu'il revenait dans la chambre, il me réveillait en me disant : « Oooooohhhhh. Je pense que j'ai trop bu. Je ne me sens pas très bien. »

Quand je l'ai vu arriver dans la cuisine avec son teint verdâtre et ses yeux vitreux, je n'ai pas pu m'empêcher de me dire que, même si j'avais l'impression d'être aussi fatiguée que lui, j'avais quand même l'air en meilleure santé.

— Comment je vais faire pour travailler toute la journée ? s'est-il lamenté en se prenant la tête à deux mains. Je pense que mon cerveau va éclater.

— Ben là, chéri, pourquoi tu as bu autant ?

— Je ne sais pas. On faisait un concours pour voir qui était capable de boire le plus. Julien pensait qu'il était meilleur que tout le monde, et j'ai voulu lui montrer qu'il n'était pas aussi fort qu'il le disait.

— Un mercredi soir ? Vous n'avez pas pensé le faire un vendredi, votre concours ?

Mon copain s'est contenté de regarder d'un air perdu la tasse de café qui se trouvait devant lui. J'étais à environ deux mètres de lui, mais je pouvais très aisément sentir les effluves d'alcool qui émanaient de lui.

— Tiens, prends ça, ai-je dit en lui tendant un flacon d'Advil, ça va au moins t'enlever ton mal de tête. Et puis, tu arrêteras t'acheter un Gatorade avant d'aller au bureau.

— J'ai maaaaaaal, a-t-il gémi pour unique réponse.

Pendant un bref moment, j'ai ressenti de la pitié pour lui. Ça m'était arrivé une fois de rentrer au bureau après avoir fait la fête toute la nuit, et je l'avais tellement regretté que je m'étais juré de ne plus jamais refaire la même erreur. Je me souviens d'avoir passé la journée à raser les murs parce que je n'étais pas capable de marcher droit ou à trembler sur ma chaise. Ça avait été horrible. Mais, pour Georges, ce n'était pas la première fois qu'il faisait l'erreur, et je me demandais toujours comment il n'était pas encore arrivé à la même résolution que moi.

— Tu m'appelleras pendant la journée. Bonne chance !

— O.K. Bye, m'a-t-il répondu d'une voix agonisante.

Quand je suis arrivée au bureau, Roxanne s'est levée de sa chaise et est venue à ma rencontre au milieu du hall de réception en me tendant une tasse de café d'un air compatissant.

— Je me suis dit que tu allais sûrement en avoir besoin après avoir passé la soirée à écouter ta sœur, m'a-t-elle expliqué.

— Haha ! Ce n'était pas si pire que ça ! Mais merci, j'en ai besoin, de café, ce matin. Georges m'a tenue réveillée toute la nuit. Il était tellement saoul que c'est presque un miracle qu'il ne soit pas tombé dans un coma éthylique.

— Hein ? Comment ça ? C'était mercredi, hier ! Il se dévergonde !

— Je sais, mais il y avait une partie de hockey, tu te souviens ? Et mon chum adoré s'est dit que le mercredi était tout à fait propice à un concours de beuverie avec ses collègues de travail.

— Oh non ! Il devait être en forme ce matin ! a-t-elle dit sarcastiquement. Est-ce qu'il est allé travailler ?

— Ben oui. Enfin, quand je suis partie, il commençait à se préparer. Tu aurais dû le voir… Je ne sais même pas comment il va faire pour se rendre jusqu'à la fin de la journée, pauvre lui.

— Et avec Rose, ça a bien été finalement?

— Oui. Je pense que je l'ai convaincue de s'inscrire à un cours.

— Un cours de quoi?

— De n'importe quoi. Comme ça, elle va peut-être passer moins de temps à chercher l'homme de sa vie et laisser les choses aller un peu…

— Et te laisser tranquille?

— Ce n'est pas ça que j'ai voulu dire! me suis-je exclamée en riant. Tu le sais bien que ça ne me dérange pas d'être là pour elle. Je l'aide, je pense.

Roxanne m'a regardée avec un mélange de compassion et de pitié.

— Mmmmm. Pauvre Jasmine. Tu es trop bonne. Si tu l'aidais vraiment, elle ne te rappellerait pas en pleurant pour les mêmes raisons à toutes les deux semaines. Moi, je continue de penser que tu fais juste valider son comportement de dépendance affective.

Même si elle avait rencontré Rose seulement deux fois, elle en parlait comme si elle la côtoyait depuis des années. Bon, c'est vrai que ma sœur était tellement émotive que c'en était presque caricatural, mais Roxanne, qui n'avait aucun attachement émotionnel à son égard, l'analysait froidement et, je devais l'avouer, justement aussi.

— De toute façon, on s'en parle ce midi. Tu as ton lunch? lui ai-je demandé en m'éloignant.

— Oui! On va manger dehors? C'est probablement la dernière semaine où on pourra le faire sans se mettre des tuques et des mitaines.

— Ça marche! À ce midi! Oh! et en passant, ai-je dit en revenant sur mes pas, tu peux faire un message aux gars de ménage et leur dire de passer l'aspirateur dans les coins? J'ai une toile d'araignée dans mon bureau, et à en voir la grosseur, l'araignée doit être une tarentule. J'angoisse chaque fois que je mets le pied dans la pièce.

Roxanne m'a regardée d'un air perplexe, mais a quand même pris une note pour ne pas oublier de faire le message. Une fois dans mon bureau, et après avoir soulevé rapidement toutes les feuilles qui m'entouraient pour être certaine que l'araignée ne me bondirait pas dessus au moment où je m'y attendrais le moins, je me suis plongée dans ma pile de dossiers à régler. Je n'ai pas eu conscience du temps qui passait jusqu'à ce que j'entende cogner à ma porte.

— Ça va? m'a demandé Roxanne en passant la tête dans l'embrasure.

— Oui. Pourquoi ça n'irait pas?

— Pour rien. Il y a Georges sur la première ligne. Il dit que tu ne réponds pas à ton cellulaire. Tu veux le prendre?

— Oh! Il est encore sur silencieux, c'est pour ça. Oui, oui, je le prends!

J'ai pris le téléphone de mon bureau en regardant l'heure. Il était déjà 11 h 30.

— Salut, chéri! Excuse-moi, mon cellulaire était sur silencieux dans mon sac et je travaillais comme une machine!

— Tu ne devineras jamais ce qui m'arrive! a-t-il hurlé à l'autre bout du fil.

— Non, mon Dieu! Quoi?

Je n'avais pas réussi à décider si c'était un hurlement paniqué ou excité. J'étais quand même (un peu) la fille de ma mère et la sœur de Rose, et j'ai automatiquement penché vers la première option.

— Tu sais, le projet super important dans le Grand Nord pour la construction du nouveau barrage?

Hurlement excité, ai-je pensé en soupirant de soulagement. Je me souvenais vaguement qu'il m'avait parlé du projet quelques semaines auparavant.

— Mmmm… Oui, je pense.

— Ben, ils m'ont demandé de me joindre à l'équipe! Tu te rends compte? Ils ont vraiment apprécié la recherche que j'ai faite sur l'optimisation du rendement énergétique! Ils m'ont dit que ça allait être une expérience incroyable pour ma carrière si j'acceptais. Tu penses qu'ils veulent que je devienne associé? Tu penses que c'est comme un test qu'ils me font? C'est fou, hein?

— WOW! Bravo! Je suis vraiment contente pour toi! Mets-en que c'est une bonne expérience! Tu partirais quand? ai-je dit, pleine d'entrain.

— La semaine prochaine! Pour trois mois, au moins!

Mon enthousiasme venait de s'envoler en l'espace de trois secondes. Je suis restée au bout du fil sans rien dire pendant un moment.

— Trois mois? Mais est-ce que tu vas pouvoir revenir à Montréal des fois?

— Je ne sais pas encore… On n'a pas regardé tous les détails. Mais tu te rends compte? Il faut que je te laisse, le patron m'invite à dîner! Je te rappelle tantôt!

J'ai raccroché le combiné en regardant fixement mon mur. Trois mois. C'était long, trois mois. J'ai volontairement choisi d'ignorer le «au moins». Déjà que le «trois mois» était dur à avaler. J'étais contente pour lui, mais n'y avait-il pas d'autres moyens pour faire avancer sa carrière ici, à Montréal? Je comprenais son excitation, mais il me semblait que la possibilité de revenir en ville pendant le projet était beaucoup plus qu'un simple détail.

J'ai rapidement chassé ces idées au moment où j'ai entendu cogner à ma porte pour la seconde fois.

— Tu es prête? m'a demandé Roxanne, debout dans l'embrasure.

— Euh… oui, j'arrive!

— Tout est correct? Tu as l'air pâle. Ça va?

— Oui. Georges a eu une promotion, lui ai-je dit d'un trait.

— Wow! C'est donc ben cool! Et ça te rend pâle comme ça?

— Non, non, je suis contente pour lui, mais ce n'est pas une promotion à Montréal.

— Comment ça? C'est où?

— Ben, c'est ça… Il faut qu'il parte trois mois dans le Grand Nord.

— ARK! Mais qu'est-ce qu'il va faire dans le Grand Nord pendant trois mois? C'est plate à mourir, le Grand Nord!

— Mais non! Ce n'est pas ça, le problème! lui ai-je répondu en laissant transparaître une pointe d'impatience. Le problème, c'est qu'il doit partir pendant trois mois!

— O.K., O.K., on se calme! Il va pouvoir revenir, non?

— Il ne le sait pas encore, ai-je dit alors que nous étions rendues sur le trottoir et que nous marchions en direction du parc.

— Il va le savoir quand?

— Cet après-midi, je pense.

— Et qu'est-ce qui te déprime comme ça?

— Rien, je ne suis pas déprimée.

— Heille, niaise-moi pas. Je te connais, Jasmine Tremblay! Et même si je ne te connaissais pas autant, on a juste à te regarder la face pour savoir que quelque chose te dérange.

J'ai pris place à la table à pique-nique en me concentrant pour ne pas pleurer. Je ne voulais pas exagérer, et je ne voulais surtout pas laisser croire que je n'étais pas contente pour mon copain.

— Ben… ça n'a pas eu l'air de le déranger de ne pas savoir s'il pouvait revenir ou non pendant les trois mois, ai-je commencé. Et je comprends qu'il doit tellement être excité, et que c'est vraiment une bonne nouvelle pour lui parce que ça veut enfin dire que tout son travail est considéré par ses patrons, mais…

— Mais tu aurais voulu qu'il te considère un peu aussi, non ? m'a doucement interrompue mon amie, ce qui n'était pas dans ses habitudes.

— Oui, je pense… Il n'a même pas pensé à me demander ce que j'en pensais avant d'accepter. Avec les visites de condos et tout, il me semble qu'il aurait pu penser à m'en parler avant de dire oui.

— Pourquoi tu ne lui en parles pas ?

— Parce que ! C'est tellement important, ce qui lui arrive ! Il va juste penser que je suis super rabat-joie et que je ne pense qu'au condo, ou pire encore, que je ne pense qu'à moi. Je veux l'encourager !

— Mais, Jas, tu te marches dessus en l'encourageant ! Regarde dans quel état tu es !

— Mais non ! Ça va aller. C'est juste la surprise. Je vais me faire à l'idée. Et puis, trois mois, ce n'est pas la fin du monde.

— Non, je sais que ce n'est pas la fin du monde. Mais est-ce que, toi, tu es à l'aise avec ça ? On s'en fout, du monde, Jasmine. C'est TON monde qui compte.

— Oui, je sais, mais, comme il a dit, ça va être plus clair d'ici la fin de la journée, et on va pouvoir s'en parler plus longtemps ce soir. Là, il était tellement énervé que c'était impossible de lui soutirer la moindre information.

— Je pense que tu devrais lui dire comment tu te sens…

J'ai regardé un écureuil grimper dans un arbre près de notre table. J'avais l'impression de ne pas être capable de discerner mes émotions. Un peu plus et il aurait fallu que Roxanne me sorte des cartes avec des noms d'émotions écrits dessus en m'encourageant à désigner celles que je ressentais.

— Oui, peut-être. Mais n'importe qui aurait réagi comme ça dans une telle situation ! J'aurais probablement fait la même chose que lui.

— Non, tu n'aurais pas fait la même chose. Arrête de te faire des histoires pour excuser les gens. Tu y aurais pensé, à Georges, toi.

Même si je ne voulais pas en vouloir à mon copain, et même si je me forçais à me convaincre que son oubli était dû à son excitation, je ne pouvais m'empêcher de trouver que Roxanne avait raison. Je savais, au fond, que si la même situation s'était présentée à moi, j'aurais tout de suite pensé à Georges et à la vie commune que nous avions. Je n'étais pourtant pas encore prête à lui jeter la pierre.

— Mais tu sais, les gars ne pensent pas comme les filles, ai-je dit à Roxanne en attachant mes cheveux. C'est comme le livre là… C'était quoi donc ? Ah oui ! *Les hommes viennent de Mars, les femmes viennent de Vénus.* Dans cette optique-là, c'est biologiquement normal qu'il ait réagi comme ça.

— Je ne peux pas croire que tu t'appuies sur ce livre-là. Tu ne l'as même pas lu, en plus ! Je vais te la dire, moi, la différence biologique entre les hommes et les femmes. Un gars, quand ça rencontre une fille, ça veut juste coucher avec. La fille, elle, pense déjà au potentiel amoureux et parental. C'est ça, la différence. Tu as le parfait exemple avec ta sœur ! Là, c'est différent. Vous êtes en couple depuis trois ans ! Vous vivez ensemble et vous êtes en train de chercher un condo pour fonder une famille ! Tu sais que je l'aime beaucoup, Georges, et que je trouve que c'est un bon gars, mais, là, je ne peux pas être de son bord.

— Mais tu veux que je fasse quoi ? Que je lui dise que je ne suis pas d'accord ? Que je voudrais qu'il reste ici et qu'il laisse tomber sa carrière pour venir visiter des condos ? Ça n'a pas de sens !

— Moi, ce n'est pas ça que je lui dirais, mais si toi tu te sens comme ça, c'est exactement ce que tu devrais lui dire. Pour une fois, dis donc ce que tu ressens au lieu de tout garder à l'intérieur pour ne pas blesser personne. Visiblement, les gens autour de toi ne se gênent pas, eux!

— Je vais voir, Rox. Je ne veux pas agir sur un coup de tête, et lui dire des choses que je ne pense pas. Reviens-tu avec moi? J'ai un appel conférence à 13 h.

— Non… Je pense que je vais rester un peu à prendre du soleil, m'a-t-elle dit en s'étirant nonchalamment. Les néons du bureau sont néfastes pour mon moral. Et puis, j'ai une heure pour manger, alors je prends mon heure. Je ne fais pas de zèle, moi.

J'ai souri à Roxanne en ramassant les restes de mon dîner. J'avais essayé bien des fois de la convaincre de retourner à l'école pour avoir un emploi dans lequel elle se sentirait plus valorisée, mais elle ne voulait rien entendre. Elle me répétait que, pour rien au monde, elle n'aurait voulu le stress des gens qui ont trop de responsabilités professionnelles et qu'elle était bien contente avec ses tâches routinières, tant que ça lui rapportait assez d'argent pour subvenir à ses besoins. Et puis, je devais admettre qu'elle avait raison de vouloir rester. Le soleil d'octobre était particulièrement chaud et fort ce midi-là.

— O.K.! On se voit plus tard, alors! lui ai-je lancé tout en saluant de la main un collègue qui s'était installé à l'autre bout du parc.

Elle s'est brusquement retournée pour voir qui je saluais.

— À qui tu viens de dire allô?

— À Mathieu. Le nouveau au département des ventes.

— Oh! C'est Mathieu, son nom? Il a l'air tellement gêné et est tellement adorable! O.K., va-t'en, peut-être que c'est toi qui l'intimides avec ton gros poste important de directrice. Je vais lui dire de venir s'asseoir avec moi, m'a-t-elle dit d'un ton assuré en mettant ses lunettes de soleil qui lui donnaient l'air d'une star hollywoodienne et en ajustant subtilement son décolleté. Mais pense à ce que je t'ai dit !

J'ai tourné les talons et j'ai marché pensivement jusqu'au bureau. Après mon appel conférence, j'ai passé l'après-midi à essayer de me concentrer sur mon travail, mais en vain. Je n'arrêtais pas de penser à ce que j'allais dire à Georges, et comment je le lui dirais pour qu'il ne pense pas que je n'étais qu'une égocentrique. J'étais tellement mélangée que je me suis dit que c'était presque heureux qu'il ne m'ait pas appelée pendant l'après-midi.

***

À 17 h 30, j'ai décidé que c'en était assez, et que je réagirais bien comme je le sentirais une fois le moment venu. J'ai salué Roxanne discrètement en sortant alors qu'elle était en pleine conversation avec Mathieu. Pauvre lui… Il ne savait pas dans quoi il s'embarquait avec elle. Contrairement à ma sœur, Roxanne ne confondait jamais l'amour et la passion. À ses dires, elle avait eu le cœur brisé une seule fois et s'était juré que c'était la dernière. Je ne la connaissais pas encore à cette époque, mais, à l'entendre, ça avait été tellement dur à surmonter qu'elle avait décidé que la vie était trop courte pour vivre plusieurs fois des peines comme celle-là. Elle vivait donc comme si chaque journée était la dernière. Elle ne s'attachait à aucun homme pour plus de cinq jours environ, au bout desquels elle se lassait et cherchait à passer à autre chose rapidement.

Une fois arrivée devant chez moi, j'ai lentement monté les escaliers en essayant de me composer un visage riant et heureux qui masquerait l'inquiétude et le pincement au cœur que je ressentais depuis l'appel de Georges. Je m'étais arrêtée à la SAQ pour acheter une bouteille de champagne afin de célébrer en grand son succès et, aussi, pour diriger son attention vers autre chose que mon air torturé qui ne manquerait pas d'apparaître au courant de la soirée.

— Allô! ai-je lancé d'une voix qui se voulait sûre d'elle en ouvrant la porte.

J'ai entendu du bruit qui provenait de la cuisine, puis j'ai vu Georges en sortir pour s'approcher vers moi et m'embrasser.

— Salut, ma belle! Ça va? Tu as passé une belle journée?

— Oui, oui. Je n'étais pas trop occupée, alors j'ai pu rattraper le retard que j'avais accumulé la semaine dernière... Toi? J'imagine que oui, hein? Félicitations encore, mon amour! C'est tellement cool pour toi!

— Ha! Je sais! Je n'arrive même pas à y croire encore... Et regarde le beau souper pour célébrer ça, m'a-t-il dit en montrant la table qui était dressée comme pour les grandes occasions. Je me suis arrêté chez le traiteur en revenant du bureau.

— Wow! C'est moi qui aurais dû te préparer à souper pour te féliciter... mais, au moins, j'ai pensé à acheter quelque chose pour accompagner tout ça!

J'ai brandi devant lui la bouteille que j'avais gardée cachée derrière mon dos.

— Oh! Merci, chérie! Mais tu comprendras que je vais me limiter à un verre seulement ce soir. J'ai réussi à passer à travers ma journée grâce à l'adrénaline mais, là, je commence à ressentir la fatigue...

— Ben oui! C'est vrai! J'avais oublié... En plus, j'hésitais entre la bouteille et un gâteau.

— La bouteille, c'est parfait! m'a assuré mon copain en m'embrassant pour la seconde fois.

Il m'a pris la main pour m'entraîner vers ma chaise qu'il a reculée pour que je puisse m'asseoir. Une fois que nous avons été attablés, je me suis demandé comment j'allais aborder les innombrables questions qui s'étaient bousculées dans ma tête tout l'après-midi.

— Et puis ? Raconte ! Je suis tellement excitée pour toi, ai-je dit en ayant toutefois l'impression de mentir un peu.

— Ben, premièrement, ils m'ont convoqué dans la salle de réunion… Tu m'as vu avant de partir ce matin : j'avais tellement l'air d'être sur le seuil de la mort que je me suis dit que c'était sans doute pour me dire de me calmer sur les sorties les soirs de semaine parce que je nuisais à l'image du bureau ou quelque chose comme ça, commença-t-il en souriant. Mais non ! Ils m'ont d'abord félicité pour la qualité de ma recherche. Ensuite, ils m'ont demandé si j'étais intéressé à me joindre à l'équipe qui s'en va dans le Nord pour la construction du barrage. Ils ont dit qu'ils n'envoyaient habituellement pas de junior, mais que, étant donné les éloges du client sur mes plans et mes devis, ils croyaient que j'étais capable d'apporter une nouvelle vision à l'équipe !

— Bravo ! Je suis vraiment fière de toi ! Et donc tu partirais la semaine prochaine ? ai-je demandé en essayant de paraître le plus calme possible alors que je sentais qu'on approchait d'un terrain glissant.

— Ouaip ! Une semaine et demie en fait, m'a-t-il simplement répondu en prenant une bouchée de riz.

— Et… tu as pu savoir si tu allais pouvoir revenir pendant les trois mois ?

— Oh ! Oui, je vais pouvoir… mais tu sais, le voyage est tellement long que ça ne vaut pas vraiment la peine que je revienne toutes les fins de semaine… Mais je vais venir au moins une fois pour trois ou quatre jours par contre, sinon je vais beaucoup trop m'ennuyer de toi, m'a-t-il répondu en me faisant un clin d'œil.

Encore une fois, j'ai choisi d'ignorer le « au moins » qui m'apparaissait finalement comme son expression passe-partout de la journée. Je ne pouvais m'empêcher de penser que, trois ou quatre jours, c'était minime, et je ne comprenais pas pourquoi il n'avait pas l'air de le penser aussi. J'avais l'impression qu'il était tellement détaché et, en le regardant, je me rendais bien compte qu'il rêvait déjà du Nord québécois, de sa toundra et de ses caribous, et ne se doutait nullement de l'état dans lequel « l'offre de sa vie » me mettait.

— Moi aussi, je vais m'ennuyer. Beaucoup, même. Mais… est-ce que tu penses que je devrais continuer à chercher un condo pendant que tu es parti ? lui ai-je demandé presque timidement.

— Ben oui, c'est sûr, chérie ! Trois mois, ce n'est rien, et tu es tellement efficace que je suis certain que quand je vais revenir, tu vas déjà nous avoir déniché la perle rare !

— Mais… tu vas vouloir le voir, non ?

— Certainement ! Mais ce n'est pas en trois mois qu'on signe et qu'on déménage en plus ! m'a-t-il rétorqué en riant.

— Je sais, mais si j'en trouve un vraiment beau, qu'est-ce qu'il faut que je fasse ?

— On verra en temps et lieu, Jas. Ça fait déjà deux mois qu'on cherche et il n'y a rien qui fait ton affaire.

— À moi ? Mais à toi non plus, ça ne te plaisait pas ! Tout ce qu'on a visité était trop petit, tu le sais bien !

— Je sais, je dis ça pour rire. On va quand même pas se chicaner avant que je parte, non ?

Je devais me concentrer pour ne pas laisser paraître le sentiment d'exaspération mêlé à celui de peine que je sentais monter en moi. J'ai baissé mon regard vers mon assiette en murmurant du bout des lèvres un « non » à peine audible.

— Bon. Tu es fâchée, là ?

— Non, pas du tout, ai-je dit en me reprenant. C'est juste que…

— Que quoi ?

Je repensais à tout ce que Roxanne m'avait dit à l'heure du dîner, mais il y avait quelque chose en moi qui m'empêchait de lui dire franchement que ça m'avait fait de la peine qu'il n'ait même pas pensé à me consulter.

— Que je trouve ça long, trois mois sans se voir.

— Moi aussi, chérie, m'a-t-il répondu d'un ton presque soulagé, mais tu vas voir, ça va passer beaucoup plus vite qu'on ne le pense. Et puis, on n'est plus au 18e siècle, il y a des moyens de communication maintenant ! On va pouvoir se parler !

— Tu vas m'appeler sur Skype pour qu'on puisse au moins se voir ? lui ai-je demandé d'une petite voix.

— Mais oui ! À tous les jours si tu veux !

Même si j'aurais aimé l'entendre dire qu'il le voulait aussi, j'ai quand même souri à Georges en me disant qu'il avait probablement raison. Trois mois, ce n'était rien dans une vie ! J'avais l'impression d'être devenue de la même race que Rose avec toutes ces questions et ces bouleversements qui me tenaillaient depuis les neuf dernières heures. Je ne savais même pas comment elle réussissait à trouver l'énergie pour sortir de son lit avec toutes ces émotions ! Je les avais vécues pendant la moitié d'une journée, et je me sentais aussi épuisée que si j'avais couru un marathon sans jamais m'être entraînée. Force m'était d'admettre que c'était quand même une énorme opportunité qui était donnée à mon copain, et il aurait été fou de la refuser sous prétexte que sa blonde trouvait que trois mois, c'était trop long et qu'il faisait des démarches pour acheter un condo !

Non, trois mois, ce n'était pas la fin du monde et notre couple était capable d'y survivre, me suis-je dit résolument quelques heures plus tard alors que nous étions couchés dans la pénombre de la chambre et que je me collais amoureusement à Georges.

CHAPITRE 3

Sans aucune préoccupation pour les gens qui la suivaient, Roxanne s'est arrêtée sec au beau milieu du trottoir.

— Attends… Si je comprends bien, tu ne lui as rien dit? m'a-t-elle demandé en ignorant gracieusement le regard meurtrier de l'homme qui la talonnait.

— Je lui ai dit que j'allais m'ennuyer, lui ai-je répondu en revenant sur mes pas pour la prendre par le bras et la faire avancer.

Elle me regardait d'un air incrédule.

— Et en lui disant que tu allais t'ennuyer, tu n'as pas pensé à lui dire… Je ne sais pas, moi… Oh! Que tu aurais apprécié qu'il se souvienne qu'il était en couple et que tu existais?

— Non, parce que je me suis rendu compte que je paniquais pour rien hier… Quand on y pense, trois mois dans une vie, c'est quoi?

— Trois mois dans une vie, c'est rien, tu as bien raison, mais là n'est pas l'enjeu. L'enjeu, a-t-elle continué d'un ton moralisateur, c'est qu'il ne t'a pas consultée avant d'accepter, tu te souviens?

— Oui, je me souviens! Mais j'ai exagéré sur le coup de l'émotion, hier. C'est tout, ai-je déclaré d'une voix qui ne laissait pas place à la réplique.

Roxanne a ouvert la bouche pour parler, mais s'est ravisée. Je sentais son regard désapprobateur sur moi et, je devais l'avouer, je n'étais pas certaine d'être capable d'y faire face ni d'avoir les bons arguments pour la faire changer d'idée. Nous avons continué à marcher en silence jusqu'au petit café près du bureau.

Une fois que nous avons été assises, c'est elle qui a brisé le silence.

— Tu sais que je ne te dis pas tout ça pour te faire sentir mal, hein ? Je ne suis juste pas d'accord avec le fait que tu ne dises rien. Tu mérites plus que ça, et surtout de la part d'un gars avec qui tu habites depuis deux ans !

— Oh ! Ça, je le sais que tu n'es pas d'accord ! Mais as-tu pensé qu'il ne le faisait peut-être pas intentionnellement ? Peut-être qu'on ne comprend juste pas l'importance que ça a pour lui.

— Honnêtement, je me demande bien ce qui est pire. S'il le fait intentionnellement, c'est de la méchanceté et si ce n'est pas intentionnel, il est relationnellement attardé. Qu'est-ce qui est le pire, tu penses ? m'a-t-elle demandé sérieusement.

— Quoi ? Tu ne peux pas me poser cette question-là pour vrai !

Roxanne a haussé les épaules.

— Ce sont des questions que tu dois te poser, et si tu n'es pas capable de le faire, je vais te les poser, moi.

— J'aimerais juste qu'on laisse tomber le sujet. Il part, il est heureux, c'est bon pour sa carrière. Discussion close, Rox.

— O.K., O.K., m'a-t-elle répondu d'une voix exaspérée. C'est toi qui sais ! Mais moi, je…

— Ça marche toujours le ciné pour samedi ? l'ai-je interrompue.

Roxanne m'a regardée droit dans les yeux avant de me répondre par l'affirmative. Je savais pertinemment qu'elle aurait pu continuer sur le sujet « Georges qui part sans m'en parler » pendant des heures. Et je savais aussi qu'après dix minutes, mes arguments auraient moins de conviction qu'ils n'en avaient maintenant, et je ne voulais pas risquer de me retrouver dans le même état d'esprit que celui de la veille.

— Le seul truc, ai-je poursuivi, c'est que ma mère veut absolument que je passe chez elle avant…

— Oh! Ben, on se rejoindra à l'entrée du ciné, alors.

— Ouin… mais c'est parce qu'elle nous a invitées pour souper, Rose et moi, et… voilà, je lui ai dit que tu allais venir aussi.

— Quoi? Non! Pourquoi?

— Parce que je sais qu'elle et Rose vont se donner pour mission de me dire tout ce qui ne va pas dans mon couple, surtout maintenant qu'elles savent que Georges part pour trois mois. Si tu es là, elles vont peut-être faire preuve de décorum et se retenir un peu. Et puis, tu vas pouvoir rencontrer ma mère et enfin mettre un visage sur la voix qui appelle tous les jours! S'il te plaît, s'il te plaît, s'il te plaît!

— Ma belle Jasmine, je n'ai pas besoin de mettre un visage sur la voix qui appelle à tous les jours! Et pourquoi elles le savent déjà que Georges s'en va?

— Parce que ma mère a téléphoné à la maison hier soir et c'est Georges qui a répondu. Il lui a tout raconté et c'est certain que Rose a été mise au courant dans l'heure qui a suivi. Oh! Allez! Je te promets que je vais t'en devoir une.

— Mmmmm. Tentant. O.K., c'est bon, je vais venir. Ceci dit, tu as là la preuve éclatante de mon amitié pour toi. Je vois ma propre famille une fois par année, et il faut que je me conditionne trois mois à l'avance, et là, je m'en vais passer mon samedi après-midi dans la tienne. Misère.

J'avais tellement peur qu'elle ne change d'idée que je me suis levée d'un bond pour la serrer dans mes bras en la remerciant avec effusion. Elle a éclaté de rire.

— C'est bon, c'est bon! Mais permets-moi de te dire une seule chose avant.

— Ce que tu veux ! Qu'est-ce qu'il y a ?

— Ce qu'il y a de réconfortant chez toi, c'est ta constance et ta stabilité émotionnelle. Visiblement, ce n'est pas juste avec Georges que tu te marches dessus, a-t-elle poursuivi en voyant les points d'interrogation dans mes yeux. Tu sembles être dans la même situation avec tous les gens de ton entourage.

En levant les yeux de mon assiette de salade, j'ai souri devant l'air satisfait et magnanime qu'elle exhibait. Je ne sais pas pourquoi, mais, à cet instant précis, j'ai eu une pensée pour Youssef, le gourou de ma mère, et je me suis dit qu'il devait probablement regarder ses fidèles de la même façon. C'est vrai que c'était convaincant. Pas assez pour me faire croire au pouvoir surnaturel des roches, mais assez pour que je réponde à Roxanne avec mon plus beau sourire :

— Je te promets d'y réfléchir. Mais dis donc toi… psycho, ça ne te tente pas ?

— Psycho ? Pourquoi psycho ?

— Ben… comme études !

— Non. Je te l'ai déjà dit que j'étais bien chez Oméga. Et puis, c'est une chose de t'analyser et de t'écouter, toi. Tu es mon amie et je t'aime. Je ne serais jamais capable d'écouter quelqu'un qui ne veut rien dire pour moi se plaindre pendant des heures. Oh que non ! m'a-t-elle répondu avec angoisse, comme si elle était déjà dans un cabinet de consultation.

— Alors, tu seras ma psychologue personnelle, lui ai-je dit en riant. Tu penses que m'acheter le tailleur qu'on a vu la semaine dernière serait une bonne thérapie ?

— Je pense qu'acheter des vêtements est toujours une bonne thérapie. Par contre, je repenserais l'achat du tailleur. Tu en as déjà une dizaine qui ressemblent à ça. Pourquoi tu ne te laisses pas aller un peu ? Pourquoi tu ne t'achètes pas quelque chose d'un peu plus excitant ? Un truc pour sortir, par exemple.

— Parce que je ne sors pas. En revanche, je travaille cinq jours par semaine. Un tailleur, c'est un achat intelligent.

— Me semble que ce serait plus excitant de magasiner avec toi si tu étais moins intelligente, a soupiré Rox en me suivant à l'extérieur. Va pour le tailleur alors, mais il faut que je sois de retour au bureau dans vingt minutes.

— C'est parfait. Je n'ai pas besoin de l'essayer encore. C'est un achat réfléchi, lui ai-je assuré en lui lançant un clin d'œil.

Trente minutes plus tard, nous étions de retour au bureau. J'avais dit à Roxanne de partir avant moi, mais elle m'avait rétorqué que, dix minutes de plus ou de moins, ce n'était pas la fin du monde.

***

À peine trois heures plus tard, j'étais de nouveau devant son bureau pour finaliser les plans du lendemain.

— Tu pars tôt, m'a-t-elle dit avec un soupçon de jalousie.

— Je sais. Mais, toi aussi, tu pourrais faire ton propre horaire si tu étais psychologue, lui ai-je rétorqué en blaguant. J'ai fini ce que je devais faire pour cette semaine et je veux profiter du temps qu'il me reste avec Georges. Il a tellement de choses à faire avant de partir que c'est un miracle que je l'aie pour moi pendant toute la soirée. Le reste des dossiers, je vais avoir tout le temps du monde pour y travailler quand il sera parti.

— Et vous avez quelque chose de prévu ce soir?

— Non, pas officiellement, mais je pensais peut-être aller prendre un digestif au petit bistro français près de chez nous, et après qui sait?…

— Ooooohhh! Qui sait?…

— Oui, on pourrait peut-être aller marcher sur Bernard ou sur le mont Royal.

Roxanne m'a dévisagée, perplexe.

— Ton idée de « qui sait ? », c'est aller marcher sur Bernard ou sur le mont Royal ? Tu me niaises ?

— Non, pourquoi ?

— Ben là, franchement ! Tu ne penses pas que tu devrais planifier une soirée de sexe torride avant son départ ? Tu sais, juste pour qu'il parte en voulant revenir le plus vite possible ?

— Haha ! Mais il part lundi prochain et ne t'inquiète pas, j'ai déjà commencé à planifier cette soirée, lui ai-je dit en baissant la voix pour éviter que tout le bureau ne prenne part à ma vie sexuelle.

— OUF !

— Et toi, tu fais quoi ce soir ?

— Mmmm. Rien de prévu. Je vais peut-être aller prendre un verre avec une amie du secondaire et, après, qui sait ?… mais ce n'est pas le même « qui sait ? » que toi, je t'assure. Dans mon cas, « qui sait ? » est synonyme de « qui sait, je trouverai peut-être la meilleure baise de ma vie ».

J'ai fait semblant de m'offusquer en me dirigeant vers la sortie.

— Quinze heures chez moi demain ? ai-je lancé en poussant la porte d'entrée.

— Qui sait ? m'a crié Roxanne de son bureau en riant.

J'avais menti à Roxanne en lui disant que je devais partir plus tôt pour passer du temps avec Georges. Je savais très bien qu'il ne quittait son travail qu'à 18 h. Je devais en fait aller visiter un condo qui m'était apparu très prometteur. Je ne voulais pas en parler à Rox, sachant trop bien qu'elle ne serait pas d'accord avec le projet, surtout avec tout ce qui se passait en ce moment. J'ai hélé un taxi en sortant du bureau, et j'ai donné l'adresse au chauffeur. Dix minutes plus tard, j'étais à destination.

***

J'ai eu du mal à contenir mon excitation pendant la visite. En fait, j'ai eu du mal à la contenir dès que j'ai posé le pied hors de la voiture et que j'ai vu le majestueux érable qui se dressait sur le terrain avant. Mon regard s'est ensuite posé sur la façade de brique, sur les fenêtres pratiquement neuves et sur l'adorable balcon que les propriétaires actuels avaient transformé en un lieu tellement zen que je les soupçonnais de faire partie du cercle d'amis proches de Youssef et de ma mère.

Pour la première fois depuis que j'avais commencé les visites, j'ai eu le plaisir de constater que l'extérieur du condo était à l'image de son intérieur. Les pièces, parfaitement divisées, laissaient entrer une quantité parfaite de lumière et les planchers, en parfait état aussi, me laissaient presque voir mon reflet. Tout était parfait. Quand je suis entrée dans la salle de bain, je me suis ravisée. « Non, pas parfait... plus que parfait », ai-je pensé en regardant avec émerveillement les deux lavabos et la douche parapluie qui était assez spacieuse pour que j'y tienne ma prochaine réunion d'équipe. Il a fallu que je fasse preuve d'une énorme maîtrise de moi-même pour ne pas demander que nous passions tous chez le notaire immédiatement afin de signer les papiers nécessaires. À la place, je me suis contentée de serrer la main de l'agent immobilier avec un enthousiasme presque embarrassant en lui répétant à quel point j'étais intéressée, mais qu'il fallait que j'en parle à mon copain qui serait sûrement tout aussi emballé que moi.

Aussitôt sortie, j'ai frénétiquement fouillé dans mon sac à main à la recherche de mon cellulaire. Je savais que Georges était en réunion jusqu'à la fin de sa journée de travail, alors je lui ai envoyé un texto.

Jasmine – 17 h 34
OH MON DIEU!!! CHÉRI!!! J'ai trouvé NOTRE condo!

J'ai pensé téléphoner à Roxanne pour lui annoncer que j'avais enfin trouvé le condo de ma vie, mais je me suis souvenue que ça reviendrait à lui avouer que je n'étais pas partie du bureau plus tôt pour passer du temps avec Georges. J'ai donc composé le numéro de téléphone de ma mère qui, je le savais, à défaut d'apprécier la nouvelle du condo en elle-même, allait jubiler à l'idée du balcon-ami-des-roches. J'allais jouer là-dessus en tout cas pour qu'elle puisse tenir un rôle actif dans ma névrose euphorique.

— Maman! ai-je hurlé en entendant la voix de ma mère à l'autre bout du fil.

— Oui? Jasmine?

— Oh, maman! Je suis tellement contente! J'ai enfin trouvé LE condo!

— C'est fantastique, chérie! Tu vois? Je t'avais dit de continuer à espérer. Toute chose est disponible dans l'univers pour chacun d'entre nous. Il faut juste savoir y croire.

En temps normal, j'aurais soupiré de désespoir en me demandant pour la millième fois de mon existence si je n'avais pas été adoptée, mais là, à cet instant précis, rien n'aurait pu assombrir l'état de ravissement dans lequel j'étais. J'étais tellement excitée que je me suis même entendue répondre à ma mère:

— C'est vrai, maman. Tu as raison!

Elle semblait aussi surprise que moi d'entendre ces paroles sortir de ma bouche.

— Je suis très fière de toi, ma chérie.

— Et tu devrais voir le balcon, maman! C'est comme si c'était toi qui l'avais aménagé. Il y a plein de fleurs et même une petite fontaine!

Je ne lui ai pas mentionné la statue de Bouddha placée bien en évidence sur un petit autel dans le coin du balcon. Je savais qu'elle allait insister pour que j'en achète une à mon tour en invoquant le fait que j'avais un devoir envers moi-même de reproduire l'environnement qui avait fait naître une si forte impression chez moi.

— Mais c'est excellent, ça! Tu sais ce que ça veut dire? Ça veut dire, a-t-elle continué sans me laisser le temps de tenter une réponse, que les propriétaires actuels doivent être en symbiose avec leur univers intérieur. Il doit y avoir beaucoup d'ondes positives dans ce condo! Ça va être bon pour toi. Et pour Georges aussi…, a-t-elle ajouté après quelques secondes.

Je ne savais pas si je devais relever les dernières paroles de ma mère. Elle les avait d'ailleurs dites à mi-voix, probablement par peur de ma réaction. Je savais qu'elle croyait bien faire et bien dire, alors j'ai décidé de les ignorer. Mon silence devait toutefois être éloquent, puisqu'elle s'est empressée d'ajouter:

— Quoi qu'il en soit, je suis très contente pour toi, ma belle Jasmine! On va fêter ça demain! Je vais aller acheter une bonne bouteille. Tu es certaine que Georges ne peut pas venir?

— Certaine. Un des partenaires de la firme l'a invité à jouer au tennis avec lui samedi après-midi. À l'entendre, ça ne se fait pas de refuser une partie de tennis avec un partenaire.

— D'accord. Ta petite amie vient toujours avec toi, alors?

— Mon amie, maman, mon amie. On ne dit pas «petite amie». Elle s'appelle Roxanne et, oui, elle sera là!

— Excellent! J'ai bien hâte de la rencontrer!

— Elle aussi, maman. On sera là en milieu d'après-midi. À demain, lui ai-je dit avant de raccrocher.

Une fois de retour dans notre appartement, j'ai patiemment attendu le retour de mon copain. J'avais essayé de l'appeler, mais j'étais tombée directement sur sa boîte vocale et je m'étais dit qu'il avait probablement éteint son cellulaire avant de commencer sa réunion et oublié de le remettre en fonction.

À 18 h 33, quand j'ai entendu le son de la serrure qui se déverrouillait, j'ai lancé la revue que je faisais semblant de lire pour me contenir, et j'ai bondi de mon fauteuil pour courir au-devant de Georges.

— Allô ! Ça va ? As-tu eu mon texto ? J'ai essayé de t'appeler mais ton cellulaire était fermé, je pense. Ça va ?

Il me regardait comme si j'étais folle.

— Hein ? Allô ! Ça va ? Tu m'as envoyé un texto ? m'a-t-il demandé, visiblement dépassé par mes questions en rafales.

— Ouiiiiiiiii ! Mon amour, je t'annonce officiellement que j'ai trouvé LE condo ! J'ai tellement hâte que tu viennes le visiter ! Il est parfait, parfait, parfait. Tout ce qu'on voulait est là. Il y a un petit terrain à l'avant, une grande salle de bain, deux chambres de parfaite grandeur et la lumière…mon Dieu, tu devrais voir la lumière qui entre… Fais juste me dire quand tu es libre, et je m'occupe de prendre rendez-vous avec l'agent. Il va falloir faire vite par contre parce que c'est sûr qu'il va se…

Je me suis tue quand j'ai pris conscience que, si je montrais assez d'enthousiasme pour dix personnes, Georges en manifestait à peine pour une demi-personne. Ou même, pour un quart de personne. Il semblait totalement absorbé par ses propres pensées au point que je me suis demandé s'il avait entendu ce que je venais de lui dire.

— Ça va ? lui ai-je lancé.

— Bah. Non, pas tant. Je commence à me demander si je vais être capable de livrer la marchandise dans le Grand

Nord. J'étais tellement content qu'ils m'aient choisi pour faire partie de l'équipe que je ne me suis pas trop posé de questions sur le travail à faire. Pendant la réunion, alors qu'on révisait les plans, ça m'a frappé. Qu'est-ce qui arrive si je les déçois ? Qu'est-ce qui arrive si j'échoue ? Si je ne suis pas ce qu'ils pensent que je suis ? Je n'ai pas tant d'années d'expérience que ça… comparativement aux autres, je veux dire. Je… je ne pense pas que je vais être capable, Jas.

J'ai regardé mon copain fixer le plancher de bois franc du corridor. Ses cheveux, un peu trop longs, lui cachaient les yeux. L'allure digne et fière que son complet lui donnait habituellement s'était envolée. J'avais devant moi un homme qui montrait la vulnérabilité d'un enfant. Sa dernière phrase m'était allée droit au cœur. Je l'ai pris dans mes bras en lui caressant doucement le dos.

— Tu mérites ce qui t'arrive, Georges. Tu as tellement travaillé pour y arriver. Moi, je crois en toi. C'est normal d'avoir des moments de doute, mais ne les laisse pas te contrôler. Il faut que tu sois plus fort.

Il a poussé un long soupir.

— Merci, chérie, tu trouves toujours les bons mots. Je vais dormir sur tout ça, en espérant que, demain, ce sera mieux. Je sais que tu veux me parler du condo, mais est-ce qu'on peut en parler demain matin ? Là, j'ai juste envie de mettre mon cerveau hors fonction. Qu'est-ce que tu dirais d'une soirée ciné ?

Je me suis retenue pour ne pas lui dire que, contrairement à moi, il n'avait pas le don pour trouver les bons mots. Je me suis ensuite dit que l'achat du condo était une démarche que l'on faisait à deux, et que même si je me sentais niée, il fallait que je respecte son choix. Et puis, de toute façon, avec tous les doutes qui l'assaillaient, ce n'était pas une bonne idée d'en parler maintenant. Je me suis contentée d'acquiescer à sa proposition.

— Tu es la meilleure, m'a-t-il chuchoté dans l'oreille en m'enlaçant. Je vais même t'emmener souper où tu veux pour te le prouver.

Je ne lui ai pas dit que j'avais aussi prévu souper au restaurant. La seule différence, c'est que j'avais prévu le faire pour célébrer le fait d'avoir trouvé le condo parfait.

Toute la soirée, j'ai dû fournir des efforts constants pour ne pas parler du condo à chaque fois qu'il y avait une pause dans notre conversation. Après avoir terminé notre repas, alors que nous étions en chemin vers le cinéma, je me suis dit que voir un film était finalement une bonne idée. Je pourrais penser à autre chose et mettre mon cerveau hors fonction, moi aussi.

***

Deux heures plus tard, à ma sortie de la salle, je me suis rendu compte que si quelqu'un m'avait arrêtée pour me poser des questions sur le film, la seule bonne réponse que j'aurais été en mesure de donner était le titre. Pas le nom des acteurs et encore moins le nom des personnages qu'ils incarnaient. Pendant que je faisais semblant d'écouter Georges qui vantait le talent de l'acteur principal, j'ai ressenti un malaise à être à ses côtés pour une des premières fois depuis que je le connaissais. Contrairement à mes attentes, pendant toute la durée du film, ce n'est pas au condo que je pensais, mais bien à la façon dont il avait balayé du revers de la main les émotions que je voulais partager avec lui. Est-ce que je me marchais vraiment dessus, comme me le répétait sans cesse Roxanne? Je refusais de croire que Georges pouvait être aussi égocentrique. Je me suis raccrochée à l'idée que tout cela n'était que circonstanciel. En deux ans de vie commune, je ne m'étais jamais sentie comme je me sentais à ce moment-là, à la sortie de cette salle de cinéma. Je tenais la main d'un homme de qui je vantais les capacités professionnelles, mais dont je doutais soudainement des compétences relationnelles.

Une fois que nous sommes revenus à l'appartement, j'ai prétexté l'importance capitale de me faire un masque d'argile afin de ne pas aller me coucher en même temps que lui. J'étais complètement sous l'emprise du stress qui me tenaillait l'intérieur, et je ne savais pas comment réagir. Je dois admettre que je gérais d'une façon assez déficiente les choses que je ne contrôlais pas : pendant tout le chemin du retour, je m'étais étampé un sourire crispé sur les lèvres et j'avais acquiescé à tout ce que Georges disait. Heureusement pour moi, c'était une conversation à sens unique dans laquelle il était devenu ni plus ni moins que critique cinématographique.

Après m'être fait un exfoliant, un masque d'argile et un masque hydratant, et avant qu'il ne me reste plus de peau sur le visage, je me suis convaincue que la nuit me porterait peut-être conseil également. Je me suis lentement dirigée vers la chambre à coucher et me suis étendue à côté de Georges qui, lui, dormait déjà paisiblement comme s'il n'avait aucun souci au monde.

***

Le lendemain matin, je me suis réveillée en sursaut en entendant un son de vaisselle brisée. Georges n'était plus à côté de moi, et le cadran affichait l'heure tardive de 11 h. J'ai soupiré en me levant et en enfilant un bas de pyjama appartenant à mon chum. En arrivant dans la cuisine, j'ai eu l'agréable surprise de le voir affairé devant la cuisinière, à essayer de gérer la cuisson simultanée des œufs, du bacon et des crêpes. Du jus d'orange fraîchement pressé trônait au milieu de la table.

— Wow! Chéri! Tu as pressé du jus d'orange?

— Oui, je sais comment tu aimes le jus d'orange frais, m'a-t-il répondu, visiblement très fier de son coup.

— Et que me vaut cet honneur?

— Rien en particulier. Je me suis juste dit que tu n'allais avoir personne pour te presser du jus et te faire de beaux déjeuners pour les trois prochains mois, alors je veux te gâter avant que je parte!

— Ça va mieux qu'hier, on dirait!

— Oui, je te l'ai dit, la nuit résout les problèmes. Je pense que j'avais ma semaine de travail dans le corps hier, et la réunion a été le coup final. Aujourd'hui, ça va beaucoup mieux! Je suis d'attaque pour le barrage du Grand Nord… et pour mon match de tennis de cet après-midi!

Je me sentais presque mal d'avoir douté de lui la veille. Évidemment que ce n'était que circonstanciel! Je le connaissais, après tout! Je me suis approchée de lui pour l'embrasser, comme s'il pouvait voir en ce geste un signe de repentir.

— Allez, c'est prêt! Assieds-toi, ma belle, c'est moi qui te sers!

Une fois que nous avons été installés, il m'a regardée en souriant avant de me demander:

— Alors, tu as trouvé LE condo?

— Oh, chéri, je suis contente que tu m'en parles parce qu'honnêtement, j'étais sur le point d'atteindre la limite du silence! Oui, LE condo. Il est parfait et tout rénové, lui ai-je répondu en prenant une énorme bouchée de crêpe.

— Il doit vraiment être parfait parce que c'est la première fois que je te vois aussi enthousiaste depuis qu'on a commencé à chercher. Il est dans nos moyens?

— Mmmm?

— Oh oh! Je sais ce que veut dire ce «mmmm»! Il est au-dessus de nos moyens, c'est ça?

— Oui… mais pas de beaucoup! Et je ne voulais pas te le dire avant que tu le voies parce qu'une fois visité, ça n'aurait même pas été un enjeu!

Georges a gardé le silence un moment.

— O.K., a-t-il fini par dire. On va aller le visiter ensemble et on verra après, d'accord?

J'ai hoché la tête énergiquement.

— Tu penses que tu peux nous arranger ça pour mercredi? a-t-il demandé.

— Oui, probablement! Je vais appeler l'agent immobilier lundi.

Nous avons continué à déjeuner en bavardant de tout et de rien, comme si la veille n'avait jamais existé. Une heure plus tard, Georges quittait l'appartement avec tout son attirail de tennis en me promettant de m'appeler après sa partie. Sachant que je devais me rendre chez ma mère, il avait accepté de me laisser la voiture pour la journée, et avait demandé à un ami de lui prêter la sienne pour pouvoir se rendre au complexe sportif.

— De toute façon, tu vas au ciné avec Rox ce soir?

— Oui. On va aller voir un de ces films de filles que tu ne veux jamais venir voir avec moi.

— Parfait! Je vais peut-être souper chez Éric, alors. De toute façon, il faut que j'aille lui rendre son auto après le match.

— Ah! O.K.! On s'appelle plus tard!

J'ai à peine eu le temps de prendre ma douche que Roxanne sonnait à ma porte.

— Salut! ai-je dit en lui ouvrant et en tenant ma serviette enroulée autour de mon corps, tu es en avance! J'en ai pour quinze minutes, O.K.?

Elle a baissé les yeux sur sa montre, et m'a ensuite regardée comme si elle ne savait pas de quoi je parlais.

— Je suis à l'avance ? On n'avait pas dit 14 h ?

— Non… on avait dit 15 h.

— Aaarrghh ! Dire que j'aurais pu dormir plus longtemps ! a-t-elle répondu en traînant lourdement les pieds jusqu'au fauteuil le plus proche et en s'affaissant dessus.

— Tu as fait quoi hier, finalement ? ai-je crié de la salle de bain.

Je l'ai entendue soupirer bruyamment, comme si donner une réponse à ma question lui demandait un effort suprême.

— Hier ? Hier, j'ai trop bu. Je me souviens juste de ça. Et je m'en souviens parce que j'ai tellement mal à la tête depuis que je me suis levée que je te jure que j'ai sérieusement considéré t'appeler pour te dire que je ne pouvais pas venir. C'est certain que je vais faire la pire impression au monde. Viens voir ma main ! Elle tremble toute seule. Je n'ai pas encore cuvé l'alcool, je pense.

— Oh, que tu es une bonne amie ! Tu as été où ?

— Le dernier endroit dont je me souvienne, c'est le club de salsa sur Sainte-Catherine.

— Et c'était bien ? Tu danses la salsa, toi ?

— Ben, disons qu'hier, je pensais que je dansais la salsa.

J'ai souri en passant devant elle. Elle était recroquevillée dans le fauteuil avec les genoux sous le menton.

— Je suis certaine que tu te déhanchais comme jamais !

— Ne m'en parle pas. Je ne veux pas m'en rappeler. Si tu m'en parles, je vais avoir des souvenirs qui vont me revenir à la mémoire et je vais vouloir mourir. Attends lundi, au moins. Je ne serai plus lendemain de veille. Je vais peut-être commencer à trouver ça drôle aussi. Es-tu certaine que tu veux que je t'accompagne ? Tu sais, ça ne me dérange pas si tu me décommandes.

— Arrête ! Tu es toute belle ! l'ai-je rassurée même si je la trouvais un peu verte. Et j'ai une bonne nouvelle… Georges m'a laissé la voiture, alors on n'aura pas besoin de passer une heure dans le transport en commun !

— Oh ! Ça, c'est une bonne nouvelle ! Je me suis demandé aussi s'il allait te la laisser. Il est parti jouer au tennis, non ?

— Oui, mais il a emprunté l'auto de son ami.

— Tant mieux. Je pense que je n'aurais pas survécu au trajet d'autobus. Je te jure, j'ai des palpitations quand je marche. Je ne boirai plus jamais. Les lendemains sont trop épouvantables.

— Georges a dit la même chose cette semaine. Pourquoi vous n'essayez pas de vous limiter un peu ? Tu n'es pas obligée de boire autant.

— Non, je sais, mais sur le coup tu te dis qu'un *shooter* de moins ou de plus, ça ne changera pas grand-chose. Et puis, si tu avais vu l'Apollon qui me payait les *shooters*, tu les aurais tous bus aussi.

— Ah oui ? Tu as rencontré quelqu'un ?

— Non, j'ai couché avec quelqu'un.

— Mais c'est ça, tu l'as rencontré. Vous allez vous revoir ?

— Pour qu'on se revoie, il faudrait qu'on se croise par hasard. Je ne lui ai pas donné mon numéro et lui non plus.

— Mais tu lui as dit quoi quand il est parti ?

— Premièrement, ce n'est pas lui qui est parti. C'est moi qui suis allée chez lui. Et ce que je lui ai dit en partant ? « Merci, bye. »

— Comment, « merci, bye » ? C'est tout ? Il ne t'a pas invitée à déjeuner ?

— Ça paraît que tu es en couple, toi ! Non, il ne m'a pas invitée. Je ne sais même pas s'il m'a entendue dire « merci, bye » en plus. Je pense qu'il dormait.

— Mais tu aurais dû lui donner ton numéro !

— Pour quoi faire ? Le gars répète probablement la même scène à tous les vendredis soirs avec une fille différente. C'est distrayant une fois, mais une fois seulement.

Je lui tenais la porte de l'appartement ouverte pour pouvoir passer après elle et barrer la porte. Nous avons descendu les escaliers. C'est moi qui ai ouvert la marche jusqu'à la voiture. Je me suis retournée vers Roxanne qui me suivait en traînant les pieds avec ses chaussures dans les mains.

— Ben là! Mets tes souliers! C'est dégueulasse par terre! Tu pourrais te faire mal! Et puis je comprends que ce soit l'été indien, mais tu vas attraper froid et tu vas être malade.

— Non, je ne peux pas. J'ai beaucoup trop mal. C'est un des effets secondaires de penser être une danseuse de salsa pendant une soirée. Je peux les mettre, mais je ne peux pas marcher avec. Tu penses qu'il va falloir que je marche chez ta mère? m'a-t-elle demandé, inquiète.

— Non et tu peux même être pieds nus chez ma mère parce que c'est la banlieue et il y a du gazon à chaque mètre carré. Et puis on ne va sûrement pas rester dehors tout l'après-midi. C'est l'automne, quand même.

— Oh! Voiture et pieds nus… Le rêve de tout lendemain de veille! a-t-elle déclaré, mollement, en s'installant dans l'auto.

Même si la maison de ma mère était à exactement vingt-huit minutes de voiture de mon appartement, j'avais toujours l'impression de partir vers une contrée lointaine. Après son divorce d'avec mon père, qui ne l'avait jamais comprise, elle s'était acheté une petite maison à Pointe-Claire pour pouvoir nous élever, ma sœur et moi, dans un environnement où nous pourrions être sensibilisées aux charmes de la nature. Elle se désolait d'ailleurs qu'aujourd'hui, Rose et moi habitions toutes deux en ville. Elle voyait là une preuve éclatante de son échec à nous faire vivre en communion avec les arbres.

— J'ai quelque chose à te dire avant qu'on arrive, ai-je dit à Roxanne en m'engageant sur l'autoroute. Ma mère va sûrement en parler, alors je veux que tu sois au courant.

— Tu as laissé Georges?

— Quoi? Ben non! Pourquoi je le laisserais?

— Parce qu'il ne te considère pas.

J'ai fait semblant de ne pas entendre sa réponse.

— Non, ce que je veux te dire, c'est que j'ai trouvé un condo!

— Un condo? Quand? Où? a-t-elle demandé en se tournant de peine et de misère sur son siège pour essayer de trouver une position se rapprochant le plus possible de l'horizontalité.

— J'ai été le visiter hier!

— Avec Georges? C'est pour ça que tu es partie plus tôt?

— C'est effectivement pour ça que je suis partie plus tôt mais… je n'y ai pas été avec Georges. Il était en réunion jusqu'à 18 h, hier.

— Mais pourquoi tu ne me l'as pas dit?

— Parce que je ne pensais pas que tu approuverais avec l'opinion que tu as de mon couple en ce moment.

Elle a soupiré.

— Jas… je suis ton amie. Je vais t'épauler peu importe la décision que tu prendras et je ne te jugerai pas. Si tu penses, dans le plus profond de ton cœur, que Georges est le bon gars avec qui acheter un condo, vas-y!

Je ne lui ai pas parlé des doutes et du malaise que j'avais ressentis la veille. Je savais que si elle l'apprenait, elle aurait elle-même téléphoné à l'agent immobilier pour lui interdire de me faire signer les papiers. Et puis, est-ce que c'était si pertinent que ça qu'elle le sache? Ce n'avait été que passager. Il y avait des femmes qui avaient des doutes le jour de leur mariage et qui vivaient ensuite une union très heureuse. Bon, je n'en avais pas connu personnellement, mais j'étais certaine que c'était le cas.

— Merci, ça me fait vraiment plaisir que tu me dises ça. Attends de voir le condo ! Il correspond à tout ce qu'on recherche. Je te jure, c'est presque trop beau ! Je me surprends même à me demander si je suis vraiment allée le visiter hier ou si je ne l'ai pas tout simplement rêvé !

— C'est où ?

— Un peu plus dans l'ouest, dans Griffintown. Je suis tellement excitée à l'idée d'habiter enfin dans un endroit où je n'entendrai pas mes voisins se moucher !

— Et Georges ? Il va aller le voir avant de partir ?

— Oui, c'est sûr. On y va ensemble mercredi, mais je suis convaincue qu'il va l'adorer autant que moi. C'est d'ailleurs ce que je lui ai dit pour justifier le prix un peu plus élevé que celui qu'on s'était fixé !

Roxanne a souri en regardant par la fenêtre.

— On est où, là ?

— À Pointe-Claire. Le royaume des anglos et, dans le cas de ma mère, des amoureux de la nature.

— Je me sens comme un gars qui rencontre sa belle-famille pour la première fois. Qu'est-ce qui arrive si ta mère ne m'aime pas ?

— Ma mère aime tout le monde. C'est son mantra dans la vie, tu te souviens ? Ça, et être en communion avec tout ce qui vit sur la planète.

— Est-ce qu'il va y avoir des pierres exposées partout dans la maison ?

— Ben là, il y a des pierres, mais elles ne sont pas exposées sur des tables avec des luminaires qui les éclairent, quand même !

— Tu sais, je suis presque fâchée de la rencontrer pour vrai… Ça va détruire l'image mentale que j'ai d'elle !

Je n'ai pas voulu le lui dire tout de suite, mais ma mère correspondait probablement à l'image qu'elle s'était faite. Je m'étais habituée à son genre, mais, pour quelqu'un qui ne la connaissait pas, je savais qu'à première vue, elle avait l'air un peu spéciale. Avec les années, elle avait trouvé un style vestimentaire bien à elle qui concordait parfaitement avec son ton de voix toujours calme et posé, et son regard tellement émerveillé qu'il frôlait l'illumination. Toujours vêtue de tuniques si larges qu'elles pouvaient facilement, si besoin était, se transformer en tentes de camping, elle portait de longs colliers en billes de bois qui avaient supposément des pouvoirs quelconques. Elle parlait aux gens comme s'il s'agissait de la dernière conversation de sa vie en les regardant avec insistance derrière sa grande mèche de cheveux blanche qui détonnait avec le reste de sa chevelure grise.

« Aujourd'hui n'est pas l'exception à la règle », me suis-je dit en la voyant sortir de la maison, l'air bienveillant et les bras ouverts, pour nous souhaiter la bienvenue.

— C'est elle, ta mère ? m'a chuchoté Rox, les yeux écarquillés.

Je me suis contentée de lui lancer un clin d'œil en avançant vers ma mère.

— Allô, maman !

— Bonjour, ma petite chérie ! Je suis contente que tu sois venue !

— Moi aussi ! Je te présente Roxanne ! Celle à qui tu parles presque tous les jours quand tu m'appelles au bureau.

— Bonjour, Roxanne. Je suis très heureuse de te rencontrer enfin ! lui a dit ma mère en marchant vers elle pour la prendre dans ses bras comme si c'était une amie de longue date qu'elle n'avait pas vue depuis des siècles.

— Oh, bonjour, madame ! a répondu Roxanne, déstabilisée par ce contact physique auquel elle ne s'attendait pas.

— Madame !... Appelle-moi Madeleine, ma belle enfant !

— Rose est arrivée ? ai-je demandé à ma mère en passant par le côté de la maison pour accéder à la cour.

— Non, pas encore. Voulez-vous quelque chose à boire, les filles ? Du vin, de l'eau, un thé ? Je pense qu'on va pouvoir rester dehors. C'est une des dernières belles journées avant que l'automne s'installe réellement.

— Un thé ? a répété Roxanne, surprise que quelqu'un propose cette boisson comme apéritif.

— Un thé ? Parfait, je t'emmène ça.

J'ai vu Roxanne ouvrir la bouche pour rectifier son choix, mais elle s'est probablement souvenue de ce que tous les parents enseignent à leurs enfants quand ils sont en visite chez des gens qu'ils ne connaissent pas : « Sois poli et accepte ce qu'on te donne. »

Roxanne m'a suivie, toujours pieds nus, jusque dans la cour arrière. Ma mère avait disposé les chaises de jardin en cercle avec une petite table basse au milieu. Nous nous sommes assises l'une à côté de l'autre.

Au même moment, j'ai entendu le portail s'ouvrir. Je me suis retournée juste à temps pour voir ma sœur faire une de ses fameuses entrées. Le genre d'entrée que personne ne manque, que l'on soit deux ou quarante dans la pièce. Elle portait une robe rouge moulante avec un perfecto en cuir, et une paire d'escarpins noirs aux talons tellement hauts que je me demandais comment elle faisait pour rester debout sans tomber. Surtout dans le gazon.

— Allô, tout le monde ! a-t-elle crié en nous saluant de ce signe de main qui m'avait toujours fait penser à celui que les stars envoient gracieusement à leurs fans sur les tapis rouges des premières de film.

— Salut, Rose ! lui ai-je lancé en me levant pour l'embrasser.

— Oh, Jasmine ! Maman m'a tout dit ! Je suis tellement désolée ! Pourquoi tu ne m'as pas appelée ? m'a-t-elle demandé d'une voix tragique en traversant la cour avec une maîtrise étonnante de ses chaussures pour venir me serrer dans ses bras.

— Hein ? Elle t'a dit quoi au juste ?

— Que Georges t'abandonnait. Ça va aller, tu vas voir. Tu peux compter sur moi. Les premières semaines vont être difficiles mais, après, on s'en remet. Je te le promets.

Elle me fixait avec un regard qui ne laissait aucun doute sur sa relation filiale avec notre mère. Un regard plein d'espoir et de compassion. J'étais bouche bée. Je me suis tournée vers ma mère qui venait de sortir de la maison avec une tasse de thé chaud dans les mains.

— Bonjour, ma belle Rose, a-t-elle dit. Je suis bien contente d'avoir mes deux belles fleurs avec moi. Tu sais, c'est moi qui ai insisté pour donner des noms de fleurs à nos filles ? a-t-elle continué en parlant maintenant à Roxanne. J'ai dit à leur père qu'il fallait absolument donner à nos enfants des noms qui évoquent la beauté de la nature.

— Maman, tu as dit à Rose que Georges m'abandonnait ? l'ai-je questionnée en la coupant brusquement.

— Bien sûr que non, chérie ! Je lui ai dit ce qu'il m'a dit quand je lui ai parlé au téléphone… qu'il partait travailler sur un projet dans le Grand Nord pour trois mois. C'est ça, non ?

— Mais c'est tout comme, Jasmine ! Tu ne te rends juste pas compte ! s'est écriée Rose.

— Je… Peu importe. Tu te souviens de Roxanne ? ai-je demandé à ma sœur.

— Oh oui ! Excuse-moi, Rox ! Ça me met tellement à l'envers, des situations comme celle-là, que j'en perds ma concentration et j'oublie comment vivre ! Ça va ? Tu as perdu du poids, toi, non ?

Roxanne s'est levée en grimaçant un sourire. Je l'avais vue retenir un fou rire quand ma mère lui avait expliqué l'origine de nos prénoms pour ensuite passer à l'étonnement quand elle avait entendu Rose lui parler de son poids.

— Bonjour, Rose ! Ça fait longtemps ! Tu es donc bien belle pour un BBQ ! Je me sens presque mal d'être en jeans !

Je connaissais mon amie, et je savais que son commentaire visait en fait à piquer ma sœur et à lui faire prendre conscience qu'elle était un peu trop habillée pour un après-midi dans une cour à Pointe-Claire. Je connaissais aussi Rose, et je savais que ça ne l'atteindrait pas le moins du monde.

— Arrête ! Tu es super belle aussi, lui a répondu ma sœur, alors qu'elle n'aurait jamais osé sortir de chez elle habillée de la sorte. Je rejoins des amis au centre-ville plus tard, et je ne voulais pas retourner chez moi avant. Je n'ai pas de mérite ! a-t-elle continué, faussement modeste, en se tournant vers moi. Alors, Jasmine, raconte-moi tout !

— Mais il n'y a rien à raconter. Georges a eu une opportunité professionnelle qu'il aurait été fou de refuser. Il s'en va travailler sur le nouveau barrage dans le Grand Nord. C'est tout.

— Tu vas pleurer quand il va partir, hein ? Ça te ferait peut-être du bien de pleurer, pour une fois. Je ne peux pas croire qu'il s'en va comme ça !

J'ai soupiré en regardant Roxanne qui se mordait maintenant franchement les lèvres pour ne pas éclater de rire.

— Rose chérie, ta sœur ne veut pas en parler. Laisse-la. C'est son droit et son cheminement émotionnel. Chacun a le sien, tu le sais bien. Elle a une bonne nouvelle, par contre ! C'est beaucoup mieux de se concentrer sur le positif.

— C'est vrai ! J'ai trouvé un condo ! ai-je dit à ma sœur en espérant que la nouvelle retienne son attention.

— Ah ! C'est toi qui quittes l'appartement en plus ? Il ne t'a même pas laissée le garder ? Franchement !

— Mais non, Rose! Une fois pour toutes, Georges et moi, on ne se laisse pas! J'ai trouvé un condo pour nous deux! Maman, peux-tu le lui faire comprendre?

Ma mère avait toujours refusé de jouer l'arbitre entre ma sœur et moi depuis que nous avions atteint l'âge adulte. Elle nous a regardées à tour de rôle et s'est levée en déclarant qu'elle allait chercher des grignotines.

Froissée de s'être fait contredire de la sorte, Rose s'est tue pendant quelques instants. Elle était du genre rancunier, et je savais qu'elle devait faire un effort presque surhumain pour ne pas se lever et aller bouder dans un coin de la maison à attendre que quelqu'un aille la supplier de revenir dans la cour.

— Bon, O.K., j'ai compris. Mais tu ne devrais pas me parler comme ça. Tu me parles toujours comme si je ne comprenais rien. J'ai vingt-cinq ans quand même! Je ne suis plus un bébé. Je veux juste ton bien, moi. Je pensais vraiment que Georges t'abandonnait et j'étais très fâchée contre lui. Demande à maman! Je lui ai demandé s'il n'y avait pas une pierre qu'on pourrait essayer de glisser dans son sac pour qu'il manque son avion ou quelque chose. Mais si tu me dis que tu es correcte avec sa décision, tant mieux, je n'en parlerai pas.

Elle est restée silencieuse durant une trentaine de secondes, puis, incapable de contenir sa curiosité, elle m'a lancé:

— Alors, il est comment, le condo? As-tu un *walk-in*?

— Non, lui ai-je dit en souriant devant sa naïveté, ce n'est pas un *walk-in*, mais c'est le plus gros garde-robe que j'aie jamais eu. Et la salle de bain est immense! J'y retourne mercredi avec Georges pour qu'il puisse le visiter.

— Tu vas déménager quand?

— Je ne sais pas encore. Je l'ai trouvé juste hier. Il y a beaucoup d'étapes avant celle du déménagement, tu sais.

— Je vais pouvoir le visiter avant que tu emménages? Je vais pouvoir t'aider avec la déco. Je suis bonne là-dedans, tu sais. L'intelligence spatiale, c'est mon intelligence la plus développée. J'ai fait un quiz dans une revue l'autre jour.

— Oui, bien sûr. Tu viendras avec Roxanne, ai-je suggéré pour forcer mon amie, que je soupçonnais de somnoler derrière ses verres fumés, à prendre part à la conversation.

— Oh ouiiiiiii! Et on pourra sortir danser après! a répondu mon amie avec un faux enthousiasme.

Rose a applaudi en hochant vigoureusement la tête alors que Roxanne ne pouvait s'empêcher de la regarder comme si elle débarquait d'une autre planète.

— C'est une bonne idée, ça! me suis-je exclamée en fixant mon amie. En plus, Roxanne a commencé à danser la salsa!

Elle m'a décoché un regard meurtrier. J'ai ri en haussant les épaules. Ma sœur, qui n'avait rien remarqué, a commencé à poser des questions à Roxanne sur la salsa et des endroits où on pouvait danser à Montréal.

***

Comme j'avais été assez claire sur l'avenir de mon couple, le souper n'a pas été aussi désastreux et pénible que je l'avais imaginé. Ma sœur n'a plus parlé du départ de Georges, et ma mère, fidèle à sa parole, avait acheté une bonne bouteille de vin qu'elle a tenu à déboucher solennellement en soulignant la nouvelle étape de vie que je m'apprêtais à franchir.

— Chaque étape dans la vie mérite d'être soulignée. Il faut s'arrêter et regarder en arrière en remerciant la vie de nous avoir montré le chemin à suivre. Aujourd'hui, ma belle fleur vole encore plus de ses propres ailes. Bravo, ma chérie! Je ne te souhaite que le meilleur.

J'ai levé mon verre vers ma mère en la remerciant. Roxanne levait son verre aussi, mais regardait à côté d'elle pour essayer de ravaler son fou rire.

À 20 h 30, je me suis levée de table en déclarant que Roxanne et moi devions partir pour ne pas manquer notre film. Mon amie m'a regardée avec surprise, mais s'est levée aussi. Nous nous étions créé un code, il y avait de cela un an, pour nous soustraire subtilement de situations embarrassantes, et j'attendais, depuis la dernière demi-heure, qu'elle en fasse usage. Je l'avais donc dévisagée pendant trente minutes en attendant qu'elle me regarde en clignant des yeux trois fois. Elle ne m'avait même pas regardée une seule fois. Elle fixait ma mère et semblait boire chacune de ses paroles.

Ma mère et ma sœur ont protesté pour que nous restions encore un peu plus longtemps, mais j'insistais tellement pour aller voir le film qu'elles nous ont laissées partir, après nous avoir cependant fait promettre que nous reviendrions bientôt. Roxanne a remercié ma mère avec effusion et a salué ma sœur.

— Mais qu'est-ce qui t'a pris? s'est-elle exclamée une fois dans la voiture.

— Rien! On allait vraiment manquer notre film!

— Mais on s'en fout, du film! Ta famille est mille fois mieux qu'un film! Je ne peux pas croire que tu ne me les as pas présentées avant!

— Tu as juste rencontré ma mère. Tu connaissais déjà Rose!

— Je sais, mais je ne les connaissais pas les deux ensemble! Quelle dynamique! Mon Dieu! Es-tu certaine que tu n'as pas été adoptée?

— Si tu savais le nombre de fois que je me suis posé la question... J'ai même déjà sérieusement demandé à ma mère de voir mon certificat de naissance quand j'avais treize ans. Ma sœur et elle se ressemblent tellement en plus. Je suis comme le vilain petit canard de la famille.

— Je pense que si je pouvais les regarder interagir toutes les fois que je le voudrais, je n'aurais plus besoin d'avoir le câble chez moi! Elles sont tellement…

— Intenses?

— Oui! Mais c'est beau de voir à quel point vous vous aimez toutes malgré vos différences.

— Oui… peut-être. Mais j'étais un peu fâchée ce soir… Tu as entendu Rose parler de mon couple? C'est vraiment insultant qu'elle pense que Georges m'abandonne comme ça.

— C'était clair qu'elle allait réagir comme ça, Jasmine. Elle vit le sentiment d'abandon avec des gars qu'elle a connus pendant deux semaines! Comment tu pensais qu'elle allait réagir quand elle allait savoir que Georges partait pour trois mois? Qu'elle t'aurait dit: «Oh! Mais c'est merveilleux pour sa carrière! J'espère que tu l'encourages à y aller!»? Voyons! Et puis, je ne comprends pas pourquoi tu accordes autant d'importance à ce que les gens pensent du fait que Georges parte… Je pensais que tu étais d'accord avec sa décision, non? m'a-t-elle demandé d'une voix pleine de sous-entendus.

— Je sais, mais c'est ma sœur quand même! Son opinion est importante pour moi.

— Je comprends, mais c'est ta relation, pas la sienne. Son opinion, elle te l'a dite, assez clairement aussi. C'est à toi de prendre ce qui t'aide et de rejeter ce qui te nuit. Combien de fois il va falloir qu'on en parle? Ce n'est pas parce que quelqu'un n'est pas d'accord avec toi que ta façon de faire est mauvaise, m'a-t-elle dit lentement, de la même façon qu'on récitait nos leçons au primaire.

— C'est peut-être ça… Son opinion était tellement claire que ça m'a fait douter pendant un instant.

— Comme son opinion sur les mots inventés? Je ne peux pas croire qu'elle ait dit que si elle trouvait qu'un mot qu'elle inventait avait du sens, elle l'utilisait dans son vocabulaire courant même si ça ne se disait pas. Comment ils font, les gens, pour comprendre ce qu'elle dit?

— Elle ne parle pas une langue étrangère, quand même! Elle invente des mots que le monde comprend. Et puis, elle ne les invente pas vraiment. Les trois quarts du temps, elle conjugue des verbes anglais en français.

— Comme «enjoyer» sa soirée?

— Oui, comme «enjoyer» sa soirée. Tu vois? Tu as compris.

— Ben, je n'ai pas compris sur le coup. Il a fallu que je répète la phrase dans ma tête… Et ta mère! C'est fou, tout ce qu'elle connaît sur les cristaux! Et ça a l'air de fonctionner en plus! Tu as vu comme elle est zen? Et ses troubles respiratoires qui ont disparu! C'est vraiment étonnant. Je pense que je vais suivre ses conseils et aller à la boutique pour voir s'il n'y a pas quelque chose pour guérir les maux de dos.

— Tu es sérieuse?

— Ben oui! Je n'ai rien à perdre! Pourquoi?

— Parce que tu es la dernière personne au monde que j'imaginerais dans ce magasin. Tant mieux si tu as appris quelque chose, mais penses-y à deux fois avant d'aller à la boutique. Peut-être que tu vas être recrutée par les militants des roches, et qu'on ne te reverra jamais parce qu'ils vont t'envoyer creuser dans les grottes.

— Pffff, très drôle, a-t-elle raillé.

— Oui, hein? Des fois, je m'étonne moi-même. Dis donc… tiens-tu vraiment à aller le voir, le film?

— Pour être honnête, non, pas si tu n'y tiens pas. Mes mains ont arrêté de trembler, mais je suis crevée. Ça ne te dérange pas?

— Non, pas du tout. On pourra y aller quand Georges sera parti. Il m'a envoyé un texto pendant le souper pour me dire qu'il rentrait à la maison, et je voudrais bien passer un peu de temps avec lui.

— Je ne sais plus si je devrais te croire quand tu me dis que tu veux aller passer du temps avec ton chum. Est-ce que je devrais comprendre que c'est un code pour dire que tu t'en vas faire des visites nocturnes de condos en cachette?

J'ai éclaté de rire.

— Non, pas ce soir! Je vais le rejoindre pour vrai!

Je me suis garée devant son immeuble. Elle a débouclé sa ceinture, est sortie de la voiture et s'est dirigée vers l'entrée. Alors que je m'apprêtais à repartir, je l'ai vue revenir vers moi. Elle s'est penchée et m'a fait signe d'ouvrir la fenêtre du côté passager.

— J'ai oublié de te souhaiter une belle soirée, ma belle fleur. Tu n'oublieras pas d'aller serrer un arbre dans tes bras avant d'aller dormir! m'a-t-elle lancé en riant.

— Ton tour d'être très drôle. Merci d'être venue, Rox! Je t'en dois une!

— Maintenant que je connais ta famille, je peux te le dire en toute sincérité: appelle-moi n'importe quand si tu ne veux pas y aller toute seule! Mais oui, c'est vrai, tu m'en dois quand même une.

Quand je suis arrivée à l'appartement, Georges était déjà bien installé sur le canapé devant la télévision. Je lui ai rapidement raconté ma journée pour ensuite me blottir dans ses bras sans parler. Nous avons passé le reste de la fin de semaine collés. Le monde extérieur, celui dans lequel ma sœur parlait d'abandon et de doutes, avait disparu.

CHAPITRE 4

Le lundi matin est arrivé beaucoup trop vite à mon goût. J'aurais bien passé quelques jours de plus, en pyjama, sur le canapé, dans les bras de Georges. Plus les heures avançaient, plus son départ se rapprochait et plus j'étais nerveuse. J'avais commencé à préparer secrètement une fin de semaine d'amoureux en me disant que je ferais les recherches et les appels nécessaires au bureau afin de trouver l'endroit idéal où l'emmener avant qu'il parte.

En arrivant chez Oméga, j'ai dû mettre une croix sur le temps que je comptais consacrer à la planification de cette escapade : mon patron m'a convoquée dans son bureau pour m'annoncer la tenue d'une réunion le vendredi suivant. À ses dires, c'était la réunion la plus importante de ma vie, celle qui allait faire bondir ma carrière. Je n'ai pas osé lui dire qu'il me disait la même chose chaque fois qu'il fallait que j'en prépare une, et que, chaque fois, ma carrière n'en était pas transformée.

— Ils doivent acheter chez nous, tu comprends ? Ce sont de très très gros clients. Je compte sur toi pour qu'ils n'aient même pas l'idée d'aller voir ailleurs, m'a-t-il dit.

J'ai hoché la tête en pensant à toute la quantité de travail supplémentaire que cela engendrerait. Évidemment, il avait fallu que la réunion tombe ce vendredi-là et pas la semaine suivante, quand je serais seule et plus que disposée à me perdre corps et âme dans le travail.

De retour dans mon bureau et avant de m'attaquer au dossier qui anéantissait tout espoir de passer une dernière semaine tranquille avec mon copain, j'ai quand même pris le temps de téléphoner à l'agent immobilier afin de fixer un rendez-vous pour visiter le condo de rêve. Heureusement, il était libre pour des visites le mercredi soir. «Ça me fera au moins une activité plaisante non reliée au travail pendant la semaine», me suis-je dit en inscrivant l'heure du rendez-vous à mon agenda. J'ai ensuite envoyé un courriel à Georges pour l'avertir que je resterais sûrement plus tard au bureau toute la semaine, mais que j'avais pris rendez-vous à 19 h, le mercredi, pour visiter le condo.

J'ai passé la journée enfermée dans mon bureau à travailler. Quand Roxanne a cogné à ma porte à 12 h 30 pour aller dîner, je l'ai regardée, découragée, derrière ma montagne de dossiers en lui disant que je mangerais probablement dans mon bureau pour les cinq prochains jours.

— Tu vois? Et c'est toi qui me dis que je devrais retourner à l'école? Pour que je puisse être enchaînée, comme toi, à une chaise de bureau qui n'est même pas confortable? En plus, tu n'es même pas payée à l'heure! Non merci! m'a-t-elle déclaré, visiblement très satisfaite de son choix de carrière, en refermant ma porte.

***

Comme prévu, j'ai quitté le bureau à 19 h cette journée-là et le pire, c'est que j'avais l'impression de n'avoir rien fait de productif. En sortant, j'ai remonté la fermeture éclair de mon manteau de cuir. L'automne s'installait lentement et les rues du centre-ville étaient presque désertes. Épuisée, j'ai hélé un taxi et m'y suis engouffrée en donnant mon adresse au chauffeur.

Une fois rendue chez moi, j'ai payé la course et j'ai péniblement monté les escaliers de mon immeuble. Je me sentais presque mal d'être partie du bureau, parfaitement consciente de la quantité de travail qu'il me restait à faire avant la réunion. J'avais envie de pleurer.

— Allô! Oh! Dure journée, ma belle? m'a lancé Georges en me voyant arriver dans la cuisine avec mon air de cadavre.

— Salut! Oui. Je suis tellement fatiguée. Je pense que je commence à être malade en plus… J'ai eu des frissons toute la journée. Tu as eu mon courriel? lui ai-je demandé en me dirigeant vers la salle de bain pour faire couler la douche.

— Oui! Tu lui as dit, à ton patron, que c'était beaucoup de travail pour une personne, cette réunion? Je ne comprends pas pourquoi il ne veut pas embaucher quelqu'un d'autre pour t'aider.

— Mmmm. Parce que je suis capable de le faire toute seule, moyennant des journées de douze heures. Et puis, tu sais, j'aime mieux être au courant de tous les dossiers, comme ça, je suis certaine que tout est fait. Ce serait juste plus de travail et de stress de gérer quelqu'un qui serait là pour m'aider. Et pour mercredi, c'est bon pour toi à 19 h?

— Oui, c'est bon. Je partirai directement du bureau pour m'y rendre. Comme ça, je serai solidaire avec toi en travaillant plus tard.

Je lui ai souri en me vaporisant le fond de la gorge d'échinacée d'une main et en cherchant les Tylénol dans l'armoire de l'autre. Une heure plus tard, j'étais au lit. Je me suis éveillée le lendemain matin avec la désagréable sensation de gorge en feu. Je tombais toujours malade aux moindres écarts de température et, même avec toutes mes années d'expérience en la matière, je n'avais pas encore trouvé d'aide-mémoire assez fiable pour me souvenir qu'il fallait que je fasse attention aux changements de saison. Je me suis levée en grognant et en cherchant mes écharpes qui allaient être, pour la semaine suivante, mes accessoires mode de prédilection.

— Oh, les foulards reviennent à la mode ? a rigolé Roxanne en me voyant entrer au bureau avec une écharpe enroulée trois fois autour de mon cou.

Il ne faisait même pas si froid que ça dehors, mais j'étais habillée comme si je m'en allais faire une expédition nordique.

— Ne m'en parle pas. J'ai tellement mal à la gorge. C'est sûr que c'est parce que j'avais le manteau ouvert hier. Je te jure, c'est quasi instantané. La température baisse de cinq degrés et je tombe malade en cinq minutes.

— Pauvre toi, m'a-t-elle dit en me regardant tousser faiblement. Bois de l'eau chaude avec du citron.

J'ai hoché la tête en marchant vers mon bureau et en fouillant dans mon sac à la recherche de mon paquet de pastilles contre la toux. J'ai passé la journée à renifler sur mes dossiers et à aller aux toilettes toutes les dix minutes à cause de la quantité phénoménale d'eau chaude que je buvais. Rien n'y faisait. D'heure en heure, j'avais l'impression d'être encore plus congestionnée. Je me suis même demandé si j'allais encore être capable de respirer à la fin de la semaine.

Professionnellement parlant, mardi et mercredi ont été identiques à lundi, avec pour seules différences que la cafétéria ne présentait pas le même menu le midi et que j'avais changé de saveur de pastille. J'avais l'impression de n'être devenue qu'un énorme microbe stationnaire, enchaîné à une chaise inconfortable du matin jusqu'au soir. Au moins, la préparation de la réunion avançait et je commençais à croire en l'existence de la mythique lumière au bout du tunnel.

**

Mercredi, à 18 h 30, mon téléphone a émis une sonnerie que je n'ai pas reconnue. Intriguée, j'ai regardé l'écran qui m'avertissait que j'avais la visite du condo trente minutes plus tard. Mon rhume devait s'être attaqué à toutes les parties de mon cerveau, excepté celles dont j'avais besoin pour travailler parce qu'en deux jours, j'avais complètement oublié le rendez-vous. Je me suis levée d'un bond, j'ai fermé tous les dossiers ouverts devant moi, et j'ai couru vers la station de métro la plus proche du bureau en espérant que Georges, qui ne m'en avait pas reparlé depuis lundi, ne l'avait pas oublié non plus.

Une fois au coin de la rue sur laquelle se trouvait mon fabuleux condo, j'ai aperçu au loin la silhouette de mon amoureux qui m'attendait patiemment sur le trottoir.

— Georges! ai-je crié péniblement en courant jusqu'à lui. Je m'excuse! J'avais complètement oublié! Il est quelle heure? Est-ce que je suis beaucoup en retard?

— Dix-neuf heures quinze… un retard mondain, comme dirait ta sœur! Tu avais complètement oublié? Comment tu peux avoir oublié? Je pensais que c'était le condo de ta vie!

— Haaaaa! C'est sûr que c'est le condo de notre vie! ai-je rectifié en lui prenant la main et en marchant vers l'entrée. Mais oui, j'ai oublié! Entre le rhume, qui me rend pratiquement amorphe, et la réunion, ça m'est complètement sorti de la tête! Une chance que j'avais programmé une alarme sur mon téléphone, sinon je serais encore devant mon ordi. Mais me voilà! Viens voir!

Nous avons salué l'agent immobilier qui nous attendait dans sa voiture, garée de l'autre côté de la rue. Finalement, il n'était venu que pour nous ouvrir la porte et tenter de placer un mot entre les miens qui étaient incessants. J'étais tellement excitée que Georges voie tout du premier coup que je lui montrais chaque pièce en faisant des descriptions qui n'en finissaient plus, si je me fiais aux regards exaspérés de l'agent.

Vingt minutes plus tard, nous étions de retour sur le trottoir. Dans ma tête, je m'étais représenté ce moment où nous aurions sauté de joie d'avoir finalement trouvé la perle rare et serions rentrés à l'appartement, intarissables quant à la décoration de notre nouveau chez-nous. Dans la réalité, ledit moment était beaucoup moins heureux. Il était même décevant.

— C'est un peu cher pour ce que c'est, non? a enfin lancé Georges après quelques minutes de silence.

— Je ne sais pas... Il n'y a presque pas de rénos à faire, alors je m'étais dit qu'on rentrait dans notre argent, ai-je répondu, encore surprise par le manque d'enthousiasme qu'il avait montré pendant la visite.

— Pas de rénos? La cuisine au complet est à refaire!

Je n'ai pas jugé bon de lui rappeler qu'il ne connaissait absolument rien en plomberie, encore moins en plomberie de cuisine. J'avais d'ailleurs été profondément agacée quand je l'avais vu ouvrir l'armoire de l'évier dans la cuisine pour inspecter la tuyauterie, comme si c'était une tâche qu'il accomplissait quotidiennement.

— Tu ne l'aimes pas, c'est ça?

— Ce n'est pas que je ne l'aime pas... C'est juste que je pense qu'on devrait continuer à regarder avant de se jeter sur quelque chose qui, au bout de quelques années, va perdre de sa valeur.

— De sa valeur? Mais pourquoi ça perdrait de sa valeur? Et puis, on ne l'achète pas pour le revendre, il me semble! Tu veux juste acheter pour te faire du profit, toi?

— Mais non, je ne veux pas juste acheter pour me faire du profit! Mais ce sont des choses dont il faut tenir compte, Jasmine. On achète pour faire de l'argent, pas pour en perdre!

Je n'ai rien dit. De toute façon, l'argent avait toujours été un sujet épineux entre Georges et moi. Je n'adhérais absolument pas à sa vision de toujours vouloir économiser et d'en vouloir toujours plus. Bien sûr, je ne voulais pas vivre dans la pauvreté, mais peut-être était-ce attribuable à l'influence de ma mère et de son éducation (elle en aurait été fière), je ne voyais pas la nécessité d'en avoir beaucoup plus que ce dont j'avais réellement besoin.

— Tu me le dirais, hein, si tu avais changé d'idée et que tu ne voulais plus acheter?

— Mais oui, Jas! m'a-t-il répondu d'un ton de voix où je percevais, à tort ou à raison, de l'impatience. Je n'ai pas changé d'idée! Je veux juste qu'on fasse un achat intelligent!

Il utilisait le même argument que j'avais servi à Roxanne, quelques jours auparavant, pour justifier l'achat de mon tailleur. Elle qui m'avait trouvée trop sage, je comprenais maintenant ce qu'elle voulait dire.

— Et puis, en plus, je pars dans cinq jours, a-t-il continué, tu ne vas quand même pas tout déménager toute seule!

— Non, mais on aurait pu demander un délai. Ce sont des choses qui se font!

— Je pense juste que tu t'es emballée trop rapidement, chérie. Je te promets qu'il y en a des dizaines de condos comme celui-là et encore mieux! Hier encore, un collègue me parlait du boom immobilier dans le quartier. C'est sûr qu'on va en trouver un encore plus beau avec un balcon encore plus grand! Il n'y aura peut-être pas de statue de Bouddha dessus, mais je pourrai t'en acheter une, si ça te fait vraiment plaisir, s'est-il un peu moqué.

Peut-être avait-il raison et que des condos aussi beaux, sinon plus, restaient à être trouvés. Me connaissant, je reviendrais à la raison dans quelques jours et, dans une semaine, je serais de nouveau prête à recommencer les recherches. Pour l'instant, je devais cependant renoncer au condo que je croyais avoir été construit pour nous et, pour ce faire, je devais arrêter d'en parler et d'y penser. À contrecœur, c'est ce que j'ai tenté de faire en faisant dévier la conversation vers les plans de la dernière fin de semaine avant son départ.

— Tu sais, je voulais te faire une surprise et nous organiser une fin de semaine romantique d'amoureux avant que tu partes, mais, avec le boulot et la réunion, je ne pense pas que je vais avoir le temps. On pourrait peut-être juste aller au resto samedi soir ? Qu'est-ce que tu en penses ?

— Oh, chérie, je ne te l'avais pas dit ? s'est-il étonné en gardant ses yeux sur la route, Éric m'organise un party de départ samedi soir ! J'étais sûr que tu étais au courant !

Je ne savais pas si c'était mon rhume, la fatigue du bureau, les paroles de ma sœur et de Roxanne qui me revenaient en tête, ma déception devant la réaction de Georges face au condo ou un amalgame de toutes ces raisons, mais, à cet instant précis, je me suis retenue pour ne pas exploser. Je me suis contentée de lui répondre le plus sèchement possible :

— Non, tu ne me l'avais pas dit.

— Pourtant, je pensais te l'avoir dit. Ben oui, a-t-il continué le plus naturellement du monde, Éric organise une soirée avec des amis et du monde du bureau au nouveau resto-bar qui vient d'ouvrir près de chez lui. Tes amies sont les bienvenues aussi !

— Mes amies sont les bienvenues ? Tu me donnes le droit d'inviter mes amies à ton fabuleux party de départ ?

C'était assez pour qu'il détourne son regard de la route pendant quelques secondes et le pose sur moi, surpris. Ce n'était pas dans mes habitudes d'être aussi directe. En fait, je pense que je n'avais jamais été aussi agressive avec lui.

— C'est quoi, le problème ?

— Le problème ? Le problème, c'est que tu ne me demandes jamais mon avis avant de planifier quelque chose !

— Mais comment j'étais supposé savoir que tu avais prévu quelque chose ?

— Tu n'étais pas supposé le savoir, Georges! C'est pour ça que je te dis que tu devrais peut-être me parler avant d'accepter tout ce qui t'est proposé.

— …

— Et puis tu as le culot d'ajouter que «mes amies sont les bienvenues»? Pourquoi? Pour que tu puisses t'amuser avec les tiens, et que tu ne sois pas obligé de t'occuper de moi? C'est ça?

Georges n'osait même pas lever les yeux vers moi, encore moins répondre. Par chance, nous étions maintenant dans la voiture et personne ne nous entendait. J'étais hors de moi. C'était comme si toute la frustration que je m'efforçais de refouler depuis qu'il m'avait annoncé son départ refaisait surface et que, cette fois, elle était plus forte que ma volonté de la dissimuler.

— Et tu sais quoi? Si tu n'étais pas aussi centré sur toi-même et sur le prestige que ça te donne, d'avoir été choisi pour faire partie de l'équipe du Grand Nord, tu aurais voulu, toi aussi, passer une soirée juste toi et moi.

Je sentais mes yeux se remplir de larmes. J'essayais de les refouler, sachant pertinemment que Georges détestait les excès d'émotions. Peine perdue. J'ai éclaté en sanglots. Je m'en voulais d'avoir tout gardé à l'intérieur et de lui avoir déversé toute ma rage sans avertissement. Je m'en voulais de ne pas m'être plus écoutée, et de ne pas lui avoir dit avant que je ne me sentais pas considérée quand il prenait des décisions. J'étais profondément déçue par le fait qu'il n'ait même pas pensé à passer une soirée avec moi. Comme si j'allais toujours être là, à l'appartement, à l'attendre. Nous étions maintenant arrivés dans notre rue. Il a stationné la voiture et s'est tourné vers moi.

— Chérie, je…, a-t-il commencé, tout penaud.

— Non. Pas maintenant, ai-je dit en ouvrant la portière de l'auto. J'ai besoin d'être seule. On se parlera plus tard, quand je reviendrai.

Je suis sortie de la voiture et je me suis mise à marcher rapidement. Mes larmes embuaient ma vision et j'attendais d'avoir tourné le coin de la rue pour pleurer librement. J'ai fouillé dans mon sac à la recherche de mon cellulaire pour appeler Roxanne.

— Salut ! J'allais t'appeler ! Il me semble que ça fait longtemps que je ne t'ai pas parlé. Comment ça va, mon petit microbe préféré ? m'a-t-elle dit en décrochant.

— Rox…, ai-je pleuré de plus belle en entendant le son de sa voix.

— Qu'est-ce qui se passe ?

— Rox, est-ce que tu es occupée ? On peut se rencontrer ?

— Je mets mes souliers à l'instant. Tu es où ?

— Dans le parc au coin de chez moi, mais je ne veux pas rester ici. Je peux venir chez toi ?

— Ben oui ! Je t'attends. Viens-t'en, ma belle.

***

Vingt minutes plus tard, j'étais dans le portique de son immeuble et j'appuyais sur son numéro d'appartement.

— Mais voyons ! Qu'est-ce qui se passe, Jas ? m'a-t-elle demandé en ouvrant la porte et en me laissant entrer dans son minuscule studio.

— Tu avais tellement raison ! ai-je reniflé péniblement en m'affaissant sur son canapé, coincé entre deux tables de chevet.

— Raison sur quoi ? Mais enfin, Jas, dis-moi ce qui se passe, tu me stresses !

— Georges me marche dessus. Tu as raison, il ne pense pas à moi, ai-je lâché entre deux sanglots.

Je lui ai tout raconté, depuis le condo qu'il n'avait pas été si enthousiaste de visiter, jusqu'à notre chicane dans la voiture. Après mon long monologue, qui avait été entrecoupé de reniflements et de mouchages, je l'ai regardée en attendant sa réaction.

— Bon… premièrement, c'est une bonne chose que tu te sois finalement exprimée. Est-ce que tu aurais dû le faire avant? Oui. Est-ce que c'était démesuré comme réaction? Peut-être, mais au moins tu lui as dit ce que tu pensais et ce que tu ressentais.

— Qu'est-ce qu'il faut que je fasse maintenant? Je ne peux pas laisser les choses comme ça. Si tu m'avais entendue crier dans la voiture… Il avait l'air terrifié.

— Tant mieux! Tu as eu le mérite d'être claire. Jasmine, je dois te demander quelque chose que tu n'aimeras pas entendre, mais, en tant qu'amie, je n'ai pas le choix… Est-ce que tu l'aimes, Georges? Je veux dire… l'aimes-tu vraiment? Es-tu certaine que c'est le bon pour toi?

— Es-tu devenue comme Rose? Toi aussi, tu veux qu'on se laisse, c'est ça?

— Non, je ne suis pas devenue comme Rose. Toi non plus, ne deviens pas comme elle en faisant un délire de persécution. Tu es mon amie et la seule chose que je constate dernièrement, c'est que tu n'es pas heureuse. J'essaie juste de t'aider.

Je me suis rendu compte qu'elle me parlait avec le même ton de voix que j'utilisais habituellement avec ma sœur. Je devais avoir l'air encore pire que je ne le pensais.

— Oui, je l'aime. S'il y a une chose dont je suis certaine, c'est bien ça.

J'ai tenté de me calmer. Sa question m'avait ébranlée. Est-ce que je parlais vraiment comme si je ne l'aimais plus? Est-ce que j'avais vraiment l'air si malheureuse que ça? J'ai pris une grande inspiration.

— C'est juste une mauvaise période. On est tous les deux stressés et peut-être que, finalement, il a raison. Peut-être que je me suis laissée emporter par le premier condo potable que j'ai visité en pensant que c'était le bon.

— Laisse-moi t'interrompre tout de suite. Tu ne t'es pas laissée emporter par le premier. Ça fait au moins six condos que tu visites ! Par contre, peut-être que Georges l'aime moins que toi. Ça, ça se peut.

J'ai soupiré longuement.

— Je n'ai pas eu raison de lui crier après comme je l'ai fait. J'aurais dû lui parler. J'aurais dû lui dire comment je me sentais la journée où il m'a dit qu'il partait. Ça aurait évité le déluge émotionnel qui vient de se passer… Ce n'est vraiment pas mature de ma part. En plus, j'ai refusé de lui parler une fois à la maison. Je suis sortie de l'auto et je suis venue ici.

— Et est-ce qu'il a compris, tu penses ?

— C'est sûr que oui ! Il ne voudrait jamais me faire de peine !

— Non, ça, je sais qu'il ne veut pas te faire de peine, mais peut-être qu'il est juste comme ça. Il ne le fait pas intentionnellement, mais c'est peut-être juste sa façon de réagir. Et si c'est ça, c'est toi qui dois faire un choix, Jasmine. C'est toi qui dois décider si tu veux rester avec quelqu'un qui t'aime, mais qui fonctionne en pensant à lui avant « vous ».

— Tu es folle ! Ce n'est pas comme ça du tout, voyons ! Il en fait des choses pour moi ! Il le sait quand il a mal agi ! Regarde la fin de semaine dernière ! Il m'a fait un super déjeuner pour se faire pardonner.

— C'est un déjeuner, Jas…, a laissé tomber Roxanne en me regardant droit dans les yeux.

Je me doutais qu'une partie d'elle avait peut-être raison, mais je ne voulais pas le reconnaître. À cinq jours du départ de mon copain, je ne voulais pas tomber dans toutes ces remises en question. J'étais stressée, il l'était aussi, et le stress nous faisait faire des choses irrationnelles.

— Tu veux rester ici pour la nuit ? Je t'arrange le sofa et on partira ensemble pour le bureau demain matin.

— Non… je dois rentrer. Ça fait déjà deux fois qu'il m'appelle depuis que je suis ici. Je n'ai pas pris mes responsabilités en venant chez toi sans lui parler… Je vais au moins les prendre maintenant.

Elle a soupiré. Je savais bien qu'elle n'était pas d'accord. Je savais bien qu'elle aurait voulu que je reste, le temps de me calmer et de voir les choses plus clairement. Je savais tout ça, mais je ne voulais pas l'entendre. Je ressentais une urgence de tout régler maintenant. Je ne pouvais pas supporter l'idée de le savoir seul à la maison, sans nouvelles. Je me suis levée du canapé en faisant grincer les ressorts et en me mouchant une dernière fois. Roxanne m'a suivie jusqu'à la porte.

— Tu m'appelles s'il y a quoi que ce soit ?

— Promis. Mais ça va bien aller. Merci, mon amie, une chance que tu es là !

Au lieu de prendre le taxi pour revenir de chez Roxanne, comme je l'avais pris à l'aller, j'ai décidé de marcher un peu pour avoir plus de temps pour penser à ce que j'allais dire à Georges. En parlant avec mon amie, je m'étais rendu compte que j'avais simplement trop accumulé pendant les derniers jours et, ça, il fallait que je le dise à mon copain. Ça ne me ressemblait pas de crier à tue-tête dans une voiture et d'en sortir en pleurant. Plus jamais, je ne voulais revivre ce genre de situation, et s'il fallait que je m'exprime et que je m'écoute plus pour être certaine que ça n'arrive plus, c'est ce que je ferais.

Je suis entrée dans l'appartement et me suis dirigée vers la chambre à coucher qui était la seule pièce où il y avait de la lumière. Georges était couché, lunettes sur le nez, en train de réviser des plans. Quand il m'a vue dans l'embrasure de la porte, il s'est levé et m'a serrée très fort dans ses bras.

— Oh, chérie, je m'excuse de t'avoir fait de la peine. Tu sais que la dernière chose au monde que je voudrais, c'est de te blesser. Je me suis senti tout croche quand je t'ai vue pleurer.

— Je sais et, moi aussi, je veux m'excuser. J'aurais dû t'en parler avant. Je voulais tellement que tu sois heureux que je ne t'ai pas dit comment je me sentais, et voilà ce que ça a donné… Mais, maintenant, j'ai pris la résolution de m'exprimer aussi et on trouvera des terrains d'entente, O.K.?

— Bien sûr. Il faut que tu me dises comment tu te sens. Tant que ce n'est pas à outrance comme ta sœur! Et tu sais quoi? Je vais laisser faire la soirée qu'Éric m'organise. Je vais rester avec toi. Tu as raison, c'est notre dernière fin de semaine ensemble. Je ne l'avais pas vu aussi intensément que toi, je pense, parce que je me dis que, trois mois, ce n'est pas grand-chose, mais je comprends comment tu te sens.

J'étais soulagée de l'entendre renoncer à sa soirée pour rester avec moi. Il y avait une partie de moi qui, sur le chemin de retour de chez Roxanne, s'était dit que s'il s'entêtait toujours à trouver que c'était normal qu'il passe sa dernière fin de semaine avec ses amis, c'est que notre couple n'avait pas la même importance à ses yeux qu'aux miens.

— Oh, Georges, merci de me dire ça! Mais on va y aller à la soirée! Oui, c'est notre dernière fin de semaine ensemble, et oui, je vais vraiment m'ennuyer, mais moi aussi je comprends que ce n'est pas la fin du monde. Ce n'est pas comme si tu étais condamné à mort. On va en avoir plein d'autres fins de semaine. Et puis Éric a déjà tout organisé, non? On ira souper ensemble dimanche soir.

— Tu es certaine? Tu me dis vraiment la vérité, là?

— Oui, oui, ai-je ri doucement, on va avoir une belle soirée. Je vais demander à Rose et à Rox si elles sont libres.

Il m'a regardée en souriant et m'a embrassée sur le front. Nous avions fait la paix et, en plus, nous avions trouvé un terrain d'entente qui nous satisfaisait tous les deux. Pour la première fois depuis plusieurs jours, je me suis endormie rapidement, la tête vide de questionnements et le cœur libre d'angoisse.

***

Le lendemain, même si c'était la journée avant la réunion « la plus importante de ma vie », j'ai tout de même pris le temps de dîner avec Rox qui m'avait regardée avec de grands yeux interrogateurs chaque fois que j'étais passée devant son bureau.

— Et puis? Comment ça s'est passé? m'a-t-elle demandé alors que nous étions en file pour payer à la cafétéria.

— Bien. On s'est parlé.

— Ça, je m'en doute! Qu'est-ce que tu lui as dit?

— Ça ressemblait pas mal à ce que je t'ai dit : que je ne lui avais pas dit ce que je ressentais parce que je voulais qu'il soit heureux, que je m'excusais d'avoir sauté les plombs avec autant d'intensité, que je me sentais ignorée...

— Oooooohhhhh! Bravo! Et qu'est-ce qu'il a dit?

— Il s'est excusé et a dit que la dernière chose qu'il voulait, c'était de me faire de la peine.

— Évidemment. Et quoi d'autre?

— Il m'a aussi dit qu'il allait laisser faire la soirée que son ami lui organisait pour rester avec moi.

— Pour vrai?

Roxanne avait réellement l'air surprise. Je m'y étais attendue et c'est un peu pour ça que j'avais gardé cette information pour la fin.

— Oui... mais je lui ai dit que ce n'était pas la peine. Tu sais, juste le fait qu'il soit prêt à y renoncer, c'était assez pour moi. Son ami a tout organisé et ce serait un peu princesse de ma part de l'empêcher d'y aller.

— Et tu es certaine que ça ne te dérange pas?

— Haha! Il m'a posé la même question! Oui, je suis certaine! Tu vas venir?

— À un party d'ingénieurs?

— Mais non! Ce n'est pas un party d'ingénieurs! C'est une soirée pour le départ de Georges. Il n'y aura pas seulement des ingénieurs.

— Ouf! Tant mieux, parce que je ne les aime pas, les ingénieurs. Sérieusement, la façon qu'ils ont de pointer les choses avec leur petit doigt pour qu'on puisse tous voir leur bague… c'est lourd.

— Premièrement, tu as rencontré UN ingénieur qui faisait ça et dois-je te rappeler que, pour une des rares fois depuis que je te connais, c'est toi qui lui courais après?

— Oui et regarde ce que ça a donné. Je suis littéralement terrorisée à l'idée d'être dans une pièce remplie d'ingénieurs. C'est sûr que l'autre demeuré leur a dit que je lui courais après, et ils vont tous me pointer du petit doigt en riant.

— Mais voyons donc! Tu es folle! Tu penses qu'ils se connaissent tous, les ingénieurs de la ville? Qu'ils ont une espèce d'adresse courriel universelle et qu'ils s'envoient des messages pour se dire quelles filles leur courent après?

— Non, mais je suis certaine que tout le monde le connaît, lui. Être aussi imbécile, c'est rare, a-t-elle grogné.

— Je te jure que personne ne va rire de toi, et que les seules personnes qui te connaissent, c'est moi, Georges et Rose.

— Rose? Elle va être là aussi?

— Oui, elle veut venir. Je l'ai appelée ce matin pour l'inviter. Contrairement à toi, elle est vraiment excitée d'aller à ce party.

— Oh, ben là! Tu aurais dû me le dire avant! C'est certain que j'y vais! Je ne voudrais surtout pas manquer de la voir en pleine action en train d'essayer de se trouver un mari!

— Bon! Tant mieux, alors! J'espère juste qu'elle ne va pas se mettre à engueuler Georges, et à lui dire qu'il m'abandonne comme elle l'a si clairement dit chez ma mère.

— Mmmmm. Ça, ce serait drôle… euh… gênant, je veux dire, s'est esclaffée mon amie.

Nous nous sommes assises à une des tables libres de la cafétéria. Je détestais cet endroit. Les murs étaient beiges, les tables aussi, et je me sentais comme si j'étais dans une usine. C'était en fait la raison pour laquelle je voulais toujours dîner à l'extérieur. J'en avais d'ailleurs déjà glissé un mot à monsieur Richer, mon patron, mais il m'avait regardée en riant. Ça avait été assez pour que j'abandonne la question et les suggestions que j'aurais pu lui présenter.

— Alors, tu es prête pour demain? m'a questionnée Roxanne alors qu'elle enjambait le banc beige pour pouvoir s'asseoir. Pour la «réunion la plus importante de ta vie»?

— Je pense que oui. Il ne me reste que quelques petits détails à valider avec monsieur Richer, mais je pense que ça va. Je vais devoir partir vraiment tard du bureau parce qu'il revient de Toronto à 17 h, et il veut qu'on se rencontre ce soir. J'ai juste hâte que ce soit terminé.

— Je ne sais pas comment tu fais pour l'écouter quand il parle. Moi, tout ce que je vois, ce sont ses gros yeux globuleux et la démarcation de sa perruque. Une chance qu'il communique avec moi par courriel. Je n'arriverais jamais à me concentrer sur ce qu'il me dirait s'il était devant moi.

— Sa perruque? Mais de quoi tu parles?

— Comment de quoi je parle? s'est-elle étonnée. Tu n'as jamais remarqué qu'il portait une perruque? Tout s'explique. C'est pour ça que tu es capable d'avoir une conversation avec lui. Je me demandais aussi comment tu faisais pour avoir des réunions aussi longues avec lui sans partir à rire. Tu vas voir, maintenant que je te l'ai dit, tu ne pourras plus en détacher tes yeux. Je ne peux pas croire que tu ne l'avais jamais remarqué ! Le regardes-tu, coudonc, quand tu lui parles ? C'est tellement évident qu'il en porte une ! Il l'avance trop sur son front ! Comme s'il voulait s'assurer qu'il a des cheveux sur la tête !

— Tu es méchante, Rox, lui ai-je dit en essayant de ne pas rire. Imagine si tu n'avais plus de cheveux ! Tu ferais quoi, toi ? Ça doit être très difficile.

— Je pleurerais probablement tout le temps, mais je peux t'assurer que je n'irais pas me mettre des faux cheveux à la hauteur des yeux ! As-tu vu la couleur en plus ? C'est la même que ces horribles murs !

Là, je n'ai pas pu m'empêcher d'éclater de rire.

— Aaaaahhhh ! Pourquoi tu m'as dit ça ? Je ne pourrai plus le regarder normalement !

— Tant mieux ! Moi, je me dis que si tout le monde le dévisage, il va bien finir par se rendre compte qu'il a l'air ridicule. Je ne peux pas croire que sa femme ne lui dise pas.

— Tu l'as déjà vue, sa femme ?

— Non.

— Ça paraît… Comment te dire ?… Elle n'a pas fait son deuil des années quatre-vingt.

— Des années quatre-vingt ?

— Oui. Gros maquillage, grosses épaulettes, grosse coiffure. Probablement une grosse bombe de fixatif par semaine aussi pour faire tenir sa grosse coiffure.

— Pouhaha ! Sérieusement ?

— Sérieusement. Je te laisse sur ces belles images mentales, ai-je dit à mon amie en me levant. Dans moins de vingt-quatre heures, je serai libérée de la « réunion de ma vie » et je pourrai retrouver ma vie sociale, pour ne pas dire mes dîners d'une heure avec toi !

***

J'ai passé le reste de l'après-midi à peaufiner ma présentation, et quand monsieur Richer a cogné à la porte de mon bureau à 18 h 30, j'étais prête. Le fait d'avoir réglé les choses avec Georges m'avait enlevé un poids des épaules et m'avait permis de travailler aussi efficacement en une journée que je ne l'avais fait pendant les trois jours précédents. Je n'ai cependant pas pu m'empêcher de jeter un regard discret sur le front de mon patron avant d'entrer dans le vif du sujet. Je remarquais à peine la perruque qui causait tant d'émoi chez Roxanne. « Décidément, elle exagère toujours », me suis-je dit avant de répondre aux questions en rafales qu'il avait soigneusement préparées.

***

Le lendemain matin, j'étais dans la salle de réunion une heure avant que la rencontre commence. En plus d'avoir mis en place tout le matériel, j'avais eu le temps de repasser mentalement la présentation avant l'arrivée des clients. J'étais toujours très nerveuse avant ce genre de réunion parce que je tenais vraiment à réussir. Même si je maîtrisais le sujet, ma voix tremblait et mes jambes devenaient inexplicablement molles chaque fois que je devais prendre la parole. Quand j'ai entendu les clients parler avec monsieur Richer dans le corridor peu avant 9 h 30, j'ai rapidement bu une gorgée d'eau et me suis collé un sourire crispé sur les lèvres. J'ai marché vers la porte pour les accueillir avec un enthousiasme qui se voulait aussi fervent que celui de mon patron qui leur vantait les mérites du nouveau terrain de golf près de chez lui.

Une heure plus tard, j'étais devant le bureau de Roxanne et je serrais la main des clients qui, sans vouloir me vanter, auraient été fous de rester des clients potentiels. J'avais été particulièrement calme et confiante pendant la réunion et les questions qui m'avaient été posées étaient mille fois plus faciles que celles de monsieur Richer.

— Yééééééééé! Tu as maintenant une vie sociale! Comment ça s'est passé? s'est enquise Roxanne aussitôt le hall de la réception désert.

— Très bien, j'ai suivi les conseils de monsieur Richer et ça a vraiment fonctionné: j'ai dominé la présentation!

— Est-ce que c'était des conseils capillaires?

— Chuuuuuut! Il pourrait t'entendre! Et non, ce n'était pas des conseils capillaires, mais plus des conseils comme «regarde les clients droit dans les yeux et domine ton environnement physique». C'est pour ça que je suis arrivée tellement à l'avance.

D'ailleurs, à voir l'air satisfait de mon patron, je savais que j'avais été à la hauteur. Tellement à la hauteur qu'il m'avait même donné le reste de la journée de congé, ce qu'il n'avait pratiquement jamais fait.

— Oh non! Je voulais que tu viennes magasiner avec moi après le travail, m'a dit Roxanne, déçue. Je n'ai rien à mettre pour demain! Tu vas t'habiller comment, toi?

— Je n'y ai même pas pensé. Un jeans, sûrement.

— Ah! C'est ce genre d'endroit? Juste en jeans? Pffff, bon, d'accord. Moi aussi, alors. Je te texterai quand je vais partir de chez moi. Tu es mieux d'être là quand je vais arriver!

— C'est sûr que je serai là de bonne heure. Je suis quand même la blonde de la star de la soirée!

— Parfait! Et qu'est-ce que tu vas faire du reste de ta journée?

— Je reste chez moi en tête-à-tête avec mon lit. Je suis tellement fatiguée que je pense que je vais m'acheter un café pour être certaine de ne pas m'endormir dans l'autobus et manquer mon arrêt. Je veux vraiment être en forme en fin de semaine. Surtout dimanche, tu sais.

— Non, je ne sais pas. Dimanche?

— Oui, pour notre soirée, à moi et Georges!

— Votre soirée?

— Mais oui… notre soirée romantique, si tu vois ce que je veux dire, lui ai-je répondu pour l'agacer, sachant pertinemment qu'elle allait vouloir plus de détails.

— Ooohhhhh! As-tu été t'acheter de la nouvelle lingerie comme je t'ai dit?

Roxanne adorait ce genre de sujet de conversation, alors que je n'avais jamais pu me résoudre à parler de ma vie sexuelle comme on parle de la température. Même avec Georges, ça m'avait pris des mois avant d'être plus ouverte, mais, encore aujourd'hui, ça me mettait mal à l'aise de parler aussi ouvertement de sexe que Roxanne. Elle était d'ailleurs déroutée par ma réticence, surtout depuis qu'elle savait que ma mère était une femme plus que libre qui encourageait l'expression du corps sous toutes ses formes.

— À demain, lui ai-je dit avec un sourire qui répondait affirmativement à sa question.

CHAPITRE 5

— Je suis tellement triste que tu partes ! Je vais faire quoi, moi, quand je vais rentrer du bureau ?

Debout devant le miroir de la salle de bain, je tentais de mettre du mascara tout en me lamentant assez fort pour que Georges puisse m'entendre du salon. J'avais passé mon samedi après-midi à me prélasser sur le sofa du salon sous les rayons de soleil qui entraient par la fenêtre. J'avais planifié de rester dans cette position jusqu'à au moins 18 h, mais Roxanne, par ses textos incessants, m'exhortait à commencer à me préparer deux heures avant mon départ. C'est ce qui expliquait pourquoi, à 17 h, j'étais dans la salle de bain à regarder le plafond et à frotter la brosse du mascara sur mes cils.

— Tout ce que tu as toujours voulu faire, mais que tu n'as pas fait parce que j'étais là !

— Qu'est-ce que j'ai toujours voulu faire ?

— Ce n'est pas toi qui me disais que tu voulais faire le grand ménage du garde-robe ? Trier tous tes vêtements ?

— Ben… oui, mais tu pourrais être là !

— Ça va être beaucoup plus efficace si tu le fais avec une de tes amies. Tu sais, quand tu sors de la chambre à chaque minute avec de nouveaux morceaux en me demandant si tu devrais les garder, je ne sais pas quoi te répondre… En fait, oui, je sais. Je te dirais de ne garder que le strict nécessaire mais, clairement, on n'a pas la même définition du strict nécessaire. Peut-être que quand je vais revenir, a-t-il poursuivi en riant, je vais avoir de la place pour accrocher une chemise !

J'ai soupiré en regardant mon reflet dans le miroir et en essuyant le mascara sur ma paupière droite.

— Bon, bon, ça va, j'ai compris. Es-tu prêt à partir ?

— Je suis toujours prêt à partir ! Ça me prend pas de temps, m'habiller ! Je n'ai pas l'embarras du choix avec mon strict nécessaire, moi ! a-t-il rigolé. Et puis, on ne part pas tout de suite ! Il faut être là à 19 h !

— Je sais, mais Roxanne est terrorisée à l'idée d'être toute seule, ai-je dit en passant devant lui pour me rendre dans la chambre. Tu sais, depuis l'histoire avec François, elle s'imagine que tous les ingénieurs de Montréal savent qui elle est, et elle veut que j'arrive à l'avance. Et puis je ne veux pas laisser Rose trop longtemps sans surveillance avec tes collègues masculins. Tu sais comment elle peut être si elle se met en tête qu'elle est faite pour être avec l'un d'eux.

— Mais, ma pauvre chérie, tu vas passer ta soirée à faire du gardiennage !

J'ai haussé les épaules. Roxanne venait à cette soirée pour me faire plaisir, et c'était bien la moindre des choses que je sois là quand elle allait arriver.

— De toute façon, on peut arriver un peu à l'avance et prendre un verre ensemble, toi et moi, non ?

— Si ça te fait plaisir, d'accord, m'a-t-il répondu en se levant pour aller s'habiller.

Je savais bien qu'il acceptait d'arriver plus tôt pour moi et qu'il aurait préféré continuer à regarder le golf à la télévision jusqu'à 18 h 50. L'effort me touchait et me soulageait à la fois.

***

Trente minutes plus tard, nous quittions l'appartement main dans la main pour nous rendre au restaurant. Éric avait réservé la salle du fond qui, comme nous l'a appris le propriétaire de l'endroit qui était sur les lieux, n'était ouverte que depuis quelques jours.

— Vous êtes mon premier groupe ! Je vous offre deux verres de champagne pour fêter ça, a-t-il déclaré en nous apportant les flûtes.

Georges et moi l'avons remercié et avons trinqué avec lui au succès de son bar. Nous avons ensuite commandé une bouteille de vin que nous avons lentement savourée en attendant l'arrivée des autres.

— Avant que tout le monde arrive, je voudrais te dire quelque chose…, ai-je commencé en regardant mon copain dans les yeux.

— Je suis particulièrement beau pour quelqu'un qui n'a pris que quinze minutes pour se préparer ?

— Haha ! Oui, ça et aussi que je veux te féliciter du plus profond de mon cœur. Les derniers jours n'ont pas été faciles avec le stress de ma réunion et nos différends… mais je veux que tu saches que je suis très très fière de toi et que je t'aime.

— Merci, ma belle, m'a-t-il dit en cognant son verre contre le mien. Je t'aime aussi et, tu vas voir, les trois mois seront vite passés.

Les premiers invités sont arrivés peu de temps après. Quelques heures plus tard, alors que je regardais la salle remplie des amis de Georges, force m'a été de constater que c'était une soirée très réussie. Roxanne avait retrouvé un de ses vieux amis du secondaire, et Rose avait passé la plus grosse partie de la soirée à parler avec un collègue de Georges que je ne connaissais pas et qui essayait de la convaincre de se tourner vers le végétarisme.

— Qu'est-ce que tu fais toute seule dans ton coin ? m'a dit Roxanne en me faisant sursauter alors que j'étais assise au bar.

— Ah ben! Toi qui avais tellement peur d'être seule, tu daignes maintenant venir me parler? Il est mignon, ton ami! Il fait quoi?

— Il me parle de sa nouvelle blonde qui n'a pas pu venir ce soir! Sérieusement, je pense qu'un gars qui parle de sa blonde à une fille dans les dix premières secondes d'une conversation est l'une des choses les plus ridicules au monde. Je me sens toujours gênée pour lui, tellement c'est pathétique. Comme si à chaque fois que je parle à un homme, c'est parce que je veux coucher avec!

Je l'ai regardée avec un sourire moqueur.

— Bon, d'accord, c'est vrai que d'habitude, quand je parle à un gars dans un bar, c'est que je veux coucher avec, mais pas lui! On a été au secondaire ensemble, bon Dieu! Quand je l'ai connu, il était soprano dans la chorale de l'église et avait une coupe champignon! Il y a de ces images qu'on ne peut pas effacer, a-t-elle conclu.

— On devrait le présenter à Rose, elle ne se ferait pas d'idées au moins.

— Ne viens pas me dire qu'elle considère le gars avec qui elle est en train de parler! Je la connais à peine et, pourtant, je serais prête à gager tout ce que j'ai que ce n'est pas son genre!

J'ai soupiré en regardant ma sœur.

— Le problème avec Rose, c'est qu'elle ne sait pas qu'il n'est pas son genre. Tout le monde le sait, mais pas elle. Et pour répondre à ta question, oui, elle le considère. Regarde comme elle se dandine en lui parlant.

— Elle est comme un stéréotype, m'a dit Roxanne, fascinée par ma sœur. T'as vu comment elle enroule innocemment sa mèche de cheveux autour de son doigt? Incroyable! Bon, c'est décidé, je vais faire ma B.A. du mois!

— Hein? Qu'est-ce que tu vas faire?

— Je vais la sauver d'une autre peine d'amour irréelle !
Viens, on va lui offrir un verre et l'obliger à nous parler !

Je l'ai suivie en riant. Roxanne, avec le tact d'un rhinocéros, s'est mise entre ma sœur et le végétarien, et a commencé à lui parler, le plus naturellement du monde, de la nouvelle mode des imprimés tribaux qui faisaient fureur cet automne. Il n'en fallait pas plus à ma sœur pour oublier ses nouveaux projets d'alimentation et accorder toute son attention à Roxanne et à cette conversation qui l'intéressait au plus haut point. Mon amie m'a envoyé un clin d'œil discret en entraînant Rose vers le bar. Au même moment, j'ai senti les bras de Georges m'enlacer par-derrière. Je me suis retournée vers lui en souriant et en passant les miens autour de son cou. Je le sentais un peu chancelant.

— Tu passes une belle soirée ? m'a-t-il demandé.

— Oh oui ! Éric est vraiment un bon organisateur ! Si c'était un party pour moi, il y aurait probablement juste toi, Rox et ma sœur !

— Ah ! Ça, c'est la beauté de Facebook et des invitations massives ! La moitié du monde ici se cherchait probablement juste une raison pour fêter et ça se trouve qu'aujourd'hui, c'est moi qu'on fête !

— Oh et, toi, tu as beaucoup fêté ! Tu vas avoir mal à la tête demain !

— Jamais ! Demain, c'est notre soirée romantique, m'a-t-il dit en me faisant une quantité phénoménale de clins d'œil.

— Ben, c'est ça ! Il faut que tu sois en forme !

Il a ouvert la bouche, mais aucun mot n'en est sorti. Il s'est donc contenté de cligner de l'œil pour la énième fois avant de se diriger en titubant vers le bar. Je l'ai observé alors qu'il s'arrêtait devant chaque connaissance qu'il croisait pour recevoir ses félicitations. Je ne lui avais pas menti, j'étais effectivement très fière de lui, mais je ne voulais pas trop en mettre non plus, sachant que Georges s'enflait facilement la tête. J'étais d'ailleurs persuadée que ce trait de caractère était en partie attribuable à sa mère qui l'avait vénéré comme s'il était la huitième merveille du monde. Fils unique, il avait principalement été élevé par elle, puisque son père était presque toujours en voyage d'affaires. Elle avait fait son lavage toute sa vie, enfin jusqu'à ce que nous emménagions ensemble, avait toujours cuisiné pour lui et continuait à l'appeler « mon ange » et « mon prince » jusqu'à aujourd'hui. Bien sûr, il n'y voyait aucun problème, et ça avait été un sujet de discorde au début de notre relation. Naturellement, il s'était attendu à ce que je fasse sa lessive, que je lui prépare ses lunchs et que je ramasse tous ses vêtements qu'il laissait traîner négligemment. Sans compter ses serviettes de bain qui, une fois utilisées, formaient un tas humide sur le plancher de la salle de bain. Si je me souviens bien, c'était d'ailleurs les serviettes qui avaient déclenché une conversation sur la propreté de l'appartement, le jour où j'en avais ramassé une de laquelle s'était échappé, à une vitesse foudroyante, un insecte que je n'avais jamais vu. Bien sûr, mon copain était moins pire que lorsque je l'avais rencontré, mais, à le voir parader victorieusement dans le bar, j'ai eu des souvenirs de l'enfant-roi que j'avais rencontré.

***

Quelques heures plus tard, alors que Roxanne avait disparu au bras d'un bel inconnu, et que Rose avait décidé que son futur mari n'était pas parmi les connaissances et amis de Georges, j'étais assise seule au bar, attendant patiemment que mon copain finisse de faire ses adieux. « C'est fou comme l'alcool le rend émotif », me suis-je dit en le regardant serrer Éric dans ses bras comme s'il partait pour la guerre et n'avait aucun espoir de le revoir. Je me suis résolue à aller le prendre par la main pour l'entraîner doucement vers la sortie. À peine a-t-il été assis dans le taxi que sa tête est tombée lourdement sur mon épaule. J'ai souri dans la pénombre de la banquette arrière.

**

Nous avons passé le reste de la fin de semaine coupés du monde extérieur. C'était comme si nous nous retrouvions après tout ce stress. Nous avons ri, mangé, bu et, bien sûr, fait bon usage de la nouvelle lingerie que j'avais achetée pour l'occasion.

— Tu vas m'appeler, hein ? lui ai-je demandé, le dimanche soir, alors que j'étais étendue à côté de lui dans mon plus simple appareil après avoir fait l'amour.

— Oui, ne t'inquiète pas.

Il a écarté une mèche de mes yeux en me soulevant le menton pour m'embrasser doucement. J'aurais voulu que cette journée ne se termine jamais. Je me suis enfoui le visage dans son cou.

— Admettons que j'aie une lobotomie pendant la nuit et que je ne me souvienne plus comment conduire demain matin pour aller à l'aéroport, tu vas être obligé de rester, non ?

Il s'est contenté de me sourire en me serrant très fort contre lui. Nous nous sommes endormis ainsi, dans les bras l'un de l'autre.

**

J'ai ouvert les yeux la première et l'ai regardé dormir paisiblement. Il restait une bonne heure avant que le cadran ne sonne et j'ai décidé de le laisser continuer à rêver. Je me suis lentement dirigée vers la cuisine pour préparer du café.

Malgré mes efforts pour être la plus silencieuse possible, Georges est arrivé dans la pièce trois minutes plus tard, aussi excité qu'un enfant le jour de Noël.

— C'est sûr que j'oublie quelque chose! Qu'est-ce que tu penses que je pourrais avoir oublié? s'est-il exclamé sans préambule.

— Je ne sais pas, chéri… On a tout vérifié ensemble. Je ne pense pas que tu aies oublié quelque chose d'important. Et puis, dans le pire des cas, tu achèteras ce qu'il te manque là-bas.

— Oui, bien sûr, c'est vrai. Bon, tu es prête?

— Prête? Ton vol est dans cinq heures et c'est un vol intérieur! Tu n'as pas besoin d'être là quatre heures à l'avance! Je suis presque certaine qu'il n'y aura pas de trafic en plus! Il est trop tôt.

— Oui, mais on ne sait jamais avec la circulation pour se rendre à l'aéroport! Il n'y a pas d'heure de pointe pour aller là. J'aime mieux ne pas prendre de chances. Tu te prépares?

Même si j'avais voulu protester, il ne m'en aurait pas donné le droit. Il a même tiré la chaise sur laquelle j'étais assise pour m'inciter, ou plutôt m'obliger, à me lever.

— Chérie? m'a-t-il crié de la salle de bain alors qu'il se brossait les dents. Tu vas pouvoir appeler ma mère pour lui expliquer comment installer Skype sur son ordi? Je lui ai dit que tu allais le faire.

— Quoi? Ton père ne peut pas le faire?

— Non, il est en voyage d'affaires à New York jusqu'à mercredi et tu la connais, il faut que je sois joignable, sinon elle va penser que je me suis fait tuer par un caribou…

— Bon, d'accord. Je l'appellerai pendant la soirée quand je serai revenue du bureau.

— Merci, tu es un amour! Je vais lui envoyer un courriel de l'aéroport pour lui dire.

Exactement quarante-huit minutes plus tard, nous étions dans la voiture en chemin vers l'aéroport. J'avais prévu me rendre au bureau directement après, mais, en regardant l'heure sur le tableau de bord, je me suis dit que j'allais avoir le temps de revenir à l'appartement pour changer cette jupe que j'avais mise et qui, décidément, n'avait pas été dans le fond de mon garde-robe durant les quatre derniers mois sans raison. À la lumière du jour, les motifs fleuris étaient moins beaux que dans la semi-obscurité de la chambre. Les lignes de la coupe n'étaient pas égales des deux côtés, et l'ourlet du bas était tellement mal fait qu'on aurait pu penser que c'était moi qui l'avais cousu.

Georges avait insisté pour conduire, prétextant qu'il connaissait des détours où il n'y avait pas de circulation. Le truc dont il ne semblait pas se rendre compte, c'est que même s'il y avait des embouteillages, nous étions partis tellement tôt qu'il aurait pratiquement pu marcher et serait arrivé à temps pour son vol.

Comme je l'avais prévu, le trajet s'est fait en moins de trente minutes, ce qui voulait donc dire qu'il arrivait un peu plus de trois heures avant le départ de son avion. Une fois devant les portes de l'aéroport, il a éteint le moteur de la voiture et s'est tourné vers moi, silencieusement.

— Tu vas être correcte sans moi, hein ? m'a-t-il demandé finalement.

— Quel genre de question c'est ça ? Mais oui, je vais être correcte !

— Rien… C'est juste que ça me ferait de la peine de te savoir triste à cause de moi.

— Georges, tu ne pars pas pour la vie. C'est juste trois mois, et tu vas revenir entre-temps pour une fin de semaine, non ?

Il m'a regardée d'un drôle d'air.

— Oui, bien sûr.

— Ça va ?…

— Oui, oui. Un peu stressé, c'est tout.

— Ça va bien aller, chéri. Je suis certaine que tu vas apprendre plein de choses et amener ton point de vue au projet. Tu veux que je vienne avec toi jusqu'au comptoir d'embarquement ?

— Non, ce n'est pas nécessaire. Le prix du stationnement est beaucoup trop élevé. Je vais descendre ici. Tu sais comment sortir ?

— Ben oui… Je suis les flèches où c'est écrit « sortie » !

Il a souri en détachant sa ceinture. Il s'est dirigé vers l'arrière de la voiture, a sorti ses bagages du coffre et m'a prise dans ses bras.

— Fais attention à toi ! On se parle sur Skype très vite !

J'ai hoché la tête alors que j'étais contre sa poitrine. Je ne voulais pas être plus dramatique qu'il ne fallait. Ça l'aurait juste agacé.

— Appelle-moi quand tu seras installé. Bon vol, chéri ! Je t'aime.

— Je t'aime aussi, m'a-t-il dit à mi-voix en m'embrassant sur le front.

Je l'ai regardé franchir les portes automatiques et puis lentement disparaître dans la foule. J'ai furtivement essuyé mes yeux humides et me suis assise dans la voiture. Voilà. Il était parti. Tout ce que j'allais voir de lui pour les trois prochains mois était son visage sur mon écran d'ordinateur. J'étais quand même soulagée qu'il ne soit pas parti cinq jours auparavant alors que je tentais de refouler tous mes doutes et mes questionnements. Au moins, on savait maintenant ce que chacun pensait vraiment, et c'était ça, l'important.

***

Au bout d'une heure, j'ai finalement garé la voiture devant l'appartement. Je devais admettre que Georges avait eu raison pour la circulation, sauf qu'elle était dans le sens contraire de celui qu'il s'était imaginé. Il me restait quatre minutes avant le passage de l'autobus. Je devais donc me résigner à garder mon horrible jupe pendant la journée.

Une fois chez Oméga, j'ai salué discrètement Roxanne qui accueillait des clients et me suis engouffrée dans mon bureau. Quelques minutes plus tard, on cognait à ma porte.

— Ben c'était quoi, ça ? m'a demandé mon amie en entrant dans la pièce.

— Comment ?

— Depuis quand tu passes devant moi sans me parler quand tu arrives le matin ?

— Georges est parti, ai-je dit avec une voix tremblante. Et je sais que c'est juste pour trois mois et que ce n'est pas la fin du monde, mais… je vais m'ennuyer.

Roxanne s'est approchée de moi et m'a prise dans ses bras en me flattant les cheveux. Je me sentais comme une enfant.

— Je sais… mais on va faire des activités, toi et moi ! Je ne remplacerai pas Georges, mais je vais au moins essayer de te changer les idées ! On va faire plein de choses ensemble ! Tu vas voir, je suis célibataire, alors je suis toujours disponible ! Qu'est-ce que tu dirais de faire les boutiques après le travail ?

Elle avait regardé ma jupe avec insistance en posant sa dernière question. Je lui étais reconnaissante de vouloir me changer les idées, même si elles me ramenaient à ma tenue vestimentaire. J'ai feint l'étonnement en souriant à travers mes yeux humides.

— Tu ne l'aimes pas, ma jupe ?

— Ce n'est pas que je ne l'aime pas, c'est… Comment dire ?… Je l'aimerais plus dans le fond de ton garde-robe ou, encore mieux, dans un sac de vidange sur le bord du trottoir !

— Ben, c'est là qu'elle va aller après aujourd'hui! Je voulais retourner me changer en revenant de l'aéroport, mais je n'ai pas eu le temps. Le pire, c'est que je l'ai trouvée dans le fond de mon garde-robe en fin de semaine et j'étais super contente à l'idée de la porter aujourd'hui! J'avais oublié pourquoi je ne l'avais mise qu'une seule fois. Je sais, elle est horrible! On dirait que c'est moi qui l'ai cousue!

— Je ne te contredirai pas là-dessus! m'a-t-elle dit en éclatant de rire et en se dirigeant vers la porte. On se voit ce midi?

— Oui… Roxanne?… Merci d'être là… même si c'est pour me rappeler que ma jupe est affreuse!

Elle m'a fait un clin d'œil en refermant la porte derrière elle. De nouveau seule dans mon bureau, j'ai passé la demi-heure suivante à regarder fixement mon écran d'ordinateur. Incapable de me résoudre à commencer à travailler, j'ai saisi le combiné du téléphone et j'ai composé le numéro de ma mère.

— Allô, maman!

— Oh, tiens! C'est rare que tu m'appelles aussi tôt, toi! Bonjour, ma chérie! Comment tu vas?

— Bof… Georges est parti ce matin…

— Ah bon? Je pensais que c'était seulement la semaine prochaine!

— Mais non, maman! C'est d'ailleurs pour ça que nous ne sommes pas venus souper à la maison samedi soir… Tu n'as pas parlé à Rose?

— Oui, elle m'a dit qu'elle allait à une soirée avec toi! Je n'avais pas fait le lien avec le départ de Georges…

— Ben oui, et je suis triste maintenant. J'ai été le conduire à l'aéroport ce matin.

— Mais, ma chérie, tu n'as pas à être triste! Prends du temps pour toi! Gâte-toi un peu! Je ne comprends pas pourquoi mes deux filles ont tant de difficulté à vivre sans homme! Pourtant, je vous ai élevées pratiquement seule et, à ce que je sache, je n'ai jamais eu l'air si désespérée que ça!

— Je suis très bien capable de vivre sans homme, maman. Georges n'est pas un homme parmi tant d'autres, c'est mon chum et je vis avec.

— Raison de plus pour que tu prennes du temps pour toi, Jasmine! Tu n'es jamais seule. Entre le travail et la vie de couple à la maison, tu n'as pas le temps de te centrer sur toi. Fais de la méditation ou viens avec moi à mes cours de yoga. Tu vas voir, c'est fascinant de pouvoir se connecter avec son propre corps de cette façon.

— Je ne sais pas, maman… Le yoga a toujours été ton truc, pas le mien. Et tu sais bien que je suis aussi souple qu'une barre de fer.

— Bon… l'invitation est lancée en tout cas. Tu veux venir souper à la maison ce soir?

— Peut-être pas ce soir, mais sûrement cette semaine. Je te rappellerai pour te tenir au courant.

En raccrochant, je me suis dit que ma mère avait probablement raison. Ce n'était pas parce que Georges était parti que je devais arrêter de vivre une fois ma journée de travail terminée. Bon, évidemment, je n'irais pas faire du yoga avec ma mère, mais je pourrais prendre du temps pour me faire plaisir. D'ailleurs, un nouveau spa venait d'ouvrir près du bureau. Ça tombait bien : ça faisait des mois que je rêvais d'un facial exfoliant professionnel et non pas amateur comme je me faisais dans ma salle de bain. «Il faudra que j'en parle à Roxanne», me suis-je dit avant de m'attaquer à mes courriels.

J'ai passé le reste de la journée à partager mon temps entre mes tâches professionnelles et la liste de choses que je voulais faire pendant que Georges n'était pas là. Après y avoir inscrit le spa, le ménage de mon garde-robe et le souper chez ma mère, je ne savais plus quoi ajouter. Je me suis trouvée pitoyable, assise devant mon écran, à me demander ce que je ferais de mon temps sans mon copain.

***

Quelques heures plus tard, alors que nous nous arrêtions dans chaque boutique de la rue Sainte-Catherine, j'ai avoué mon pathétisme à Roxanne.

— Je te le dis, j'ai écrit trois choses… trois! Et sur les trois, il n'y avait que le spa qui était vraiment pour me faire plaisir… Les deux autres, c'était le ménage de mon garde-robe et le souper chez ma mère. C'est comme si je n'avais envie de rien faire sans lui.

— Hoooouuuuu! Le spa? Quand? Quel spa?

— Celui qui vient d'ouvrir à côté du bureau. La semaine prochaine peut-être, tu décides… Mais ce n'est pas le spa, le problème!

— Ben c'est quoi, le problème?

— C'est que je ne sais pas quoi faire sans lui… M'écoutes-tu, Rox? C'est assez humiliant de l'avouer, alors j'aimerais ne pas avoir à le répéter! me suis-je impatientée alors qu'elle faisait des signes à la vendeuse pour qu'elle lui descende une paire de jeans du haut des étagères.

— Mais oui, je t'écoute et c'est normal que tu te sentes comme ça. Tu passes la moitié du temps enfermée dans ton bureau et l'autre, enfermée dans ton appartement avec ton chum! Moi aussi, si je ne voyais presque jamais la lumière du jour, je me demanderais quoi faire! Mais ne t'inquiète pas, je vais t'en trouver, des activités. Tu vas voir, a-t-elle continué en me prenant par les épaules et en regardant au loin comme si elle avait une vision, on va être LES célibataires de l'heure!

— Mais je ne suis pas célibataire!

— Ben, pour les trois prochains mois, tu vas dormir toute seule dans ton lit. Moi, j'appelle ça être célibataire. Mais c'est vrai, tu es célibataire avec désavantages parce que tu ne peux pas te laisser aller comme une vraie célibataire… Ce n'est pas grave, je vais me laisser aller pour toi !

Après cinq autres boutiques, j'ai pris congé de mon amie et suis rentrée chez moi avec tous mes sacs de magasinage. Au moins, je pouvais ajouter une quatrième chose à ma liste : magasiner.

Aussitôt arrivée, je me suis précipitée vers l'ordi pour ouvrir Skype. J'avais aussi l'application ouverte en permanence sur mon cellulaire, mais je la soupçonnais de fonctionner une fois sur deux. Mes doutes ont été confirmés quand j'ai ouvert l'application sur mon ordinateur portable et me suis rendu compte que j'avais manqué un appel de Georges. Sans même prendre le temps de retirer mon manteau, j'ai immédiatement cliqué sur l'icône du petit téléphone vert. Après quelques secondes, j'ai finalement entendu la voix de mon copain.

— Allô ? Allô ? Jasmine ? M'entends-tu ?

— Oui, je t'entends, mais je ne te vois pas ! Allume la caméra !

— Oh ! Attends ! Là… tu me vois ?

— Ouiiiiiii ! Allô ! Comment tu vas ? Tu as fait un bon vol ?

— Oui, ce n'était pas si long que ça. C'est plus le trajet en autobus pour se rendre jusqu'ici qui a été long ! Trois heures !

— Ouf, j'avoue… Et comment c'est ?

— Ben, c'est vide… Il n'y a pas grand-chose à voir à part le site de construction que je n'ai même pas encore visité d'ailleurs. On a une réunion demain matin et, après, on va aller sur le chantier pour rencontrer les travailleurs.

— Et ta chambre ?

— Ha ! Ma chambre ! Le luxe à l'état pur, m'a-t-il dit en riant et en tournant son écran pour que je puisse voir. Ici, mon lit… simple, comme tu peux le constater et, là, la salle de bain. Au moins, j'ai une télévision, mais je pense qu'il y a juste deux postes qui rentrent. Une chance que j'ai pensé à apporter des DVD.

— Tu as un lecteur DVD dans ta chambre ?

— Non, il ne faudrait pas exagérer. Je vais les regarder sur mon ordi.

— Et tes collègues ?

— Ils sont tous arrivés aujourd'hui, sauf le patron. Il arrive demain. Probablement en avion privé pour ne pas se taper les trois heures d'autobus comme nous, pauvres petits juniors.

— Haha ! Au moins, tu as l'air plus détendu que tu ne l'étais ce matin !

— Oui ! Maintenant que je sais dans quoi je vivrai pour les trois prochains mois, ça enlève un stress, même si j'aurais espéré un peu plus grand… Ce sera pour un prochain voyage !

— Oui, mais pas dans bientôt !

Nous avons continué notre conversation pendant quelques minutes, au bout desquelles on a cogné à sa porte.

— C'est probablement les gars qui viennent me chercher pour souper ! J'ai hâte de voir ce qu'ils servent dans le Grand Nord. Tu as appelé ma mère pour lui dire comment installer Skype ?

— Non, je n'ai pas eu le temps encore. Je venais de rentrer quand je t'ai appelé, mais je vais le faire maintenant.

— Merci, chérie. Elle doit paniquer de ne pas m'avoir parlé encore. Tu lui diras que je vais l'appeler dans une heure ou deux quand je vais revenir de la cafétéria.

— D'accord. Bon appétit… Je t'aime !

— Moi aussi ! À bientôt !

Je suis restée pensive devant mon ordinateur qui affichait maintenant la page d'accueil de Skype. J'aurais voulu qu'on se planifie un horaire pour qu'on puisse se parler tous les jours, mais son « à bientôt » m'avait refroidie. En même temps, il devait répondre à la porte et rejoindre ses collègues. « Ce n'était pas le bon moment », me suis-je dit en prenant le téléphone pour appeler sa mère.

Georges avait vu juste. Elle était effectivement au bord de la crise de nerfs de ne pas encore avoir parlé à son ange depuis qu'il avait atterri, et avait passé l'après-midi à s'imaginer le pire et à rester clouée devant la télévision dans l'attente de la nouvelle funèbre d'un écrasement d'avion sur le territoire du Grand Nord québécois.

Il m'a fallu une heure pour lui expliquer comment installer Skype sur son ordinateur et encore une demi-heure pour lui expliquer comment ça fonctionnait. Je devais tout lui répéter au moins deux fois pour être certaine qu'elle comprenne. Georges lui avait d'abord dit qu'il allait l'appeler sur un téléphone fixe, mais quand elle avait appris l'existence de Skype et de la possibilité de voir la personne en temps réel, elle avait absolument tenu à ce qu'il la contacte de cette façon. Elle avait tellement peur que ça ne fonctionne pas et de ne pas pouvoir voir son fils qu'elle m'a fait pitié. Je me suis demandé si ma mère aurait agi ainsi si ma sœur ou moi avions dû partir à l'étranger. Probablement pas, puisqu'elle détestait la nouvelle technologie et n'avait même pas d'adresse courriel. Elle aurait probablement voulu que nous correspondions par lettre écrite à la main à la lueur d'une chandelle. Alors que je me faisais ces réflexions, j'ai entendu le son d'une sonnerie Skype qui n'était pas la mienne, puis l'exclamation de joie de la mère de mon copain. Il l'avait appelée et je l'ai entendue crier son nom avant qu'elle ne me ferme la ligne au nez sans me dire au revoir.

J'ai posé le combiné sur la table et me suis dirigée vers la cuisine pour me faire à souper. Il y avait longtemps que je n'avais pas cuisiné pour une personne seulement et je manquais totalement d'inspiration. J'ai finalement arrêté mon choix sur un sandwich jambon et fromage. De toute façon, j'étais épuisée et voulais manger le plus rapidement possible.

Après avoir englouti mon repas frugal et sauté dans la douche, je me suis rendue dans la chambre avec ma liste de choses que je voulais faire entre les doigts. Je me suis installée dans le lit qui me semblait immense et vide, et j'ai longuement regardé la liste à la recherche d'activités que j'aurais pu y ajouter. Roxanne voulait que je sorte avec elle dans les bars, ce que j'avais refusé en lui disant que si je ne le faisais pas quand Georges était là, ce n'était pas parce que je ne le pouvais pas, mais bien parce que je ne le voulais pas. L'idée d'être coincée dans une foule qui criait étonnamment plus fort que la musique assourdissante me décourageait. Et puis les gens saouls m'avaient toujours déprimée, surtout quand ils étaient rendus à un point où ils perdaient la faculté de la parole. Rox avait répondu à mon refus en me disant que si je n'arrivais à trouver rien d'autre, je devais au moins sortir une fois avec elle. Comme je n'en avais aucune envie, je me suis efforcée de continuer ma liste. Visiblement, cette tâche me fatiguait encore plus que l'idée de me préparer à souper, puisque je me suis endormie six minutes plus tard, la lampe de chevet encore allumée et la liste sur le visage.

CHAPITRE 6

Il m'a fallu une semaine complète pour m'habituer à ma nouvelle solitude. Une fois rentrée du bureau, j'appelais Georges qui, lui, n'était habituellement pas dans sa chambre. Je passais donc mes soirées à attendre qu'il revienne et me contacte en mangeant des pizzas pochettes pour lesquelles je m'étais trouvé une nouvelle passion. Les deux minutes dans le micro-ondes constituaient le temps d'attente idéal et, en plus, il y en avait plusieurs sortes. J'en avais d'ailleurs pris une boîte de chaque lors de ma dernière visite à l'épicerie, et j'étais absolument ravie devant le choix qui s'offrait à moi quand j'ouvrais la porte de mon congélateur.

Les journées de semaine n'étaient pas si mauvaises, puisqu'en temps normal, même quand Georges se trouvait à Montréal, j'étais au bureau sans lui. C'était surtout une fois à l'appartement que je me sentais seule. Rox m'avait invitée quelques fois à souper chez elle, mais j'avais décliné l'invitation parce que je ne voulais pas manquer l'appel de mon copain. Je ne voulais cependant pas lui dire la vraie raison, alors je prétextais beaucoup de travail ou la fatigue accumulée.

***

Puis, un jour, dix jours après le départ de Georges pour être exacte, quelque chose d'inhabituel est arrivé. Il n'avait pas répondu à mon appel, et ne m'avait pas rappelée non plus. Pour la première fois depuis qu'il était parti, j'ai passé une soirée complète à attendre son appel, en vain. J'ai mangé nerveusement mes pizzas pochettes en m'imaginant déjà le pire : il était pris sous un bloc de ciment, les jambes broyées, et criait à l'aide à ses collègues qui avaient déjà quitté le chantier. Il était pris là, seul, dans la froide noirceur du Grand Nord.

Je lui ai envoyé un message sur Skype et par courriel en lui demandant si tout était correct. Évidemment, j'ai essayé d'adopter la neutralité stylistique, puisque je considérais également, mais de façon beaucoup moindre, la possibilité qu'il ne soit pas à l'article de la mort.

Le lendemain matin, les yeux encore fermés, j'ai pris mon téléphone sur ma table de chevet en souhaitant voir, quand je les ouvrirais, un message de mon copain s'afficher sur l'écran. Rien.

Je me suis levée, la mort dans l'âme, pour me préparer à déjeuner. Je ne pouvais quand même pas appeler son bureau pour demander qu'on communique avec le chantier afin de voir s'il n'y avait pas eu de mort depuis la veille. J'ai tenté de me raisonner, assise à la table de cuisine devant mon café et ma brioche. Je n'étais pas Rose, quand même ! Les chances que Georges soit sous un bloc de béton étaient minces. Et si – et je dis bien « si » – il avait eu un accident, je l'aurais su depuis ce temps. Non, il avait probablement été en réunion jusqu'à tard dans la soirée, s'était endormi aussitôt revenu dans sa chambre et m'enverrait bientôt un message s'excusant de m'avoir inquiétée pour rien.

J'ai hoché la tête, assise devant ma pâtisserie que je n'avais pas touchée, en me disant que c'était sûrement la raison pour laquelle je n'avais pas eu de ses nouvelles. Même si je me croyais convaincue, force m'a été d'admettre, en arrivant au bureau, que, pendant tout le trajet d'autobus, j'avais ressenti un point d'angoisse dans la poitrine. Comme si quelque chose était réellement arrivé.

***

— Mort ? Sérieusement ? As-tu parlé à ta sœur avant d'arriver ce matin pour te monter un scénario comme ça ? Mais non, il n'est pas mort, voyons ! Il est probablement allé prendre une bière avec ses amis après la journée de travail, ça a dégénéré et il est rentré à quatre pattes dans sa chambre ! m'a dit Roxanne en fouillant dans une pile de papiers sortis de son classeur. Il a certainement fait un concours de boisson avec ses nouveaux collègues ! Il est fort là-dessus, tu le sais bien.

Avant même d'avoir mis les pieds dans mon propre bureau ou d'avoir enlevé mon manteau, je m'étais précipitée au bureau de la réception pour lui raconter d'un trait le silence radio de Georges. J'avais fini mon monologue par la question ultime que je devais poser à quelqu'un d'autre que moi-même : « Sérieusement là, et dis-moi la vérité même si ça va me stresser encore plus, est-ce que tu penses qu'il est mort ? »

Roxanne avait le même don que ma mère : celui de ne jamais s'inquiéter avant d'avoir la certitude absolue que quelque chose était vraiment arrivé. Je les enviais toutes les deux d'être si calmes devant des situations que je considérais comme inquiétantes. Au moins, malgré ce qu'en pensait Roxanne, je savais que je n'étais pas rendue au degré d'angoisse de ma sœur qui elle, aurait reconnu tous les critères d'une situation catastrophique et n'aurait pas hésité une seconde à téléphoner, ou même à débarquer directement au bureau de son copain pour obliger quelqu'un à appeler le chantier devant elle.

— Est-ce que tu dis ça juste pour me faire plaisir ? Ou juste pour me rassurer ?

— O.K., Jasmine, calme-toi et prends trois grandes respirations !… Allez ! m'a-t-elle dit en voyant que je ne suivais pas ses ordres. Bon… Écoute-moi là. Premièrement, s'il était arrivé quelque chose, je suis pas mal certaine que quelqu'un t'aurait appelée. Deuxièmement, tu ne peux pas te mettre dans cet état-là s'il ne t'appelle pas pendant une journée, tu vas te tuer. Troisièmement, je n'invente rien pour te faire plaisir, tu me connais mieux que ça. Quatrièmement, monsieur Richer va m'arracher la tête parce qu'il m'a demandé de lui envoyer par courriel un document qu'il m'a remis il y a deux jours et je n'arrive pas à le trouver.

J'étais habituée à entendre Roxanne parler sur un ton autoritaire, pour ne pas dire dictatorial, à d'autres, mais c'était la première fois qu'elle l'employait avec moi et je dois dire que ça avait fait son effet. Je n'osais même pas répliquer. De toute façon, je savais bien qu'elle avait raison.

— Ouin… tu as raison, j'ai peut-être exagéré…

— Peut-être ? Tu as exagéré, Jas. C'est ça que ça donne aussi de passer tout ce temps-là toute seule chez toi à attendre son appel. Tu penses que je ne le sais pas que c'est ce que tu fais en rentrant chez toi le soir ? Tu penses trop. C'est pour ça que je t'ai dit de sortir. Mais veux-tu me dire où j'ai pu mettre ce contrat ? a-t-elle continué en virant ses tiroirs à l'envers.

— Qu'est-ce que tu cherches ?

— Le contrat des clients de la réunion de ta vie ! J'étais certaine de l'avoir rangé dans mon classeur, mais visiblement pas ! Tout ce qui y était, c'était ma revue *Clin d'œil* du mois dernier. OH !

Elle s'est arrêtée net de chercher et m'a regardée avec des yeux terrifiés.

— Quoi ?

— Oh non !

— Quoi, quoi ?

— Je voulais mettre la revue au recyclage…

— Ben, ce n'est pas grave. Mets-la au recyclage aujourd'hui !

— Mais non ! Si je voulais mettre ma revue au recyclage et qu'elle est dans mon classeur… ça veut dire que c'est le contrat que j'ai mis au recyclage à la place ! Oh nooooooooon ! Qu'est-ce que je vais dire à monsieur Richer ? Je savais que ça allait me rattraper un jour de magasiner sur le web tout l'avant-midi et de tout faire en même temps l'après-midi !

— Tu magasines sur le web tout l'avant-midi ? ai-je demandé, incrédule devant tout le temps libre qu'elle avouait avoir.

— Oui et regarde comment le karma me punit !

— Bah… il ne te punit pas vraiment : j'ai une copie du contrat dans mon bureau.

— Pour vrai ?

— Mais oui. Je l'ai signé aussi. Tu aurais dû penser à me le demander !

— Tu es la meilleure ! Je ne serai pas renvoyée !

— Et tu vas pouvoir continuer à magasiner !

— Chut ! Dis-le pas trop fort, c'est sûr que ça ne passerait pas si tout le monde le savait. Pour une raison obscure, même si je n'ai rien à faire, je n'ai pas le droit de magasiner sur le web. Il faut que je fasse semblant d'être occupée.

— Ben, laisse-moi te dire qu'on devrait te décerner un oscar pour tes talents d'actrice ! J'ai toujours trouvé que tu avais l'air tellement occupée que je me demandais comment tu pouvais accepter autant de responsabilités sans le salaire qui va avec !

— Maintenant tu connais mon secret, mais ne va surtout pas le dire à personne. Je ne voudrais pas que les patrons me trouvent de nouvelles tâches parce qu'ils pensent que je n'en ai pas assez. Passer une journée complète à travailler pour vrai ? Je ne penserais pas, non.

J'ai éclaté de rire alors que nous marchions vers mon bureau pour récupérer le contrat.

— Au moins, tu m'as changé les idées! Tiens, lui ai-je dit en lui tendant le document. Mais ne va pas le mettre dans le recyclage ou la déchiqueteuse parce que, là, le karma va revenir et je ne pourrai rien faire.

— Promis. Je l'envoie à monsieur Richer et je te le ramène tout de suite après.

Elle a tenu sa promesse puisque, dix minutes plus tard, elle entrait dans mon bureau en me tendant la copie.

— Ta sœur est sur la deuxième ligne.

— Ah oui? Elle n'a même pas essayé de m'appeler sur mon cellulaire avant de faire le numéro du bureau! D'accord, je la prends.

— Si elle veut que tu me demandes de venir vendredi, c'est non.

— Quoi? Venir où?

— Elle m'a reconnue quand j'ai répondu, a-t-elle chuchoté, comme si ma sœur pouvait l'entendre alors qu'elle était en attente sur la ligne.

— C'est sûr qu'elle t'a reconnue. Elle sait que c'est toi la réceptionniste chez Oméga.

— Peu importe. Elle m'a demandé de sortir avec vous vendredi au nouveau club sur Sainte-Catherine. Je ne fais pas Sainte-Catherine. Je déteste les clubs sur Sainte-Catherine. Et tu sais que ta sœur et moi… on n'a pas des personnalités très compatibles.

— Avec «nous»? Elle ne m'a rien dit à moi. Mais c'est toi qui lui as dit qu'on allait sortir toutes les trois quand Georges serait parti! Tu le regrettes déjà? me suis-je moquée.

— C'était sarcastique, tu le sais bien! Sortir avec toi, oui. Avec ta sœur, il va y avoir trop de questionnements, trop d'hommes de sa vie, trop de tout. Non, non, je ne peux pas.

Et puis, j'ai déjà quelque chose de prévu vendredi. Tu lui diras ça.

— Si ça peut te rassurer, je n'irai pas non plus, alors je ne pense pas qu'elle va vouloir que j'insiste pour que tu y ailles !

— Parfait ! Bon, réponds-lui avant qu'elle appelle encore et bloque les lignes !

J'ai souri en prenant le combiné. Roxanne avait raison. S'il y avait une chose que Rose ne pouvait pas supporter, c'était l'attente. Attendre en file, sur une ligne téléphonique, ou l'homme de sa vie, tout cela était pratiquement impossible pour elle. Il fallait que tout soit immédiat, instantané.

— Allô, Rose !

— Allôôôôôô ! Rox t'a dit que c'était moi ?

— Ben oui. Elle annonce toujours qui appelle, ai-je menti pour ne pas lui relater la conversation que je venais d'avoir avec Rox.

— Ah bon ! Jas, j'ai quelque chose à te dire… J'ai finalement rencontré l'homme de ma vie.

J'ai essayé d'étouffer un soupir de désespoir en écartant le téléphone de mon visage.

— Je t'entends soupirer ! a-t-elle hurlé au bout du fil.

— Non ! Je n'ai pas soupiré ! L'homme de ta vie ? Tu es certaine ?

— Ouiiiiiiiii ! Il est merveilleux ! Et beau comme un dieu !

— Je suis contente pour toi si tu l'es ! Tu l'as rencontré où ?

— Au gym. Tu vois ? On a des intérêts communs ! Il s'entraîne comme moi !

— Tu ne t'entraînes pas vraiment, Rose. Tu y vas une fois par mois.

— Non, ce n'est pas vrai ! J'y vais presque à tous les jours depuis que je sais qu'il y va aussi. On s'entraîne ensemble. Il me montre à soulever des poids.

— Ah! C'est une bonne chose que tu y ailles plus souvent, alors! Tant mieux s'il te motive à te garder en forme!

— Je voudrais vraiment que tu le rencontres!

— C'est sérieux à ce point?

— M'écoutes-tu quand je parle, Jasmine? C'est l'homme de ma vie, je t'ai dit!

— Oui, oui, je t'écoute mais… tu sais que c'est ce que tu avais dit à propos d'Alex aussi.

— Alex? m'a-t-elle répondu avec hésitation, comme pour essayer de se souvenir de qui je parlais. Ah oui! Alex. Mais non, Alex ne lui arrive même pas à la cheville.

— Bon… tu veux aller souper quelque part?

— J'avais plus pensé aller au nouveau club qui vient d'ouvrir sur Sainte-Catherine. Ce sont des amis de Matt qui sont propriétaires. Et puis Rox pourrait venir!

— Hmmm, je pense qu'elle a quelque chose de prévu déjà ce vendredi. Et pour être honnête, je ne me sens pas vraiment en forme pour sortir dans un club. Tu sais comment je déteste ce genre d'endroit… Pourquoi vous ne venez pas plutôt souper à l'appart avant d'y aller? Je pourrais faire à souper. Ça me changerait des pizzas pochettes.

— Des pizzas pochettes? Tu ne devrais pas manger ça. Es-tu au courant de tous les glucides et les calories qu'il y a là-dedans?

— Quoi? Depuis quand tu t'intéresses aux calories et aux glucides? Tu as juste des boîtes de Kraft Dinner dans ton garde-manger!

— Oh que non! Je ne jure que par les diètes protéinées maintenant! J'ai tellement plus d'énergie depuis!

— Bon, j'imagine que ça veut dire que tu vas dicter le menu de vendredi?

— Mais non! C'est toi l'hôtesse quand même! Mais je ne peux pas manger de glucides ou de féculents, et Matt mange seulement de la viande rouge! Mais c'est toi qui décides!

— Ben oui… ça me laisse beaucoup d'options… Mais, bon, je vais trouver. Alors, on se dit vendredi vers 18 h ?

— Dix-neuf heures trente, ce serait mieux. On s'entraîne jusqu'à 18 h le vendredi.

— Va pour 19 h 30. À vendredi !

Mon téléphone a sonné de nouveau. Cette fois, c'était Roxanne.

— Tu lui as dit que je ne pouvais pas ?

— Oui, oui. Ils vont venir souper chez moi à la place.

— « Ils » ? C'est qui, « ils » ?

— Elle et Matt. Le nouvel homme de sa vie.

— Oh que je suis contente de pas y aller ! Tu me raconteras ça ce midi, je ne peux pas te parler maintenant : je viens de trouver un nouveau site avec des robes pratiquement gratuites. Je capote !

***

Trois heures plus tard, j'étais attablée devant Roxanne, au café-bistro près du bureau.

— Tu sais qu'il ne m'a toujours pas envoyé de courriel…

— Georges ? Laisse-lui le temps. Sais-tu comment c'cst demandant en énergie, envoyer un courriel quand tu es lendemain de veille ?

— Pas vraiment. Tu le sais, je ne bois jamais pour me rendre jusque-là.

— Et c'est bien là ton problème ! Tu devrais te laisser aller un peu ! Je suis sûre que tu es hilarante quand tu es saoule ! Il faut absolument essayer !

— Un jour…

— Oh ! Tu te réchauffes à l'idée ? Il y a deux semaines, c'était hors de question que tu sortes avec moi pendant que Georges était dans le Grand Nord ! Excellent ! Dans une semaine, tu dcvrais être décidée !

— On verra.

— Je vais laisser l'idée faire son chemin. Alors, Rose a trouvé l'amour ?

— Ça a l'air… Ils se sont rencontrés au gym. Ils voulaient qu'on aille à l'ouverture du nouveau club sur Sainte-Catherine parce que ce sont des amis à lui qui en sont propriétaires…

— Ses amis sont propriétaires d'un club sur Sainte-Catherine et il s'entraîne au gym ? Chanceuse ! Tu vas avoir un bel énergumène dans ton salon !

— Comment ça ?

— S'il s'entraîne toujours au gym et qu'il sort sur Sainte-Catherine régulièrement, les chances qu'il arbore fièrement un tatouage tribal autour du bras sont fortes ! Est-ce qu'il est obsédé par ce qu'il mange ?

— Je ne sais pas, moi ! Je ne le connais pas. Mais Rose m'a informée qu'elle suivait maintenant une diète protéinée et que Matt ne mangeait que de la viande rouge.

— HA ! s'est écriée Roxanne. C'est sûr que j'ai raison ! Selon toi, manger uniquement de la viande rouge, ce n'est pas être obsédé par ce qu'on mange ? Je te gage 10 $ qu'il a un tribal autour du bras et qu'il arrive chez toi en chandail ultra moulant pour qu'on voie ses pectoraux, probablement injectés à la testostérone !

— Tu es folle ! Tu parles des gros gars musclés des gyms ? C'est certain qu'il n'est pas comme ça ! Rose ne serait jamais intéressée !

— Et pourtant, on a eu la confirmation à la soirée de départ de Georges que Rose avait peu de critères de sélection en ce qui a trait aux hommes. Tu vis dans le déni, Jas. Tu seras la belle-sœur d'un gars qui pourrait faire de la pub pour les stéroïdes ! s'est-elle esclaffée.

— Tsssss. Et moi, je te gage 10 $ que tu n'as pas raison.

— Pari tenu! m'a-t-elle dit en serrant la main que je tendais vers elle. Je regrette presque d'avoir fait semblant d'avoir quelque chose d'important vendredi.

— Tu as quelque chose pour vrai?

— Oui. Je vais souper avec un gars que j'ai rencontré à l'épicerie la semaine dernière.

— Oh, mais pourquoi tu ne m'en as pas parlé?

— Parce qu'il m'a seulement texté hier soir et qu'il n'est pas important.

— Mais il pourrait peut-être le devenir?…

— Non. Pas de chances. Je ne suis pas intéressée.

— Tu ne le connais même pas encore! Laisse-toi le temps!

— Je n'ai pas besoin de temps. Ce genre de chose là, tu le sais tout de suite. Ce n'est pas comme ça que ça s'est passé entre toi et Georges?

— Ouf… ça fait trop longtemps pour que je m'en souvienne.

— Tu ne l'as pas eu, alors. Tu t'en souviendrais.

— Rox, tu parles comme Rose, là.

— Pas du tout! On parle peut-être des mêmes émotions mais, moi, je ne les ai pas à chaque fois que je rencontre un gars. Je les ressens rarement.

— Pourquoi tu vas souper avec le gars de l'épicerie, alors? Pauvre lui! S'il t'invite, c'est sûrement parce qu'il est intéressé.

— Tu serais surprise du nombre de gars qui invitent une fille à souper sans être intéressé plus qu'il ne le faut. Et puis, qu'on se le tienne pour dit, il ne m'invite pas pour mon quotient intellectuel. On s'est parlé deux grosses minutes sur les marques de moutarde. Il m'invite parce que je lui plais physiquement.

— Mais peut-être qu'il veut apprendre à te connaître.

— Ou peut-être qu'il veut juste coucher avec moi, aussi. C'est ça que ta sœur devrait comprendre.

— Et tu vas le faire?

— Quoi? Coucher avec?

— Oui.

— Je ne sais pas. Si ça me tente. On va voir comment le souper va aller.

J'ai regardé Roxanne qui mangeait tranquillement sa salade. J'étais son amie et je ne la jugeais pas, mais je me demandais également comment elle pouvait faire pour être si détachée. Je me demandais si elle se sentait seule quand le gars partait chez lui. Elle a levé les yeux de son assiette.

— Ça va? Tu me regardes bizarre.

— Oui, oui… Tu… tu te sens seule des fois?

— Des fois. Comme tout le monde, j'imagine.

— Tu ne voudrais pas avoir une relation?

— C'est certain que je ne veux pas être seule pour le reste de mes jours, mais je ne veux pas être avec n'importe qui. J'ai trop souvent été avec n'importe qui et ça n'en vaut pas la peine. Quand je vais rencontrer le bon, je vais le savoir. Tu t'inquiètes pour moi?

— Non… Oui… Je ne sais pas. Je veux juste que tu sois heureuse.

— Mais je le suis, Jas. Je choisis exactement ce que je veux faire de ma vie, et je choisis les gens qui en font partie.

— O.K., tant que tu es bien dans tout ça, c'est ça qui est important.

— Bien dit! Sur ce, est-ce que tu veux payer mon dîner? Comme c'est sûr que j'ai gagné mon pari, tu pourrais m'avancer l'argent!

— Haha! Non! Je ne suis pas si certaine que ça que tu aies raison!

— Comme tu veux! Je ne serai pas mauvaise gagnante!

Nous avons payé nos additions et nous sommes ensuite retournées au bureau. En ouvrant mes courriels, j'ai vu le nom de Georges dans la liste des expéditeurs. «Au moins, il n'est pas mort», ai-je pensé avec soulagement en ouvrant son courriel.

> Salut chérie! J'ai bien eu tes messages. Je suis sorti avec les gars hier après la journée, et je suis rentré très tard et très chancelant. À +. G.

J'ai tout de suite pris mon téléphone pour ordonner à Roxanne de venir dans mon bureau. Je l'ai entendue courir dans le corridor.

— Qu'est-ce qu'il y a?

Je n'ai rien dit et me suis contentée de tourner mon écran d'ordinateur pour qu'elle puisse lire le courriel.

— Ben… tu devrais être contente. Il n'est pas mort!

— Contente? Tu penses que je suis contente?

— Apparemment pas, non.

— Sérieusement, Rox, imagine que tu es en couple avec quelqu'un depuis plus de trois ans, tu es littéralement à l'autre bout du monde parce que oui, le Grand Nord, c'est l'autre bout du monde, tu sais que ta blonde attend ton appel, tu ne peux pas l'appeler et, le lendemain, il faut que tu lui envoies un message… Serais-tu contente de recevoir ça? lui ai-je demandé en pointant l'écran du doigt.

— Ben… je ne sais pas. Je ne suis pas dans ton couple, Jas. Toi, qu'est-ce que tu en penses?

— Je pense que c'est une vraie blague.

— C'est vrai que ce n'est pas super personnel comme courriel…, a-t-elle lâché après une deuxième lecture rapide.

— Exactement! On dirait un courriel automatique. «J'ai bien eu tes messages» et «J'espère que tu passes une belle journée » ? Je ne parlerai même pas du « À + ». Peux-tu être plus froid que ça ?

— Tu vas lui dire ?

— Oh, certainement que je vais lui dire.

— Bon ! Parfait ! Tu sais comment je t'encourage à t'exprimer !

— Oui ! Mais pas maintenant. Je suis trop frustrée pour lui répondre maintenant. Moi qui pensais qu'il allait s'excuser de m'avoir inquiétée pour rien ! Pffff, il s'en fout éperdument que je m'inquiète.

Roxanne a redirigé son regard vers l'écran.

— Ouin… c'est vrai que ça fait courriel automatique.

— S'il ne parlait pas de sa soirée de débauche, on pourrait croire que c'est un courriel d'absence !

J'étais furieuse. S'il n'avait pas retenu la discussion que nous avions eue avant qu'il parte, moi, j'allais respecter ma part de l'engagement. J'allais lui dire comment je me sentais et, pour l'instant, je ne me sentais pas bien du tout.

***

Il m'a fallu tous les efforts du monde pour terminer ma journée. À 17 h tapantes, j'ai éteint les lumières de mon bureau et me suis dirigée vers la sortie. En passant devant Roxanne, je lui ai lancé que j'allais l'appeler dans la soirée pour la tenir au courant. J'avais pensé appeler Rose pour lui lire le courriel, mais je me suis dit qu'elle aurait tellement été outrée qu'elle n'aurait rien eu de vraiment constructif à me suggérer.

Une fois chez moi, je me suis assise devant mon ordinateur et j'ai pris trois grandes respirations pour la deuxième fois de la journée. Je savais à quel point Georges détestait les conflits, et si je l'appelais et me mettais à le sermonner, il allait se fermer émotionnellement. Il fallait que je m'exprime calmement.

J'ai cliqué sur l'icône du téléphone et j'ai patiemment attendu que le visage de mon copain apparaisse à l'écran. Pour une fois, il était dans sa chambre au moment de mon appel.

— Salut !

— Allô ! Ça va ?

— Bah… mal à la tête.

— J'imagine… J'ai eu ton message. Je me suis inquiétée, tu sais…

— Faut pas que tu t'inquiètes, Jas. Il ne va rien m'arriver. Il n'arrive jamais rien ici !

— Ben, je ne savais pas… Tu ne m'as pas appelée…

— Je sais, mais ce n'est pas parce que je ne t'appelle pas une journée qu'il m'est arrivé quelque chose de grave. Quand je suis à Montréal, on ne se parle pas pendant la journée !

— Oui, mais on se voit à l'appart le soir ! Si tu ne rentrais pas, je m'inquiéterais.

— Je comprends que tu aies été angoissée et j'en suis désolé, mais, honnêtement, je n'étais même pas en état d'ouvrir mon ordinateur.

— Bon… et à part ça ? Ça avance, le chantier ?

— Ça avance, mais pas aujourd'hui. Je n'y suis pas allé. Je n'étais même pas capable de marcher droit en me réveillant !

— Tu n'y es pas allé ? As-tu le droit de faire ça ?

— Ben oui. On travaille tout le temps et on n'a pratiquement pas de fin de semaine.

— Je vois…

— Est-ce qu'on peut se rappeler demain ? J'étais en train de regarder un film sur mon ordi et je n'ai vraiment pas envie de parler. Le son de ma voix me donne mal à la tête.

— Euh… oui, O.K. Oh non ! Pas demain ! Je reçois Rose et son nouveau copain pour souper.

— Encore un nouveau?

— Oui, et il faut que je leur prépare un souper protéiné parce que les deux suivent une diète.

— Ta sœur m'étonnera toujours! Bon, on se parle en fin de semaine alors. Bonne soirée!

Il m'a envoyé un baiser de la main et s'est déconnecté sans me laisser le temps de rien dire d'autre. Je suis restée muette devant l'écran. L'appel avait été à l'image de son courriel: froid et impersonnel. Je ne savais pas quoi penser, à part que j'avais lamentablement échoué dans mon plan de lui faire comprendre que j'avais été profondément déçue par son courriel. Je l'avais déjà vu avec la gueule de bois à l'appartement, et c'est vrai qu'il n'était pas la personne la plus bavarde du monde, mais il aurait tout de même pu faire un effort! Et puis, au lieu de prendre des journées de congé pour cuver les litres d'alcool qu'il avait probablement engloutis, il n'aurait pas pu les accumuler pour revenir à Montréal pour quelques jours? J'ai été tentée de le rappeler pour le lui demander, mais je me suis retenue.

Est-ce que c'était moi qui exigeais trop en voulant lui parler tous les jours? Toutes ces questions ont continué à se bousculer dans ma tête alors que je me levais pour aller prendre une boîte de pizzas pochettes dans le congélateur. Je ne savais pas pourquoi je n'avais pas été capable d'être honnête et claire avec lui. Quelque chose m'en avait empêchée et je n'arrivais pas à mettre le doigt dessus.

Je suis demeurée pensive pour le reste de la soirée. Je n'ai pas voulu appeler Roxanne, sachant trop bien qu'elle allait être aussi déçue que moi de ma passivité devant l'écran.

***

J'ai quitté le bureau un peu plus tôt qu'à l'habitude le lendemain après-midi pour acheter ce qu'il me fallait pour le souper de protéines. Roxanne avait eu la gentillesse de ne pas me poser de questions sur l'histoire du courriel. Je me suis dit qu'elle avait deviné, en voyant mon air renfrogné toute la journée, que ce n'était pas une bonne idée d'aborder le sujet.

Ce souper avec ma sœur était une bonne chose finalement. Ça allait me changer les idées en m'empêchant de parler de Georges.

À 19 h 43, le bruit de la sonnette a résonné dans l'appartement. J'étais en train de finir la salade qui allait accompagner la montagne de viande que j'avais achetée. Je ne savais pas trop si c'était assez protéiné pour Rose et son nouveau copain, mais je me suis dit que, pour moi, c'était sans doute le repas le plus santé que j'avais mangé depuis des jours. Je me suis vite essuyé les mains et j'ai couru vers le vestibule.

En ouvrant la porte, j'ai tout de suite eu envie de m'excuser pour aller à la salle de bain appeler Roxanne et lui concéder la victoire quant au type d'homme qui accompagnait ma sœur. Il tenait son manteau dans ses mains, ce qui laissait voir le tribal qu'il portait fièrement autour du bras. Qui plus est, et comme l'avait prédit Roxanne, son chandail était tellement moulant que je me suis demandé s'il n'allait pas en déchirer les coutures une fois assis. En le regardant un peu plus longuement, je n'ai pas pu m'empêcher de constater la disproportion frappante de sa tête par rapport au reste de son corps. Elle devait être de la même taille que son poing. J'ai rapidement fait le calcul : pour rentrer à l'intérieur, son cerveau ne devait pas être plus gros qu'une noix.

— Jasmine ! Ça va ? m'a demandé Rose, perplexe devant mon mutisme.

J'ai secoué la tête comme pour retrouver mes esprits.

— Hein ? Oui, ben oui, ça va ! Toi ?

— Oui. Je te présente Matt ! Matt, je te présente ma sœur, Jasmine ! On peut entrer, Jas ?

Alors que j'allais tendre la main vers Matt, j'ai eu soudainement peur qu'il la broie par accident. Je me suis donc contentée de tenir la porte ouverte, avec mes deux mains, comme si elle allait s'envoler au vent.

— Salut, Matt ! Je suis contente de te rencontrer. Oui, oui, bien sûr, entrez !

J'ai suivi ma sœur et son chum dans l'appartement pendant qu'elle lui expliquait que je vivais avec mon copain, mais qu'il était parti pour un contrat dans le Grand Nord.

— Oh, le Grand Nord ! Je ne pourrais jamais y aller. Pas de clubs, pas de gym, la mort, quoi.

J'ai regardé Rose, désespérément à la recherche d'une expression faciale qui allait me rassurer et me convaincre qu'elle ne pouvait sérieusement pas considérer que ce Rambo était l'homme de sa vie. Je savais que j'attendrais longtemps, puisqu'elle le regardait en buvant ses paroles. En tant que bonne hôtesse, et surtout parce que ma sœur semblait l'apprécier plus que moi, je leur ai demandé si je pouvais leur servir quelque chose à boire. J'avais acheté des Palm Bay pour ma sœur, sachant qu'elle était particulièrement friande des boissons alcoolisées sucrées.

— Ben, moi, j'ai apporté mon sachet de poudre de protéines. Faut juste le mettre au malaxeur. T'en as un ?

J'étais sidérée par sa demande.

— Pour vrai ? Euh… je veux dire, oui. Bien sûr que j'ai un malaxeur !

— Parfait ça ! Beubé, tu peux aller me le faire ? a-t-il continué en s'adressant maintenant à ma sœur.

— Certainement ! Tu viens, Jasmine ?

Sans dire un mot, nous nous sommes dirigées vers la cuisine qui, heureusement, était assez éloignée du salon. Nos silences n'avaient pas la même signification : elle se taisait pour mieux s'extasier une fois dans la cuisine, alors que le mien se rapprochait d'un symptôme post-traumatique.

— Tu ne le trouves pas tellement beau ? m'a chuchoté ma sœur.

— Beau ? Ce n'est pas vraiment le premier mot qui me vient en tête quand je le regarde. Ce serait plutôt « huile » et « coutures trop serrées ». Sérieusement, Rose, il a apporté ses choses pour se faire un *shake* de protéines ?

— Mais oui, il est très sérieux. Tu sais, ça prend beaucoup de volonté pour se tenir en forme comme ça !

— Très sérieux ? Il fait quoi quand il va dans un bar ? Il passe derrière le comptoir pour se faire ses propres *drinks* ?

— Ben non, franchement ! Il boit de l'eau. Il ne boit pas d'alcool. Je ne te l'avais pas dit ?

— Euh… Non. Tant mieux dans le fond, parce que ça va en faire plus pour toi et moi, lui ai-je dit en ouvrant la porte du frigo et en brandissant deux canettes de Palm Bay.

— Oh ! Je ne bois plus d'alcool sucré non plus ! Je vais juste prendre de l'eau avec de la glace.

Je l'ai regardée ouvrir la porte du congélateur en tenant mes deux canettes le long de mon corps, bouche bée.

— WOW ! Jasmine ! Peux-tu avoir plus de pizzas pochettes ? Combien tu as de boîtes ? Voyons ! Chéri, viens voir ça !

J'ai tenté de la faire taire avant que Godzilla n'entre dans ma cuisine. Peine perdue. À peine deux secondes plus tard, j'ai entendu de lourds pas dans le corridor. J'ai sérieusement eu peur que mes planchers ne soient pas assez solides pour supporter son poids.

— Qu'est-ce qui se passe ?

— Viens voir ce que ma sœur mange ! Allez, viens !

Matt s'est approché de mon frigo qui semblait minuscule à côté de lui. Il a jeté un œil dans le congélateur que ma sœur gardait ouvert, puis s'est tourné vers moi.

— Sais-tu à quel point c'est chimique, ça ? m'a-t-il dit en montrant avec dégoût mes précieuses boîtes.

— Ben… oui, mais je n'en mange pas tous les jours quand même, ai-je menti.

— Pas grave ! Si tu en manges, tu ne respectes pas ton corps !

J'avais peine à croire qu'un homme que je ne connaissais pas puisse me faire la morale sur le contenu de mon congélateur. J'ai ouvert la bouche pour répliquer, mais me suis ravisée en voyant le regard désapprobateur que ma sœur posait sur moi. Une fois, j'avais osé rabrouer un de ses copains et elle m'en avait gardé rancune pendant deux bonnes semaines. S'il fallait qu'une guerre froide s'installe entre Rose et moi, je n'étais pas sortie du bois.

— Ta sœur aussi mangeait pas mal n'importe quoi quand on s'est rencontrés, mais elle s'est beaucoup améliorée avec le plan de nutrition que je lui ai fait, hein, beubé ?

Rose a vigoureusement hoché la tête.

— Je peux t'en faire un aussi, si tu veux. Pour gratis en plus, vu que t'es la sœur de ma princesse.

— Oh ! Tu es nutritionniste ?

Je doutais fortement qu'il ait pu se rendre jusqu'à un aussi haut niveau de scolarité, mais je ne savais pas quoi lui dire d'autre pour qu'il détourne son regard vide de mon congélateur.

— Non, madame ! L'école, c'est pour les bolés. La vraie vie, c'est celle qui se passe en dehors des salles de classe. Je suis entraîneur privé, moi. Ça, c'est l'université de la vie. J'en sais, des affaires sur la nutrition. Pas mal plus qu'un nutritionniste dans son bureau avec ses lunettes sur le nez.

À chaque mot qu'il prononçait, je devenais de plus en plus convaincue que je devais nécessairement être en train de rêver. C'était impossible que ma sœur soit intéressée par cet homme. Elle avait probablement perdu un pari avec une de ses amies, et elle m'en informerait en riant une fois le souper terminé. J'ai attendu ce moment en vain pendant les trois heures suivantes durant lesquelles Hulk et ma sœur n'ont fait que parler d'entraînement, de nutrition et de protéines. Plus ils en parlaient, plus je pensais à manger des pizzas pochettes, roulée dans ma couverture sur le sofa.

— Et Georges? Tu as de ses nouvelles? m'a finalement demandé Rose en me tirant de mes pensées.

— Georges! Ça fait longtemps que j'ai pas entendu ce nom-là! s'est écrié le colon. Le dernier Georges que j'ai connu soulevait plus que moi! Je l'haïssais. Peux-tu croire ça, beubé?

J'ai ignoré le commentaire de Matt qui s'avérait être une des remarques les plus inutiles que j'aie entendues de ma vie, mais que je voulais garder en tête pour la redire à Roxanne qui ne manquerait pas de s'étouffer de rire.

— Oui, il va bien. Il est très occupé avec le chantier et tout…

— Il va revenir bientôt?

— Je ne sais pas encore, mais probablement, oui.

La dernière chose que je voulais, c'était de parler de mes problèmes avec Georges devant un gars dont le seul problème était de ne pas avoir accès en tout temps à ses protéines et à sa viande rouge. J'ai donc fait semblant que tout allait pour le mieux dans le meilleur des mondes. J'aurais l'occasion de reparler à Rose de tout ce qui me pesait sur le cœur. Préférablement, sans que Rambo soit là.

— Bonne chose! Il va t'empêcher de manger tes pizzas! a naïvement rigolé Rose.

J'ai regardé l'heure sur le micro-ondes et j'ai fait semblant d'être étonnée.

— À quelle heure vous devez être au bar ?

— Je ne sais pas, tu veux venir avec nous ?

— Oh non ! Je suis fatiguée, mais vous allez être en retard, non ? Il est presque 22 h.

— Essaies-tu de te débarrasser de nous ?

— Haha ! Mais non ! Pas du tout ! Où vas-tu chercher ça ? ai-je répondu à ma sœur en feignant la surprise.

La vérité était que je ne pouvais plus supporter Matt à côté de moi. Il s'alimentait comme s'il avait mangé sur le plancher toute sa vie et n'avait connu l'existence des couverts qu'aujourd'hui. Il faisait des bruits que je n'avais jamais entendus de quelqu'un qui mangeait de la viande. Il devait considérer que le couteau que j'avais posé à côté de lui était une jolie parure, puisqu'il utilisait ses doigts pour mettre sa nourriture sur sa fourchette. Le bout de ses ongles était noir et je pouvais voir la corne dans le creux de ses mains, probablement à cause des poids qu'il devait soulever inlassablement. J'essayais de ne pas le regarder, sachant que je ne serais pas capable de cacher mon dégoût, et sachant aussi que ma sœur épiait mes moindres réactions.

— Tu as raison, en fait, on devrait partir. Tu veux que je t'aide à faire la vaisselle ?

— Non ! me suis-je exclamée. Pas besoin. Je vais tout mettre ça dans le lave-vaisselle. Mais allez-y ! Passez une bonne soirée !

Je les ai reconduits à la porte et, après avoir serré ma sœur dans mes bras, je me suis tournée vers Matt et me suis retenue pour ne pas lui dire que j'espérais ne jamais le revoir. À la place, je me suis entendue dire :

— Merci d'être venu ! Ça a été un plaisir de te rencontrer !

— De rien ! Et je veux absolument que tu passes au gym avec Rose cette semaine. Elle connaît mes dispos, et je pense qu'on pourrait faire quelque chose de bien avec toi. Tes os sont tout petits! Tu es faite pour être mince comme ta sœur.

C'en était trop. Non seulement il n'avait pas cru bon de me remercier pour le souper, mais en plus il se permettait de me dire à mots couverts que j'étais grosse? J'ai ouvert la bouche, mais, au même moment, Rose a tiré le bras de Rambo pour l'entraîner dehors. J'ai brusquement fermé la porte derrière eux, et j'ai pris mon téléphone pour envoyer un texto à Roxanne.

Jasmine – 22 h 34
Tu avais tellement raison que je te paye deux dîners cette semaine!

CHAPITRE 7

— Nooooooooon! Je ne te crois pas, m'a dit Roxanne, les yeux écarquillés, alors que nous étions attablées devant notre dîner le lundi suivant.

— Je te le jure et, crois-moi, je voudrais que ce ne soit pas vrai.

— Mais voyons! À quoi elle pense?

— Je ne sais pas.

— Est-ce qu'il l'appelait vraiment «beubé»?

— Oui. C'était horrible. Et le pire, sais-tu c'est quoi?

— Est-ce qu'il y a pire que se faire appeler «beubé»?

— Oui. Il m'a pratiquement dit que j'étais grosse, ai-je répliqué en riant nerveusement.

— QUOI? Il t'a dit, mot pour mot, que tu étais grosse?

— Pas mot pour mot, mais c'est ça que ça voulait dire. Il veut que j'aille à son gym pour qu'il puisse me faire un programme d'entraînement. Penses-tu que j'ai besoin d'un programme d'entraînement?

Cette idée m'était restée en tête toute la fin de semaine. Au début, j'avais essayé de la balayer du revers de la main en me disant qu'évidemment, pour un gars comme Hulk, j'étais grosse parce que je ne pesais pas cent dix livres comme ma sœur, mais, après avoir hésité toute la fin de semaine, j'avais finalement pris mon courage à deux mains la veille et je m'étais pesée. J'avais effectivement pris du poids pendant les dernières semaines. Considérant le nombre de pizzas que j'avais engouffrées, je n'étais pas vraiment surprise, mais je me suis demandé si les gens autour de moi l'avaient remarqué.

— Ben, je ne sais pas, moi… Tu sais ce que je pense du gym. Souffrir pour être mieux, je trouve ça un peu contradictoire.

— Mais trouves-tu que je suis grosse ?

— Bien sûr que non, Jas ! Ne viens pas me dire que tu vas laisser un gars comme ça te convaincre que tu es grosse !

— Non, mais tu sais que j'avais quand même un surplus de poids au secondaire.

— Oui, mais tu n'es plus au secondaire et tu n'as pas de surplus de poids. Je te jure que si tu deviens *insécure* comme ta sœur, je vais être obligée de t'enfermer dans une cave jusqu'à temps que tu reviennes à la raison !

— J'ai quelque chose à t'avouer…

— Quoi ?

— Depuis que Georges est parti… ben, je mange juste des pizzas pochettes. Je dois en manger quatre par jour !

— Mais… pourquoi ? m'a-t-elle demandé, comme si son cerveau n'arrivait pas à traiter l'information que je venais de lui donner.

— Je ne sais pas ! Parce que ça ne me tente pas de cuisiner pour une personne et d'attendre une heure avant de manger !

Roxanne me regardait en se mordant les lèvres pour ne pas rire.

— À la lumière de cet aveu, peut-être que tu devrais t'inscrire au gym finalement ! Franchement, Jasmine ! C'est ça que tu fais de tes soirées ? Manger des pizzas pochettes en attendant l'appel de Georges ?

— Non ! Je fais autre chose ! Mais la semaine… je suis fatiguée, et je ne veux pas sortir de chez moi.

— O.K. Et qu'est-ce que tu as fait en fin de semaine ?

— Tu le sais, ma sœur est venue souper avec Rambo.

— Oui mais, ça, c'était vendredi. Tu as fait quoi samedi et dimanche ?

— Rien de spécial… Samedi, j'ai été me promener et je me suis arrêtée au café où on peut peindre sur les tasses et les assiettes… Tu sais, le café sur…

— Je t'arrête tout de suite. Oui, je sais de quoi tu parles, et je ne peux pas croire que tu as été là. Tu as été te peindre une assiette pour mettre tes pizzas pochettes ? Jasmine, je t'aime, mais il faut que tu te reprennes en main !

— Mais… je… Oui, bon, je sais, ai-je dit, soudain embarrassée.

— Je t'encourage plus à aller au gym à tous les jours qu'à aller peindre de la vaisselle ! Je pense que si j'étais passée devant, j'aurais fait semblant de ne pas te connaître… ou je serais entrée et je t'aurais serrée fort dans mes bras en te disant que tout allait s'arranger.

— Ben là, exagère pas ! Je n'étais pas la seule là-bas !

— Mais as-tu vu beaucoup de filles de ton âge assises toutes seules en train de peindre des assiettes pour des pizzas pochettes ?

— Premièrement, ce n'était pas une assiette pour des pizzas pochettes et, deuxièmement, non, il n'y avait aucune fille de mon âge toute seule, mais il y avait des filles de mon âge quand même.

— Je ne veux même pas en entendre parler. Sérieusement, je me sens gênée pour toi. Ta léthargie s'arrête ici. On sort danser vendredi !

— Non, non ! Je ne veux pas.

— Ça ne me dérange pas du tout que tu ne veuilles pas. On y va quand même. Après, tu pourras retourner peindre tes soucoupes, mais ce n'est pas parce que je n'aurai pas essayé.

Je n'ai rien répondu. De toute façon, de ce moment à vendredi, j'aurais le temps de me fabriquer une excuse pour ne pas y aller.

— Et ne pense même pas à t'inventer une excuse. Je vais venir te chercher chez toi. Voilà, c'est décidé !

— Rox, j'apprécie ce que tu essaies de faire, mais…

— Pas de mais. On n'en parle plus. Et Georges ? Tu lui as parlé en fin de semaine ? Il dit quoi de ton délire de pizzas ?

— Il ne le sait pas. Je lui ai juste parlé une fois en fin de semaine, et je ne lui parle pas de mon régime alimentaire. Je ne suis pas comme le chum de Rose, tu sais.

— Haha ! Non, clairement pas !

— C'est moi qui l'ai appelé en plus.

— Et puis ?

— Et puis je l'ai appelé parce qu'il ne l'a pas fait. Je m'étais dit que je n'allais pas l'appeler parce que je voulais voir s'il avait compris que quand il ne le faisait pas, ça m'inquiétait. Visiblement, le message n'est pas passé.

— Peut-être qu'il trouve que, tous les jours, c'est trop, a prudemment avancé mon amie.

— C'est ce qu'il m'a dit aussi. Je ne peux juste pas croire qu'on en soit encore rendus là.

— Qu'est-ce que tu veux dire ?

— Tu te souviens quand on s'est rencontrés, lui et moi ? Le stress du début à savoir s'il était intéressé ? S'il allait rappeler ? Et puis, quand on s'est officiellement mis en couple, tu te souviens comment il ne donnait pas de nouvelles pendant trois jours ? J'ai juste l'impression que je suis encore au même point.

— Quoi ? Mais ce n'est pas la même chose du tout ! Vous êtes ensemble !

— Justement, on est ensemble ! Il n'est pas tout seul dans cette relation et, à mon sens, il devrait faire l'effort de m'appeler ou au moins de m'envoyer un courriel! Et puis si c'est si plate que ça dans le Grand Nord, il devrait être content de m'appeler! Ça lui fait quelque chose à faire!

— Et tu lui as dit?

— Non. J'ai figé quand j'ai voulu lui en parler la semaine dernière et je n'ai pas réessayé depuis.

— Pourquoi?

— Je ne sais pas... Il y a quelque chose qui m'empêche de le faire. Peut-être que c'est la conviction qu'il devrait le comprendre par lui-même sans que ce soit moi qui doive le lui répéter à tout bout de champ.

— Wow! C'est la première fois que je t'entends parler comme ça! Tu es comme une nouvelle Jasmine émancipée!

J'ai soupiré. Je ne me sentais pas émancipée. Au contraire, je me sentais blessée par l'homme que j'aimais. Je me sentais prise entre ce que je ressentais et ce que je voulais laisser paraître.

— Est-ce que tu trouves que je suis une mauvaise blonde?

— Non, Jasmine, tu n'es pas une mauvaise blonde. Tu as juste un peu de difficulté à t'affirmer, je pense. Et ça, tu le sais, ce n'est pas juste en tant que blonde que tu as ce problème.

— Mais qu'est-ce que tu veux que je fasse? Que je me mette à envoyer promener toutes les personnes qui ne font pas comme je voudrais?

— Non! Absolument pas! Je pense que ce que tu fais avec Georges est très bien. Laisse-le venir à toi. Tu sais comment sont les hommes... Ils ont besoin de chasser ou, du moins, en avoir l'impression.

— Mais on est ensemble! C'est fini, le temps de la chasse!

— Les hommes ont toujours besoin de chasser! C'est inscrit dans leur code génétique!

— Qu'est-ce que tu essaies de me dire, Rox? Que si je continue à être trop disponible et à trop vouloir lui parler tous les jours, il va juste aller chasser ailleurs?

— Ce que j'essaie de te dire, c'est comment veux-tu qu'il s'ennuie de toi si tu passes ton temps à l'appeler pour ne rien dire d'important?

— C'est avec quelqu'un comme toi qu'il devrait être…

— Non. Je ne pourrais jamais être avec un gars comme Georges. Sans vouloir te vexer, je trouve qu'il n'a pas assez de «grrrrr».

— Hein?

— Ben oui, de «grrrr»… de mordant, quoi! Il n'est pas assez rebelle. Il manque d'intensité aussi, je trouve. Et puis, il est ingénieur.

— Tu as peut-être raison…, lui ai-je dit songeusement.

— Tu trouves qu'il manque de «grrrr» aussi?

— Non, non, pas ça. Tu le sais, je ne pourrais jamais être avec le genre de gars que tu recherches. Non, tu as peut-être raison sur le fait que je devrais le laisser venir à moi.

— Mais oui, c'est sûr que j'ai raison! Demande à n'importe quel gars! Et puis, tu ne veux pas être le genre de femme qui est tout le temps après son chum. La seule femme comme ça qu'un gars devrait accepter, c'est sa propre mère. Et même là, il faut qu'il ait entre dix et quinze ans pour que ce soit normal. Plus vieux que ça, ça devient juste inconfortable et gênant.

— Ouin… Bon, je vais le laisser m'appeler, alors! Et tu sais quoi d'autre?

— Tu es super excitée d'aller danser en fin de semaine?

— Non. Je vais m'abonner au gym!

— À cause de ce que l'autre demeuré t'a dit?

— Non… Pour moi. C'est vrai que j'ai pris du poids et je suis certaine que je vais me sentir mieux en m'entraînant.

De retour au bureau, pour ne pas perdre mes bonnes résolutions, j'ai tout de suite fait l'appel pour m'abonner au gym de mon quartier, puisqu'il était absolument hors de question que je m'entraîne avec Rambo-sur-les-stéroïdes. Je ne voulais même pas d'entraîneur. Je voulais juste qu'on me laisse marcher sur le tapis roulant en paix. Je me suis ensuite fait la promesse de ne plus acheter de pizzas pochettes jusqu'au retour de Georges, mais me suis quand même donné le droit de manger celles qui me restaient dans le congélateur. C'est d'ailleurs ce que j'ai fait en rentrant à l'appartement ce soir-là. Mon nouvel abonnement m'avait déculpabilisée juste assez pour que je dévore une boîte complète.

***

J'avais voulu appeler ma sœur pour lui faire part de mon récent changement de vie, mais, après ma première heure passée au gym le lendemain, je me suis rendu compte que j'étais dans une forme physique pitoyable. Rose aurait certainement insisté pour s'entraîner avec moi, et je savais que ça m'aurait découragée. J'ai donc décidé de lui en faire part une fois que je serais capable de courir deux kilomètres sur le tapis roulant sans être au bord de la crise cardiaque, ce qui allait probablement être long.

Alors que ma volonté de perdre du poids diminuait à la même vitesse que les heures passaient, l'excitation de Roxanne atteignait son apogée. Elle avait prévu notre soirée du vendredi à la minute près. Je lui avais déjà sorti quelques excuses du genre «je ne pourrai pas danser, j'ai trop mal aux jambes à cause du tapis roulant», mais elle les avait toutes refusées. J'en étais littéralement rendue au point d'invoquer les forces mystérieuses de l'univers que ma mère vantait afin qu'elles m'envoient une excuse que Roxanne considérerait comme valable. Je ne voulais pas aller danser. Mes formes physique et mentale étaient en piteux état. J'aurais dû m'attaquer à une forme à la fois et régler mes problèmes de couple avant de commencer le tapis roulant.

Georges ne m'avait appelée qu'une seule fois pendant la semaine. Selon Roxanne, c'était un bon signe, puisque c'est lui qui avait fait l'appel, mais la conversation que nous avions eue ressemblait à celles que nous avions quand je lui parlais tous les jours : il n'avait pas grand-chose à me dire et semblait ne pas pouvoir attendre jusqu'au moment de raccrocher. Je me tuais à me répéter qu'il fallait que je me change les idées et que je devais sortir danser, mais c'était plus fort que moi, j'avais juste envie de rester sur mon divan.

Je n'ai pas eu besoin d'invoquer trop longtemps les forces de l'univers, puisque, le jeudi après-midi, un courriel de rédemption a atterri dans ma boîte de réception. C'était à ma sœur que revenait l'acte glorieux de me sauver.

> J'ai vraiment besoin de te parler. Ça ne va pas du tout. Est-ce que je peux passer chez toi demain après le boulot ? Tu es la seule personne à qui je veux parler.

Bon, évidemment, connaissant Rose, je savais qu'il y avait de fortes chances que ce ne soit pas si grave que ça, mais son courriel était suffisant pour que je puisse tenir tête à Roxanne sans me sentir comme la pire traîtresse que la terre ait portée.

C'était, en tout cas, ce que je pensais jusqu'à ce que je me retrouve devant mon amie.

— Quoi ? Mais tu sais très bien que peu importe ce que c'est, ce n'est pas la fin du monde ! Elle n'est probablement plus avec Rambo et elle remet tout en question. Comme à chaque mois.

— Je sais, mais elle a besoin de moi. Je ne peux pas lui dire non. Et peut-être que c'est pire qu'on pense, ai-je dit en sachant pertinemment que ce n'était pas le cas.

— Pfffff, non. Je suis sûre que non. Est-ce que tu utilises juste ça comme excuse, Jas ? m'a-t-elle demandé en me regardant avec suspicion.

— Non !

— Certaine ? Dis-le-moi si c'est ça.

— Je te jure que non.

— Bon, O.K. Mais je t'oblige à venir la semaine prochaine.

— C'est loin, la semaine prochaine.

— Non, ce n'est pas loin. Et puis tu te souviens du BBQ chez ta mère auquel tu m'as traînée ?

— Oui…

Je me souvenais en effet que je lui avais dit que je lui en devais une. J'avais d'ailleurs été étonnée qu'elle ne joue pas cette carte plus tôt pour me convaincre d'aller danser.

— Tu m'as dit que tu allais m'en devoir une. J'ai décidé que cette une-là, c'était sortir danser. Pour demain, je comprends qu'il faut que tu voies ta sœur, mais, la fin de semaine prochaine, je n'accepte aucune excuse. Aucune.

— D'accord, je te le promets, lui ai-je répondu solennellement.

— Parfait ! Profites-en pour retourner au gym en fin de semaine pour muscler tes jambes ! Tu vas en avoir besoin là où je vais t'emmener ! Vendredi, c'est bon pour toi ?

J'ai hoché la tête en la regardant avec des yeux interrogateurs.

— Ah ! Je ne te dirai rien avant vendredi ! Sinon tu serais capable de te trouver d'autres raisons pour ne pas venir. Ce sera une surprise !

Je lui ai souri et me suis dirigée vers mon bureau pour répondre à ma sœur. En lui confirmant l'heure à laquelle elle pouvait arriver le lendemain, je n'ai pas pu m'empêcher d'ajouter un post-scriptum au message :

Moi aussi j'ai besoin de te parler. Ça ne va pas très bien avec
Georges, et je ne voulais pas en parler quand tu es venue avec

Matt la semaine dernière. Maintenant qu'on sera seules, je voudrais beaucoup avoir ton avis.

Au moins, ça lui donnerait une idée de l'état d'esprit dans lequel j'étais et ça l'empêcherait de me poser la question que je redoutais ces jours-ci : « Comment ça va avec Georges ? »

Le lendemain, pour une des rares fois dans sa vie, Rose était non seulement à l'heure, mais aussi beaucoup moins arrangée qu'à l'habitude. Elle ne portait que très peu de mascara, un simple gloss transparent, et un jeans et un t-shirt blanc. Pour elle, c'était être au même niveau qu'une fille en pantalon de jogging avec les cheveux sales. Il y avait donc véritablement quelque chose qui n'allait pas.

Sans préambule, elle m'a tendu une bouteille de vin blanc.

— J'ai acheté du vin parce que je me suis dit qu'il te restait sûrement des Palm Bay dans le frigo…

— Oui… tu en veux un ? Tu as recommencé à en boire ?

— Oui. Je vais peut-être en prendre un plus tard. On ouvre la bouteille pour commencer ?

J'ai acquiescé de la tête en me dirigeant vers la cuisine à la recherche de l'ouvre-bouteille.

— Jas, qu'est-ce qui arrive si je suis seule pour le reste de ma vie ?

J'ai sursauté au son de sa voix. Je la croyais toujours au salon, mais elle m'avait silencieusement suivie jusque dans la cuisine. Elle m'avait posé cette question avec une toute petite voix. Pas celle qu'elle utilisait habituellement. Non, ce soir, elle me l'avait demandé humblement, presque craintivement.

— Mais voyons ! Tu ne vas pas être seule ! Tu as tout le temps du monde devant toi ! Pourquoi tu dis ça ?

— Ben, comme tu t'en doutes probablement, Matt et moi, ça n'a pas marché.

— Je l'espérais plus que je ne m'en doutais, pour être honnête. Tu ne pouvais pas être avec un gars comme ça, Rose. Même toi, tu devrais le savoir. C'était un innocent. Il était loin d'avoir ta sensibilité.

— Je sais. Je le savais depuis le début en fait, mais je voulais tellement que ça marche. Juste pour cette fois, je voulais avoir l'impression que ça allait marcher.

— Et tu as choisi Matt?

— Oui. Il était gentil et faisait attention à moi, mais comme tu dis, on était très différents.

— Mais tu sais, des fois la différence peut avoir du positif. Évidemment, ce n'est pas le cas avec lui, mais avec quelqu'un d'autre, peut-être que oui.

— Je ne sais pas… Je ne sais plus. Je me sens perdue en ce moment. Peut-être que ça existe juste dans ma tête, l'amour parfait et absolu.

— Tu veux que je te dise un secret? Je pense que ça existe dans la tête de beaucoup de gens, l'amour parfait. Dans la réalité, ça n'existe pas parce que personne n'est parfait et que tout le monde est différent.

— Toi aussi, tu y crois à l'amour parfait? m'a demandé ma petite sœur en me regardant, pleine d'espoir.

— Je… je pense que oui. Je pense que j'y croyais plus avant que je sois en couple par contre.

— Tu penses que c'est parce que Georges ne serait pas le bon gars pour toi?

— Non… je ne pense pas que c'est ça. Plus ça fait longtemps qu'on est avec quelqu'un, plus on s'habitue à sa personnalité. On vit avec, même si on n'aime pas tous les côtés. Toi, tu parles de la passion, mais la passion s'en va après un certain temps. Tu t'imagines vivre de passion tout le temps ? Ce serait épuisant. Je pense que l'amour parfait, c'est d'aimer l'autre avec ses imperfections.

Rose n'a rien dit.

— Et puis, même si tu étais seule dans la vie, ce que tu ne seras pas, mais admettons que ce soit le cas… est-ce que ce serait si pire que ça ? Il y a plein de choses dans la vie, Rose.

— C'est facile à dire pour toi ! Tu as toujours été en couple !

— Je sais, mais ça ne veut pas dire que je ne pense pas à la possibilité des fois.

Elle a brusquement relevé la tête qu'elle avait gardée penchée vers le sol.

— Pour vrai ?

— Pour vrai.

Je ne voulais pas trop m'étendre sur le sujet et lui dire que ça avait traversé mon esprit plus souvent qu'autrement pendant les dernières semaines. D'ailleurs, le but n'était pas de lui faire peur et de lui faire croire que nous étions condamnées, les sœurs Tremblay, à passer le reste de nos vies seules.

— J'ai eu raison de le laisser, Matt, hein ?

— Si tu as eu raison ? Sérieusement, Rose, je pense que je l'aurais fait à ta place si tu avais continué à le voir !

— J'ai compris qu'il était un peu stupide quand il t'a dit que tu étais faite pour être mince… Ça m'a tellement choquée de l'entendre dire ça, mais on dirait que ça m'a ouvert les yeux.

— Ah ben, je ne pensais pas dire ça mais, dans ce cas, je suis contente qu'il m'ait dit que j'étais grosse !

— Voyons ! Tu n'es pas grosse, mais… tu as pris du poids dernièrement. Ne me regarde pas comme ça ! C'est mon rôle de sœur de te le dire ! Ce qu'il y a de bien, c'est qu'on sait d'où ça vient, m'a-t-elle dit en faisant allusion aux boîtes empilées dans mon congélateur.

— Je sais, je sais. D'ailleurs, tu sais ce que j'ai fait cette semaine ? Je me suis inscrite au gym !

— Pas celui de Matt, toujours ?

— Jamais de la vie ! Je l'ai vu une fois et j'espère ne jamais le revoir. En fait, j'espère que sortir mon malaxeur de l'armoire pour faire un *shake* de protéines ne m'arrivera plus jamais !

— Tu sais, c'est correct de se faire des *shakes* de protéines. C'est bon quand tu t'entraînes. Mais j'avoue que le demander quand tu es en visite chez quelqu'un que tu rencontres pour la première fois, c'est un peu bizarre. Mais est-ce que tu t'es inscrite à cause de ce qu'il t'a dit ? Tu n'es pas grosse, Jasmine. Je sais que tu as peur de revenir au poids que tu avais quand tu étais au secondaire, mais tu es encore loin de là. Crois-moi, je me souviens de quoi tu avais l'air.

—Ah ben, merci ! Mais non, je ne me suis pas inscrite à cause de lui. Moi aussi, j'ai remarqué que je pesais plus, et je me suis dit que comme je suis souvent toute seule à la maison, je pourrais en profiter pour aller au gym et m'entraîner un peu. Ça me change les idées. Enfin, ça ne les change pas encore, mais j'espère que ça va venir bientôt.

— Qu'est-ce qu'il s'est passé avec Georges ?

— Il ne s'est rien passé. C'est ça, le problème. Il ne se passe rien. Il ne m'appelle même pas.

— Il ne t'appelle pas du tout ?

— Seulement une fois cette semaine, et laisse-moi te dire que ce n'est pas avec nos discussions qu'on va refaire le monde.

Je me suis alors vidé le cœur. Je lui ai raconté comment je m'étais figée quand était venu le temps de lui dire comment je me sentais, comment j'avais pris la décision de ne plus l'appeler et d'attendre que ce soit lui qui m'appelle et comment je ressentais, depuis ce jour, l'inexplicable envie de rester sur mon divan, sous mes couvertures, jusqu'à ce que mort s'ensuive.

— J'en ai parlé à Roxanne aussi, et elle dit qu'il faut que je lui laisse de l'air et que c'est beaucoup lui demander de m'appeler tous les jours, ai-je dit en terminant. Je ne sais pas quoi faire. On s'était dit que j'allais continuer à visiter des condos pendant son absence, mais, pour être honnête, j'ai peur de lui demander si ça tient encore.

— À ce point-là ?

— Oui.

— Je vais te demander quelque chose, Jasmine, et je ne veux pas que tu te fâches ou que tu paniques, O.K. ?

— O.K…

— Est-ce qu'il y a des filles dans l'équipe ?

— Quoi ?

— Tu m'as entendue.

— Je ne sais pas. Pourquoi ? Tu ne penses quand même pas qu'il m'a déjà trompée !

— Je ne pense rien du tout. J'ai déjà eu quelque chose de semblable, et le gars s'éloignait graduellement parce qu'il avait rencontré quelqu'un d'autre.

— Mais non, il n'y a pas de filles ! Il me l'aurait dit !

— Tu es certaine ?

— Je pense, oui. Et même s'il y a des filles, ça ne veut pas dire qu'il se passe quelque chose ! Je lui fais confiance.

— Tant mieux ! Je voulais juste savoir si tu avais pensé à ce genre de possibilité.

— Non, je n'y avais pas pensé, mais, grâce à toi, c'est certain que je vais en faire une obsession.

— Bah, tu n'as pas vraiment de contrôle sur quelque chose qui pourrait arriver à des milliers de kilomètres de toi, tu sais.

— Quoi ? Depuis quand tu penses comme ça, toi ?

— Ben, quoi, c'est vrai. S'il était à Montréal, ce serait une autre histoire mais, là, il est dans le Grand Nord.

— Je devrais faire quoi ?

— Honnêtement ?

— Ben oui !

— Je pense que tu devrais le laisser.

Je m'attendais à tout, sauf à cette réponse. Le pire, c'est qu'elle avait dit ça avec une simplicité désarmante.

— Le laisser ? ai-je articulé en prononçant les mots comme pour la première fois de ma vie.

— Oui. Clairement, il ne te traite pas comme tu voudrais. Et tu sais, je l'ai toujours trouvé un peu trop au-dessus de ses affaires, Georges. C'est pas toi qui m'as dit il y a une demi-heure que ce n'était pas la fin du monde, être seule ?

— Oui, oui, mais là… ce n'est pas la même chose ! Ça fait trois ans qu'on est ensemble ! Peut-être que Roxanne a raison. Peut-être que c'est trop pour lui si on doit se parler tous les jours. Quand il est à l'appartement, c'est différent. On se voit, on mange ensemble, on se parle, mais ce n'est pas aussi officiel que sur Skype. Il n'a jamais aimé parler au téléphone en plus.

Ma sœur m'a fixée d'un drôle d'air.

— Qu'est-ce que tu veux que je te dise, Jasmine ? Visiblement, tu as déjà trouvé toutes les raisons qui pourraient l'excuser, mais les faits restent les mêmes. Il ne t'appelle pas même s'il sait que, toi, tu en as besoin, de ces appels. Il n'a pas voulu reconsidérer le condo que, toi, tu aurais aimé acheter. Tu me dis que tu crois en l'amour absolu ? S'il te plaît, dis-moi que ce n'est pas ça, ta définition.

J'étais bouche bée. C'était la première fois que j'entendais ma sœur parler ainsi. Même si ses propos n'étaient pas ceux que j'aurais voulu entendre, et qu'ils faisaient germer des idées auxquelles je ne voulais surtout pas penser, je ne pouvais pas m'empêcher d'avoir de l'admiration pour son jugement.

— Wow, Rose ! Si seulement tu pouvais penser aussi froidement quand il s'agit de tes relations !

— Bah… peut-être que c'est un processus. Ça commence par les autres et ça finit par soi. Tu es ma sœur, et je ne veux pas te voir malheureuse et prise dans une relation avec un gars qui ne te mérite pas.

— Eh bien, tu sauras que c'est la même chose pour moi !

Nous avons cogné nos verres de vin ensemble en soupirant sur cet homme que j'avais, mais qui, selon elle, ne me méritait pas, et sur cet homme qu'elle n'avait pas encore, mais qui la mériterait.

— Roxanne a raison, tu sais, a-t-elle fini par dire.

— Sur quoi ?

— Que tu devrais sortir pour te changer les idées. Essaie, au moins. Tu vas voir, c'est pas si pire que ça, les bars. Et puis Roxanne te connaît, elle ne t'emmènera pas à quelque part que tu vas détester.

Après le départ de Rose quelques heures plus tard et ne voyant pas le sommeil venir, je me suis résolue à laver la vaisselle que j'avais laissée pour le lendemain. Beaucoup trop de choses se bousculaient dans ma tête. Quand ma sœur avait évoqué l'idée d'une rupture entre Georges et moi, je devais avouer que je n'avais pas été aussi surprise que je l'avais laissé paraître. Est-ce que c'était parce qu'inconsciemment, j'avais moi-même pensé le faire ? Ou parce que je savais, au fond de moi, que c'était une possibilité ? Est-ce que ça se pouvait qu'il soit tenté par une de ses collègues féminines, si collègues féminines il y avait ? Est-ce que c'était si pertinent que ça de m'en faire pour quelque chose qui pouvait arriver à des milliers de kilomètres de moi ? Est-ce que j'avais un quelconque pouvoir de changement ?

Je n'ai trouvé réponse à aucune de ces questions. Par contre, j'ai pris la pleine et volontaire décision de sortir avec Roxanne le vendredi suivant. Ça ne me coûtait rien d'essayer. À part le prix de quelques cocktails.

CHAPITRE 8

Ma conversation avec Rose m'avait laissé beaucoup de points sur lesquels réfléchir. De son côté, elle m'avait envoyé un courriel le lundi suivant pour me remercier de ma présence, et me dire qu'elle avait décidé de suivre mes conseils et de s'inscrire à un cours de danse. Je l'enviais presque de pouvoir penser à elle aussi facilement et de ne pas avoir d'homme dans sa vie.

Le jeudi, lendemain de ma seule conversation insipide de la semaine avec Georges, j'étais accoudée sur le bureau de Roxanne.

— Pis? Tu as hâte à demain? m'a-t-elle demandé en se limant les ongles.

— «Hâte» est un bien grand mot... mais je pense que ça va me faire du bien de sortir.

— Ben, tu devrais commencer à avoir hâte parce que je te jure, ça va être la soirée de ta vie! Tu as prévu comment tu allais t'habiller?

— Bah non. Un jeans et un t-shirt, j'imagine.

— Quoi? Non! Tu sors une fois par année et tu vas le faire en jeans?

— C'est ça ou un tailleur. Tu le sais bien que je n'ai rien à mettre pour ce genre d'endroit.

— Tu ne peux pas emprunter de linge à ta sœur?

— Premièrement, je n'oserais jamais sortir de chez moi habillée comme ma sœur et, deuxièmement, quand bien même j'oserais, ça ne m'irait pas. La jambe de ses pantalons ne se rendrait même pas jusqu'à mon genou.

— Haha ! Et tu n'as pas de robe ? Genre une robe noire moulante ?

J'ai réfléchi quelques secondes. Mon regard s'est illuminé.

— Oh ! Oui ! J'ai celle que j'ai mise au dernier party de Noël du bureau ! Je n'y avais pas pensé !

— La robe qui traîne presque par terre ?

— Ben là, franchement ! Elle ne traîne pas par terre ! C'est une très belle robe qui arrive un peu sous le genou. Tu ne t'en rappelles pas ?

— Oui, oui, je m'en rappelle et non, ça ne fera pas. Elle est belle, mais elle est belle pour des occasions formelles. Pas pour sortir danser ! Tu vas faire comment pour bouger ? Tu vas tomber partout sur la piste de danse !

— Pour être honnête, je n'ai pas l'intention de me déhancher comme tu espères que je le fasse. Une chose à la fois. Je sors dans un club, laisse-moi une couple de fois avant de vouloir me faire danser.

— Bon. Mais même si tu ne danses pas, tu ne peux pas sortir avec cette robe-là. Tu sais quoi ? On va aller magasiner ce soir !

— Mais je ne veux pas dépenser pour quelque chose que je ne vais porter qu'une seule fois ! Ce n'est pas raisonnable.

— Veux-tu bien te laisser aller un peu ! Tu vas faire quoi avec cet argent ? T'acheter d'autres robes qui traînent par terre et d'autres tailleurs ? Et puis, si tu ne veux pas dépenser trop d'argent, on ira quelque part où ce n'est pas cher. Ça va se découdre au bout d'une soirée, mais ce ne sera pas cher.

— Parfait ! De toute façon, comme je te dis, je n'ai pas l'intention de le porter plus d'une fois. Tu sais où aller ?

— Oui, oui, j'ai quelques idées. Oh ! Je suis tellement énervée à l'idée de penser qu'on va magasiner pour toi à quelque part d'autre que chez «Nous sommes le roi des tailleurs et des robes longues qui ne laissent pas voir les jambes»! On se retrouve à 17 h!

Quelques heures plus tard, nous étions devant un magasin qui aurait eu sa place dans une ville où la population majoritaire aurait été composée de Barbie. Ça m'avait pris trois secondes d'observation devant la vitrine pour que l'évidence me saute aux yeux.

— Tu ne peux pas être sérieuse, ai-je murmuré à Roxanne en regardant, horrifiée, les mannequins dans la vitrine.

— Tu ne veux pas payer? Ben, c'est ça qui s'offre à toi!

— C'est certain qu'il y a mieux.

— C'est certain qu'il y a mieux à l'intérieur. Inquiète-toi pas, je ne pensais pas à quelque chose comme ça, m'a-t-elle dit en montrant le premier mannequin vêtu d'une robe rose corail avec des paillettes.

— J'espère parce que, même sur le mannequin qui doit être une taille -2, elle a l'air trop petite.

— Allez, viens, a-t-elle dit en me tirant vers la porte d'entrée.

Une fois à l'intérieur, force m'a été de constater qu'il y avait une clientèle pour ce genre de magasin. À commencer par la vendeuse qui semblait avoir seize ans, et qui s'est approchée de nous avec un sourire tellement fendu jusqu'aux oreilles qu'on pouvait presque voir ses molaires.

— Salut, les *girls*! Ça va?

J'avais toujours détesté ces vendeuses qui me parlaient comme si ça faisait dix ans que nous nous connaissions. Je trouvais que c'était totalement déplacé, et ça me donnait l'envie de tourner les talons et d'aller magasiner en ligne.

— Salut! Ça va, toi? a répondu Roxanne, beaucoup plus amicale que moi.

— Ça va toujours bien !

J'ai regardé la vendeuse avec étonnement. Qui pouvait dire que ça allait toujours bien ? Et surtout, le dire en étant entouré de vêtements aux couleurs tellement criardes que je songeais à sortir mes lunettes de soleil de mon sac pour arrêter de plisser les yeux. Il me semblait que je me serais toujours sentie mal s'il avait fallu que mon travail soit de vendre des monstruosités comme celles qu'il y avait dans la vitrine.

Roxanne m'a jeté un coup d'œil avant de me donner un coup de coude. Je devais être moins subtile que je ne le croyais.

— Vous cherchez quelque chose en particulier ? a continué Barbie en poussant sa lourde chevelure blonde platine de teinture de pharmacie derrière ses épaules.

— Oui ! En fait, on cherche quelque chose pour mon amie ici présente. Elle ne sort pas très souvent, pour ne pas dire jamais, et elle a besoin d'un truc parce qu'on va danser demain soir !

— Oh ! Ça, c'est *chill* ! O.K., je vais vous montrer ce qui ferait des ravages sur une piste de danse ! Et croyez-moi, je parle par expérience. Je ne mets que le linge de la boutique quand je sors et je fais toujours des ravages.

— *Chill !*

Manifestement, Roxanne avait beaucoup de plaisir à dialoguer avec la vendeuse et à adopter le même langage qu'elle.

— Je ne peux pas croire que tu penses qu'elle va savoir quoi me proposer, lui ai-je chuchoté alors que la jeune Barbie courait dans la boutique à la recherche de tenues ravageuses. Tu l'as vue ? C'est sûr que je ne n'achète rien de ce qu'elle va rapporter. Je me sens comme si j'avais cent ans ! Pourquoi tu m'as emmenée ici ?

— Arrête ! Elle est sympathique et bien mieux que les vendeuses aussi froides qu'un bloc de glace qui sont dans tes magasins préférés. Elle fait juste son travail, Jas. Elle essaie d'aider les clientes.

J'allais riposter, mais Barbie se tenait maintenant fièrement devant nous avec une montagne de vêtements, qui, je dois l'avouer, était impressionnante pour le peu de temps qu'elle avait eu pour les rassembler.

— Il y en a une que je n'ai pas apportée par contre. C'est la robe rose dans la vitrine, mais c'est la seule qu'il me reste. Si tu veux l'essayer, je vais l'enlever du mannequin. C'est vraiment *no problem*! C'est notre meilleur vendeur. Elles sont toutes parties en deux jours! En même temps, faut dire que, moi et mes amies, on l'a toutes achetée! J'avais mis une photo de moi sur Facebook avec et tout le monde a capoté!

— Oh! Ben, je suis certaine qu'elle te va très bien, mais ce n'est pas vraiment mon genre, ai-je dit en me forçant pour rester neutre.

— Je comprends, ce n'est pas tout le monde qui ose.

J'allais répondre que non, effectivement, ce n'était pas tout le monde qui osait sortir de chez soi en ayant l'air de sortir d'une boîte de Barbie, mais Roxanne a pris la parole juste à temps.

— Et qu'est-ce que tu lui as apporté d'autre?

— De tout! Les premières, ce sont des robes faites pour faire des ravages et, après, ce sont celles pour les filles qui osent moins. Elles sont plus classiques et sobres.

J'ai tout de suite regardé les dernières. Il était hors de question que je m'habille comme Barbie ou comme quelqu'un qui refoulait secrètement le désir d'avoir l'air d'une sirène en portant des robes moulantes au tissu scintillant se déclinant dans les différentes teintes de bleu ou de vert.

— Oh! Moi, je pense que tu devrais essayer celle-là! s'est exclamée Roxanne en pointant un doigt vers une des robes de sirène. Juste pour rire! Allez!

La vendeuse regardait Roxanne comme si elle venait de l'insulter personnellement. Les chances qu'elle l'ait dans son garde-robe étaient quand même élevées. J'ai souri en me dirigeant vers les cabines d'essayage. J'en avais repéré trois avec lesquelles je ne ressentirais pas le besoin de me cacher derrière les arbres, une fois sortie de chez moi. À la demande harcelante de mon amie, j'ai essayé la robe de sirène en premier. J'ai eu toute la misère du monde à l'enfiler et, une fois à l'intérieur, je ne voulais pas bouger, de peur qu'elle ne se brise, tellement elle était serrée. La dernière chose que je voulais, c'était de payer pour une robe hideuse que j'avais décousue en l'essayant pour rire. Je suis sortie de la cabine en retenant mon souffle. Roxanne m'a regardée avec de gros yeux pendant un instant, puis a éclaté de rire.

— Hahaha! Oh, mon Dieu! Laisse-moi prendre une photo! C'est trop drôle! Tu n'as tellement pas l'air à l'aise!

— Normal. Je ne respire pas. Je pense qu'elle est trop petite.

La vendeuse, qui m'avait entendue sortir de la cabine, s'est approchée de moi.

— Mais elle est faite pour être serrée! Tu peux respirer : c'est un tissu qui respire.

J'ai espéré, pour le bien de l'humanité, qu'elle ne pensait pas qu'il y avait un lien direct entre un tissu qui respire et la respiration humaine. De peur d'être déçue, je me suis abstenue de commentaires.

— Tu es contente, là? ai-je demandé à Roxanne qui s'essuyait les yeux en prenant des photos avec son téléphone. Et je t'avertis, ne mets pas ces photos sur Facebook. Tu peux les garder dans ton téléphone pour rire quand tu seras déprimée, mais ça ne sort pas de là. Et tu ne les montres pas à personne!

— Promis, promis! Mon Dieu, que c'est laid! Et il y a des similis froufrous dans le dos… Tu as vu?

La vendeuse, offusquée, est retournée dans la boutique aider des clientes qui allaient sûrement être plus sérieuses que nous. Je suis entrée de nouveau dans ma cabine essayer une autre robe.

— Qu'est-ce que tu penses de celle-là? ai-je demandé à Roxanne alors que j'étais vêtue d'une petite robe noire relativement moulante.

— Humm. Je ne sais pas. Il y a quelque chose que je n'aime pas, mais je ne sais pas c'est quoi. Elle est moins drôle que l'autre, en tout cas.

— Je sais mais, là, je ne sors pas pour que le monde rie de moi!

— Va essayer celle-là, juste pour comparer.

Je me suis exécutée, mais je savais que l'autre allait être beaucoup trop serrée. Ce n'était pas l'avis de Roxanne.

— Wow! Tu la prends, m'a-t-elle ordonné aussitôt que j'ai ouvert la porte de la cabine d'essayage.

— Quoi? Mais non, elle est beaucoup trop courte. Regarde, je ne peux pas me pencher sans qu'on voie tout! lui ai-je dit en faisant semblant de ramasser un objet imaginaire par terre.

— Je te vois te pencher, et je peux te jurer qu'on ne voit rien du tout. Elle est parfaite, Jas. En plus, on ne dirait même pas que tu ne l'as pas payée cher!

— Tu es sûre?

Je me suis observée dans le miroir. Roxanne avait un peu raison. La robe, d'un beau bleu marine, épousait parfaitement les formes de mon corps et était moulante aux bons endroits. Je me suis ensuite regardée de profil pour constater que mes fesses avaient l'air de celles de quelqu'un qui faisait des *squats* depuis les cinq dernières années. Au diable, le gym! Je n'aurais qu'à porter cette robe tous les jours sous mes tailleurs!

— Tu as vu mes fesses? ai-je chuchoté.

— Certain ! Mon Dieu, si j'étais un gars, c'est sûr que je te payerais un verre.

— Et je la mettrais avec quels souliers ?

— Ah ça, je peux t'en prêter ! On fait la même taille. Tu la prends ?

— Je pense que oui. Est-tu certaine que je n'ai pas l'air bizarre ?

— Bizarre comment ?

— Comme si j'avais volé la robe de quelqu'un d'autre.

— Ben non ! Ça fait du bien de te voir comme ça ! C'est déprimant à la longue, tes habits de femme professionnelle beiges, noirs ou gris. Tu es pas mal sexy ! Et tu sais quoi ?

— Quoi ?

— Je pense que tu vas faire des ravages, toi aussi !

— Essaie de garder en tête que je ne suis pas là pour faire des ravages. Je suis en couple, quand même !

Je suis retournée dans la cabine. Quelques secondes plus tard, j'en suis ressortie en tenant la robe dans mes mains.

— Tu es certaine ? ai-je demandé à Roxanne une dernière fois pendant que nous attendions en ligne derrière une fille qui était en train d'acheter la moitié du magasin, dont la robe à paillettes de sirène.

— Oui ! Veux-tu ben t'écouter ! Ta première réaction, c'était de t'extasier sur tes fesses ! C'est sûr que c'est un bon choix.

Elle avait sûrement raison, même si je ne connaissais rien à la mode des bars. De toute façon, la robe ne ferait pas un trou dans mon budget.

***

Le lendemain soir, après la journée de travail, je suis revenue chez moi pour me préparer. Roxanne devait venir me rejoindre vers 20 h et nous avions prévu prendre l'apéro avant d'aller au mystérieux endroit dont elle ne m'avait pas encore dévoilé le nom.

Une fois habillée et maquillée, j'ai soudain regretté mon choix vestimentaire. À la lumière de ma chambre, je trouvais la robe beaucoup plus courte et serrée qu'au magasin, la veille. J'ai rapidement pensé à un plan B vestimentaire, mais Roxanne, qui avait passé en revue ma garde-robe mentalement avant d'aller magasiner, m'avait découragée. Il était 19 h et je n'avais pas le temps ni l'envie de sortir essayer de me trouver autre chose. J'étais donc en train d'angoisser devant mon miroir quand j'ai entendu ma sonnerie de Skype qui provenait du salon. J'ai couru, enfin j'ai tenté de courir dans ma robe qui me laissait peu de jeu, jusqu'à mon ordi.

— Allô ? Allô ? Georges ?

— Salut ! Tu me vois ?

— Oui et toi ?

— Ben… je vois quelqu'un mais je ne sais pas si c'est toi ! Joues-tu à un jeu de rôle avec ta sœur ? Une journée dans la peau de l'autre ?

— Haha ! Non ! Je sors avec Roxanne ce soir, tu te souviens ? Je t'en avais glissé un mot quand on s'est parlé cette semaine.

— Je pensais que vous sortiez prendre un café !

— Mais non, je t'ai dit qu'elle m'emmenait danser !

— Et… et tu vas sortir habillée comme ta sœur ?

— Ben là, ce n'est pas comme ma sœur ! Rose porte des couleurs beaucoup plus claires que ça !

— Peut-être, mais c'est le même genre en tout cas.

— Tu n'aimes pas ça ?

— Ce n'est pas que je n'aime pas… C'est que… ce n'est pas vraiment toi…

— Je sais mais c'est juste une soirée ! Et je n'étais pas pour sortir en tailleur !

— Vous allez où ?

— Je ne sais pas encore, Roxanne ne me l'a pas dit. Elle veut que ce soit une surprise.

— Ah bon. Amusez-vous bien, alors.

— Toi, ça va ? Tu voulais me dire quelque chose ?

— Non, non. J'avais un peu de temps avant d'aller rejoindre les gars, et je voulais voir ce que tu faisais. Soyez prudentes ! Bonne soirée !

Penaude, j'ai fermé l'écran et suis retournée à petits pas jusque devant mon miroir. Je commençais à m'habituer aux courtes conversations insignifiantes que nous avions et ça me déprimait d'en être rendue là. Je me suis demandé s'il avait les mêmes avec sa mère.

Une fois devant mon reflet, je me suis regardée attentivement. Pourquoi est-ce que je me sentais moins belle que la veille devant le miroir des cabines d'essayage ? Pourtant c'est bien connu, les magasins ont le pire éclairage. Est-ce que Georges avait raison ? Est-ce que c'était indécent de sortir comme ça ? J'ai secoué la tête et me suis dirigée vers le frigo pour me servir un verre de vin en attendant que Roxanne arrive. Elle me dirait la vérité encore une fois, même si elle l'avait déjà fait la veille en s'exclamant que la robe avait été faite pour moi.

Une heure plus tard, elle a sonné à la porte en brandissant devant mes yeux un sac rempli de chaussures.

— Voilà ! Je ne savais quel genre tu voulais porter, alors je t'en ai apporté plein ! Tu me les rapporteras au bureau la semaine prochaine.

— O.K., mais je ne sais pas si je vais porter cette robe ce soir.

— Quoi ? Pourquoi ? Tu l'as achetée exprès !

— Je sais, mais après réflexion je la trouve vraiment trop courte. Tu ne trouves pas, toi ?

— Non. Je te l'ai déjà dit hier. Pourquoi tu penses ça tout d'un coup ?

— Ben, je me suis regardée dans le miroir, et je trouve qu'elle a l'air plus courte qu'au magasin.

— Quoi d'autre ?

— Comment, quoi d'autre ?

— Qu'est-ce que tu ne me dis pas ?

J'ai hésité.

— O.K., je vais te le dire. Premièrement, quand je l'ai mise tantôt, c'est vrai que je trouvais vraiment qu'elle avait l'air plus courte et, deuxièmement, Georges vient de m'appeler.

— Et ?

— Et je trouve qu'il me regardait de la même façon que je regardais Barbie hier.

— Impossible.

— Bon, peut-être pas de la même façon, mais les deux regards sont dans le même voisinage.

— Qu'est-ce qu'il a dit ?

— Que j'étais habillée comme ma sœur, et qu'il se demandait comment je pouvais sortir comme ça. Tu penses que je suis habillée comme ma sœur ? Rose peut se permettre ce genre de vêtements parce qu'elle a le corps qui convient. Pas moi. Je vais juste avoir l'air folle si je m'habille comme elle !

— Wow ! Un instant, m'a dit Roxanne en levant une main pour m'empêcher de continuer à parler. Tu n'as pas l'air folle et je te dis qu'elle te va super bien, cette robe. Georges est juste jaloux.

— Jaloux de quoi ? De ne pas pouvoir porter la robe ?

— Non, jaloux parce qu'il n'est pas là et que sa blonde sort sans lui, habillée sexy.

— Tu penses ?

— Oui.

— Mais je ne veux pas qu'il pense que je vais aller draguer tout ce qui bouge !

— Et pourquoi tu ne voudrais pas qu'il pense ça ? Il sort avec ses amis, lui. Toi aussi, tu as le droit. Tu n'es pas condamnée à rester sur ton sofa en pyjama pendant trois mois ! Qu'est-ce que tu penses ? Ça le rassurerait beaucoup plus de savoir que tu t'habilles le matin pour aller au bureau, et que tu reviens ensuite sagement à la maison te changer en jogging. Tant mieux s'il a dit ça ! Et je t'interdis de te changer. Tu es parfaite comme ça.

— Merci. D'accord, je reste comme ça. Montre-moi donc les souliers.

Pendant que j'allais lui chercher quelque chose à boire, mon amie s'affairait à sortir toutes les chaussures du sac et à les disposer les unes à côté des autres.

— Voilà ! Comme un magasin ! Tu n'as qu'à choisir.

— Rox… les talons sont beaucoup trop hauts.

— Quoi ? Mais tu portes toujours des talons hauts comme ça !

— Je sais, mais je ne porte pas des robes courtes avec ! Je vais avoir l'air d'être en t-shirt si je mets des talons hauts comme ça.

— Mais non, voyons ! Essaies-en une paire !

J'ai pris la première paire de la rangée sans vraiment la regarder. Une fois chaussée, je me suis retournée vers Roxanne.

— Tu vois ? Si tu me dis que c'est correct, je vais remettre en question ton avis sur ma robe aussi.

— Ouin… tu as peut-être raison. J'en vois, des filles qui portent exactement ça dans les clubs, mais j'avoue que tu ne veux pas ressembler à ça. Moi non plus d'ailleurs. Tu devrais peut-être juste porter tes ballerines. Tu vas être plus à l'aise en plus.

— Pour que je puisse mieux danser ? ai-je répondu en riant alors que je retirais les chaussures de mes pieds.

— Je n'y avais même pas pensé, mais oui !

***

Une fois que nous avons été assises dans le taxi, après avoir passé les quarante-cinq dernières minutes à essayer de trouver mes ballerines qui finalement étaient écrasées sous d'autres souliers, Roxanne s'est tournée vers moi et a pris un air recueilli.

— Bon, maintenant, je peux te dire où on s'en va.

— Enfin !

— Ce soir… on s'en va… DANSER LA SALSA !

J'ai vu le chauffeur sursauter sur son siège au son de la voix de Roxanne.

— La salsa ? Mais je ne sais pas danser la salsa ! C'est ton truc, ça !

— Justement, je vais t'apprendre tout ce que je sais sur cette mythique danse d'Amérique du Sud ! Tu vas voir, ce n'est pas si technique que ça. C'est dans le sang que ça se passe !

— C'est sûr que je vais faire une folle de moi. Et dire que je pensais que c'était la robe qui allait me faire avoir l'air folle. Je m'inquiétais pour rien !

— Arrête ! Si tu n'as pas envie de danser, tu me regarderas et tu apprendras !

— Es-tu devenue experte en un mois ?

— Non, mais je m'améliore ! Et quoi de mieux que d'apprendre avec des vrais danseurs de salsa ? Ils sont tellement suaves, tu vas voir ! C'est comme faire l'amour habillée, debout sur un plancher de danse ! Bon, je sais que ce n'est pas nécessairement ce que tu recherches, a-t-elle poursuivi en voyant la panique dans mes yeux, mais essaie-le au moins une fois !

Le taxi nous a déposées au coin de Sainte-Catherine et de Stanley quinze minutes plus tard.

— Je pensais que tu ne sortais jamais sur Sainte-Catherine… ai-je laissé tomber une fois sur le trottoir.

Roxanne a haussé les épaules, nonchalamment. Je l'ai observée alors qu'elle rajustait les bonnets de son soutien-gorge subtilement. La profondeur de son décolleté me rassurait un peu. Si j'avais eu peur de paraître indécente avec ma robe, à côté de mon amie, j'avais presque l'air d'une nonne.

— Bah, les clubs de salsa sont dans une catégorie à part. Leur localisation n'est pas importante. Bon ! Es-tu prête à avoir une belle soirée sans penser à tous tes problèmes, et sans te demander constamment si ta robe est trop courte et si tu es indécente ?

J'ai inspiré longuement avant de la regarder droit dans les yeux.

— Prête !

Roxanne m'a tenu la porte pour me laisser passer en premier. Nous avons laissé nos manteaux au vestiaire et nous sommes ensuite dirigées vers le bar. Il ne restait que deux tabourets de libres que nous nous sommes empressées de prendre. Je me suis assise en tirant ma robe vers le bas. Au moins, elle avait l'air moins courte que lorsque j'étais debout. Pendant que nous attendions nos deux verres de vin, je me suis tournée vers la piste de danse.

— Je ne pourrai jamais danser comme ça ! Tu es capable, toi ? ai-je demandé à Roxanne en montrant un couple qui, j'en étais certaine, participait à des compétitions professionnelles et utilisait le club comme studio d'entraînement.

— Pas encore, mais ça s'en vient !

Elle a levé son verre dans ma direction.

— À nous !

Je devais avouer que la musique donnait envie de bouger. Même à moi, piètre danseuse que j'étais. Je me sentais envoûtée par les mélodies chaudes et exotiques. Il a fallu environ dix minutes pour que Roxanne se mette à se balancer sur sa chaise, comme un enfant qui voulait sortir de table.

— Bon, on y va ? m'a-t-elle finalement demandé, au bout de sa patience.

— On va où ?

— Ben danser, voyons !

— Quoi ? Non, pas moi ! Je suis beaucoup trop gênée !

— Mais voyons ! On est ici pour apprendre !

— Non, si on était dans une classe de salsa, on serait là pour apprendre. Là, on va juste avoir l'air de deux clowns qui pensent savoir danser !

— Ben, moi, ça me dérange pas d'avoir l'air d'un clown, m'a-t-elle dit en se levant. Tu vas être correcte ici ?

— Mais oui ! Va ! Je te regarde !

Elle a bondi de son tabouret et a trottiné jusqu'à la piste de danse en accrochant sur son passage un homme qui se déhanchait dans un coin de la piste. Trente secondes plus tard, elle était collée à lui et se laissait entraîner par le rythme de la musique. « Elle n'est pas si pire que ça », me suis-je dit en souriant, alors que je la regardais me faire des signes m'invitant à venir la rejoindre. Comme je n'avais aucune envie d'aller me coller à quelqu'un que je ne connaissais pas, je faisais semblant que je ne comprenais pas ce qu'elle me demandait et me contentais de lui envoyer des saluts de la main.

Après deux danses endiablées, elle était de retour sur sa chaise.

— Ouf ! Je te dis qu'il faut être en forme pour danser comme ça pendant des heures ! Tu m'as vue ?

— Oui, je t'ai vue. Tu es bonne ! Je pensais que tu niaisais, mais tu as vraiment du talent !

— C'est ça, apprendre avec les vrais. Viens danser avec moi !

— Non, non, je ne penserais pas !

— Bon, peut-être qu'il te faut un désinhibiteur, a-t-elle dit en se retournant pour faire signe au barman. Quatre *shooters* de tequila, *por favor* !

— Quatre ? Tu es folle ! C'est dégueulasse, de la tequila !

— À Rome, on fait comme les Romains, mon amie ! Allez, santé !

Nous devions être belles à voir toutes les deux en train de boire nos *shooters* en grimaçant à chaque fois. Au deuxième, il a même fallu que j'avale en me pinçant le nez pour être certaine de ne pas goûter l'alcool.

— Bon, là, tu te sens moins gênée ?

— Oh que non !

— O.K., commandes-en quatre autres pendant que je fais un petit tour de piste.

Pour la seconde fois, elle a couru jusque dans le feu de l'action. Je l'ai regardée se hisser sur la pointe des pieds pour dire quelque chose à l'oreille d'un homme et ensuite se tourner vers un autre et commencer à danser avec lui.

Quand j'ai vu le premier se diriger vers moi, j'en ai déduit qu'elle avait dû lui dire de m'inviter à danser. J'ai posé mon regard sur mes genoux en espérant qu'il comprenne le message et ne me parle pas. Apparemment, mon langage non verbal n'était pas assez clair.

— ¡ *Hola* !

J'ai détaché mon regard de mes genoux pour le poser sur celui qui venait de me saluer.

— Allô !

— Ton amie m'a dit que tu n'avais pas de partenaire pour danser, alors me voici !

Je me suis rapidement retournée pour fusiller Roxanne du regard, alors qu'elle m'envoyait la main en riant.

— *¿ Bailamos?* a-t-il poursuivi.

— Quoi ? Euh… excuse-moi, je ne parle pas espagnol…

— Tu viens danser en français, alors ?

— Oh, c'est gentil, mais je ne préfère pas. Je ne me sens pas très à l'aise sur un plancher de danse.

— Je vais te montrer, m'a-t-il simplement répondu en me regardant dans les yeux.

Je lui ai souri, et j'ai baissé les yeux vers mon verre. J'avais l'impression que son regard me transperçait. Je le sentais encore posé sur moi, même si j'essayais de l'éviter.

— Bon, on va danser plus tard alors, s'est-il contenté de me dire. Qu'est-ce que tu bois ?

— Euh… ben, un verre de vin.

— Non, non, non ! Quand on sort dans un club de salsa, même si on ne danse pas, on boit des *caïpirinhas* !

— Des *caïpirinhas* ? ai-je répété avec un accent ridicule que je voulais au moins un peu exotique.

— Oui, ce n'est pas de mon pays, mais c'est quand même l'Amérique du Sud.

— Oh, tu es de quel pays ?

— La Colombie, *hermosa*…

— Et les *caïpi… caïp*….

— Les *caïpirinhas* sont du Brésil, a-t-il répondu en levant le bras pour signifier au barman qu'il voulait commander.

J'ai fait mine d'être très intéressée par la façon dont le barman préparait nos boissons. Pour être honnête, il y avait quelque chose chez ce Colombien qui m'empêchait de tenir une conversation normale et décente, et tant qu'à bégayer des semblants de phrases, je préférais avoir l'air subjuguée par les bouteilles d'alcool. Au bout de quelques minutes, les deux verres étaient devant nous, sur le bar. Le Colombien m'en a tendu un et a levé le sien vers moi.

— *¡ Salud !*

— ¡ *Salud* ! ai-je dit en levant le mien et en présumant que ce que je venais de dire était l'équivalent de « santé » en espagnol.

J'ai pris une gorgée.

— Wow ! C'est bon ! Merci ! Moi, c'est Jasmine.

— Je suis enchanté de faire ta connaissance, Jasmine. Moi, je m'appelle Felipe.

Il a pris ma main pour l'embrasser. Son accent était chaud et il roulait légèrement ses « r ». Au même moment, Roxanne s'est affaissée sur la chaise à côté de la mienne. Felipe l'a gratifiée d'un sourire, puis m'a dit à l'oreille :

— On se voit plus tard, je vais aller rejoindre mes amis.

J'ai hoché la tête en rougissant et me suis tournée vers Roxanne en changeant d'air complètement.

— Veux-tu bien me dire pourquoi tu as été dire à quelqu'un que je ne connaissais pas que je me cherchais un partenaire de danse ?

— Parce que tu ne voulais pas danser ! Et à ce que je vois, il ne t'a pas convaincue non plus ! Tu bois quoi ?

— Un *caïpirana… caïpora…* Argh. Je ne me souviens plus du nom. C'est lui qui me l'a commandé. Il a dit que quand on sort dans un club de salsa, on doit boire des cocktails d'Amérique du Sud.

— Oh… un vrai !

— Un vrai quoi ?

— Regarde, m'a-t-elle dit en pointant du menton la piste de danse.

Felipe était là, dansant comme un dieu, au milieu de tous les couples avec une fille inconnue.

— Mon Dieu, qu'il est beau ! Je ne peux pas croire que tu as refusé de danser avec, a lâché Roxanne, médusée devant Felipe.

Je l'ai observé sur la piste de danse quelques instants pour ensuite me retourner vers le bar.

— Je n'ai pas refusé de danser avec. J'ai refusé de danser tout court, ai-je dit en mélangeant mon cocktail avec la paille.

— Ouf. Moi, je voudrais qu'il me fasse danser à quelque part d'autre qu'un plancher de danse! Non, mais tu l'as vu?

— Franchement, Rox! Tu ne peux pas penser à autre chose qu'au sexe?

— Pas en le regardant se déhancher en tout cas!

***

Une heure plus tard, après un autre verre du breuvage dont je ne me souvenais que de la première syllabe, ce qui était assez pour me faire comprendre du barman, et deux autres *shooters* de tequila, je commençais à envisager de rentrer à la maison. Roxanne s'en donnait à cœur joie avec les vrais danseurs et j'étais fatiguée. J'ai récupéré mon manteau au vestiaire et je suis revenue vers le bar pour faire un signe de main à mon amie et l'avertir que je partais.

— Tu t'en vas sans même danser avec moi? ai-je entendu dans le creux de ma nuque.

Je me suis retournée vers Felipe qui se tenait devant moi en me tendant la main. Je ne sais pas si c'était les cocktails brésiliens, la musique chaude ou ma fatigue qui me rendaient molle, mais je lui ai souri et j'ai posé mon manteau sur le dossier de ma chaise.

— D'accord. Mais une seule danse, et je ne veux pas que tu ries de moi.

— Pourquoi je rirais?

— Parce que je suis nulle.

— Promis, a-t-il dit en me prenant par la main pour m'entraîner vers la piste de danse.

Nous sommes passés à côté de Roxanne qui nous regardait avec des yeux écarquillés. Elle avait sûrement renoncé à l'idée de me voir danser ce soir-là.

Felipe m'a prise par la taille et bougeait lentement pour que je sois en mesure de suivre ses pas, ce que je m'efforçais de faire, mais en étant honteusement consciente que je le faisais de façon fort peu gracieuse. Au bout d'une ou deux minutes, j'avais compris les pas de base et j'ai pu me hasarder à entreprendre une conversation avec lui.

— Alors, ça fait longtemps que tu es au Québec?

— Onze ans dans deux mois.

— Oh, quand même! Et tu travailles dans quel domaine?

— Dans un petit café de quartier. Mes amis et moi, on l'a ouvert il y a trois ans et on se relaie au comptoir.

— Oh, c'est bien!

— Et toi?

— Je suis directrice des communications pour une compagnie d'assurances.

— Ça doit être beaucoup de responsabilités! C'est pour ça que tu n'as pas le temps d'apprendre la salsa, a-t-il ri chaudement.

Nous avons continué à danser pendant quelques minutes jusqu'au changement de chanson. Je lui ai souri en me dégageant et en lui souhaitant une belle fin de soirée.

— Déjà?

— Haha! J'avais dit une danse seulement!

— Je sais, je sais. Tu voudrais qu'on se revoie pour un café, peut-être?

J'ai eu un moment de surprise. Est-ce que j'avais agi de façon à lui faire croire que j'étais intéressée?

— Je… je suis en couple. Je suis désolée.

— Je comprends… Une belle fille comme toi.

Il a sorti un petit bout de papier, a griffonné quelque chose dessus et me l'a tendu.

— Tiens. Si tu changes d'idée. J'aimerais beaucoup te revoir.

Je l'ai regardé en souriant avant de m'éloigner. Roxanne m'avait suivie en titubant légèrement et en s'acharnant contre son manteau qu'elle essayait de mettre à l'envers.

— Oh, mon Dieu, est-ce qu'il t'a donné son numéro de téléphone?

Je savais qu'elle avait tenté de chuchoter sa question, mais, probablement à cause de ses quelques *shooters* de trop, son timbre de voix avait été le même que lorsqu'elle parlait normalement.

— Chuuuut. Oui.

— Tu vas l'appeler? Dis que tu vas l'appeler!

— Mais non, je ne l'appellerai pas. Je suis avec Georges, tu te souviens?

— Oui, mais il est tellement plus beau et séduisant que Georges! a-t-elle clamé en continuant à se battre avec les manches de son manteau.

J'ai soupiré en m'arrêtant pour l'aider à mettre son manteau. Nous sommes sorties du club et j'ai fait un signe au premier des cinq taxis qui étaient stationnés devant l'entrée. J'ai ouvert la porte à Roxanne qui a embarqué en essayant de conserver son équilibre pendant le bref instant où elle avait un pied dans la voiture et l'autre sur la chaussée.

— Tu vas être correcte, Rox?

— Mais oui, voyons! J'ai déjà été tellement pire que ça! Là, j'ai juste essayé de mettre mon manteau à l'envers! Il n'y a rien là! a-t-elle pouffé en se laissant tomber sur le côté sur la banquette.

J'ai refermé la porte en riant avec elle, puis j'ai hélé un autre taxi pour me rendre chez moi. Dans la voiture, j'ai longuement regardé le papier sur lequel Felipe avait inscrit son numéro. En soupirant, je l'ai déchiré entre mes doigts, puis j'ai ouvert la fenêtre pour laisser s'envoler les morceaux. J'ai payé la course et j'ai lentement monté les escaliers de mon immeuble.

CHAPITRE 9

Le lendemain matin, à 7 h 49, la sonnerie de mon téléphone m'a extirpée d'un sommeil profond. J'ai ouvert les yeux à moitié, et j'ai cherché à tâtons mon cellulaire sur ma table de chevet. L'écran affichait le numéro de téléphone de Roxanne. J'ai refusé l'appel et me suis retournée dans mon lit en remontant mes couvertures par-dessus ma tête. Une minute plus tard, la sonnerie retentissait de nouveau.

— Allô ! ai-je grommelé en tentant de contenir mon exaspération.

— Oh, salut ! Je suis contente que tu sois debout !

— Je ne suis pas debout, Rox. Je dors ! Il n'est même pas 8 h, un samedi matin ! Est-ce que tu dors, toi, des fois ?

— J'étais trop énervée !

— Énervée pourquoi ?

Je me suis assise dans mon lit pour comprendre la cause de cet énervement soudain et inhabituel chez mon amie.

— Ben là ! Pourquoi tu penses ? Pour hier ! Est-ce que tu es seule ?

— Tu parles d'une question ! Ben oui, je suis seule. Je serais avec qui ?

— Avec l'Adonis d'hier !

Pour toute réponse, je me suis contentée de bâiller bruyamment.

— Bon, on va déjeuner ? a-t-elle poursuivi.

— Déjeuner ? Tu ne trouves pas qu'il est un peu tôt ?

— Mais non ! Tu es réveillée et je suis debout ! Allez, on se rencontre au resto *Cocos déjeuner* machin dans quarante-cinq minutes. Ça te va ?

Même si ça ne m'allait pas, j'ai quand même dit oui. De toute façon, j'avais des courses à faire et, tant qu'à sortir, je pourrais en profiter pour aller déjeuner. J'ai lentement repoussé mes couvertures pour me lever et aller prendre une douche.

Quarante-cinq minutes plus tard, j'étais attablée à la fenêtre du resto et j'attendais patiemment Roxanne. Elle n'a pas tardé à faire son entrée et à s'affaisser plus qu'à s'asseoir à la place devant moi.

— Tu es rentrée avec lui, j'espère ? m'a-t-elle demandé sans préambule.

— Bonjour à toi aussi ! lui ai-je dit en sirotant mon bol de café au lait.

— Oui, oui, c'est ça, bonjour… Et ?

— Je ne sais pas combien de fois il va falloir que je te le répète, mais je suis en couple et les gens en couple ont ce truc entre eux qu'ils appellent la fidélité. Tu en as déjà entendu parler ?

— Je sais bien, mais j'espérais que… je ne sais pas, moi… que tu te laisses aller un peu ! Georges n'est pas là ! Toi aussi, tu as des besoins !

— Rox…, ai-je soupiré, c'est un peu tôt dans la journée pour avoir une conversation sur mes besoins sexuels. Je n'ai même pas fini mon premier café.

— Tu dois avoir pris ton café avant d'avoir des pulsions sexuelles ?

— Non ! Ce n'est pas ça que je veux dire ! Ce que je veux dire, c'est que je suis en couple et que je suis fidèle. Un point, c'est tout.

— Mais si tu n'étais pas en couple ?

— Je le suis.

— Oui, c'est bon, à la fréquence où tu le répètes, je suis sûre de ne pas l'oublier. Mais si tu n'étais pas en couple ? a-t-elle insisté.

— Je ne sais pas.

— Comment tu ne sais pas ? Tu ne sais pas si tu aurais envie de coucher avec ? En tout cas, moi je peux t'assurer que, lui, il n'aurait pas hésité longtemps !

— Tu dis n'importe quoi ! Il a probablement fait le tour du club pour trouver une fille qui était seule et essayer de l'attirer dans son lit. Tu le sais, toi-même tu m'as dit ça à propos du gars chez qui tu as été l'autre fois !

— Mais c'est exactement ça que je veux dire ! Oh, du sexe sans lendemain ! Sauvage et passionné avec un chaud Latino !

— Veux-tu bien me dire pourquoi tu n'as pas été lui parler, et pourquoi tu me l'as envoyé si tu fantasmes dessus à ce point ?

— Sérieusement, je me suis posé la question en me réveillant ce matin. Mais bon, je misais sur l'autre avec qui j'étais en train de danser. Je ne pouvais quand même pas courir deux lapins à la fois au même endroit. J'ai des principes !

— Tu es folle. Ça n'a pas marché avec l'autre, alors ?

— Ben non. J'étais trop excitée de savoir si tu allais partir avec... C'est quoi son nom encore ? m'a-t-elle demandé en s'interrompant.

— Felipe.

— C'est ça, avec Felipe. Alors, je t'ai suivie dehors et tu m'as mise dans un taxi.

— Tu dois être déçue !

— Bah, des hommes à la recherche d'une histoire d'un soir, ça va toujours exister. Celui d'hier n'était pas si différent de celui qu'il y aura demain.

— Alors, tu penses qu'il voulait juste coucher avec moi ?

Roxanne m'a longuement regardée comme si elle pensait pouvoir, après un silence prolongé, être capable de lire dans mes pensées.

— Pourquoi tu me demandes ça ? Est-ce que tu aurais voulu plus ?

— Non, non ! Mais tu sais, je ne suis pas vraiment le genre à coucher le premier soir et à ne plus jamais revoir le gars après. Je ne suis pas capable de faire ça.

— Mon Dieu, Jas, es-tu en train de t'imaginer avec, cou-donc ? Ha ! Ce déjeuner est encore plus croustillant que je ne l'espérais !

— Mais non, je ne m'imagine pas avec ! Franchement, je ne le connais même pas ! Tout ce que je sais, c'est son nom et qu'il est copropriétaire d'un petit café de quartier avec des amis à lui !

— Nooooon ! Il faut absolument qu'on y aille ! Main-tenant ! a-t-elle hurlé, tout excitée en faisant semblant de mettre son manteau.

— Arrête ! C'est hors de question qu'on y aille. Et puis… on irait pourquoi exactement ?

— À toi de me le dire ! Tu avais l'air toute déçue à l'idée qu'il t'ait parlé seulement pour coucher avec toi. Tu pourrais peut-être aller lui demander pourquoi il t'a parlé. Les gars aiment tellement ça se faire parler de leurs émotions, m'a-t-elle dit en riant et en faisant une grimace.

— Et puis, c'est sûr qu'il ne travaille pas ce matin, franchement ! Sinon, il ne serait pas sorti aussi tard hier !

— Ma chère amie, je vais peut-être te surprendre en t'ap-prenant que ce n'est pas tout le monde qui vit aussi sagement que toi. Il y en a qui…

Elle s'est hissée par-dessus la table pour s'approcher de moi comme pour me chuchoter un secret. Elle a pris un air faussement scandalisé et a murmuré :

— Il y en a même qui sortent alors qu'ils travaillent le lendemain matin !

J'ai éclaté de rire.

— Ben là, je ne suis pas socialement mésadaptée non plus, tu sauras !

— Mais non, je sais bien. Si tu étais socialement mésadaptée, je ne te parlerais pas. Mais je vais juste te dire que la ligne est dangereusement mince entre aller peindre des assiettes de pizzas toute seule un dimanche après-midi et être socialement mésadaptée.

— Une fois ! J'y ai été seulement une fois, et si j'avais su que tu allais m'en parler autant, je n'y aurais jamais été !

— Hummmm, c'est bizarre, mais la réponse à laquelle je me serais attendue était plus dans le genre de « j'ai eu des bulles d'air qui me sont montées au cerveau cette journée-là et c'est pour ça que je n'ai rien vu de mal à aller peindre des assiettes pour mes pizzas ».

— Bon, O.K., j'ai eu des bulles d'air dans le cerveau. Satisfaite ?

— Ça ira, mais tu t'éloignes du sujet.

— Quel sujet ?

— Felipe !

— Felipe, quoi ? Je n'ai plus rien à dire.

— Tu as gardé son numéro de téléphone ?

— Non… Je l'ai déchiré dans le taxi.

— Tu l'as déchiré ? Pourquoi ? C'est ben violent comme réaction ! Il ne t'a pas brisé le cœur quand même !

— Je sais mais… je me suis dit que c'était la bonne chose à faire.

— Pourquoi ?

— Parce que… sur le coup hier, je me suis dit que c'était mieux comme ça. Que ça pourrait devenir dangereux sinon.

— ENFIN ! a-t-elle hurlé en faisant sursauter les gens assis paisiblement autour de nous. Je n'espérais presque plus t'entendre dire quelque chose qui n'avait pas rapport à Georges ou à ton couple ! Avoue que c'est trop difficile d'être raisonnable devant quelqu'un qui a un physique parfait !

— Je vais te dire quelque chose et promets-moi que ça reste entre toi et moi, et que ça ne sortira jamais de ce resto sauf si je commence à t'en parler moi-même.

— Promis ! Tu as couché avec en secret dans la ruelle derrière le club ! s'est-elle écriée en bondissant de sa chaise.

Je l'ai regardée avec un mélange d'étonnement et de perplexité.

— Pardon ? Dans la ruelle derrière le club ?

— Ben quoi ! Ça aurait pu.

— Euh… non. Ça n'aurait pas pu. Tu me connais mieux que ça, franchement !

— Bon, O.K. Quoi alors ?

— J'ai comme ressenti un truc bizarre quand on se parlait.

— Es-tu sûre que ce n'était pas les *shooters* de tequila ?

— Et même quand il me regardait, je me sentais bizarre, ai-je dit en ignorant sa question.

— Bizarre comment ? Je ne comprends pas.

— Je ne sais pas. C'est difficile à décrire. Tout était tellement simple dans ce qu'il disait, mais ses yeux… quand il me regardait, ses yeux voulaient tout dire.

— Dire quoi ? Tu me fais un peu penser à ta sœur en ce moment.

— Si j'avais été ma sœur, je serais rentrée avec lui hier soir et je serais en train de le présenter à ma mère à l'instant où on se parle.

— Bon point. O.K., mais ils voulaient dire quoi, ses yeux ?

— Il y avait quelque chose de rassurant. Et quand il m'a donné son numéro, il a juste dit qu'il aimerait me revoir.

C'est tout. Pas de flafla, pas de gnagna. Que de l'honnêteté, tu comprends?

— Oui.

— Tu penses que je délire?

— Non, mais je pense que tu n'es plus habituée à ce genre de situation et c'est ça qui est dommage, tu vois. Tout est tellement planifié avec Georges, tu sais tellement où tu t'en vas avec lui qu'il n'y a plus rien de spontané.

— Peut-être… C'était juste différent.

— C'est clair que c'était différent! Entre toi et moi, Georges n'est pas vraiment du même calibre que Felipe. C'est deux ligues différentes, il y en a un qui est dans les juniors et ce n'est pas Felipe! Mais fais juste attention.

— Je ne te comprends pas! Depuis que tu es entrée dans le resto, tu n'arrêtes pas de me dire que j'aurais donc dû rentrer avec Felipe et, là, tu es pratiquement en train de me dire de penser à mon couple.

— Non, ce n'est pas ça que je te dis. J'ai juste peur que tu confondes le sexe et les émotions. Je veux que tu penses à toi, et que tu ne t'imagines pas des histoires d'amour où il n'y en a pas.

— Mais ce n'est pas de l'amour que j'imagine!

— Non, pas pour l'instant, mais le fait que tu te sois sentie bizarre en lui parlant est un indicateur. Je ne veux pas qu'il t'arrive les mêmes choses qu'à Rose et que tu sois constamment déçue. Crois-moi, je sais comment ça marche dans les bars. Et puis, tu ne penses pas que tu devrais te demander si c'est normal que tu te sentes comme ça alors que tu es en couple?

Je savais qu'elle avait raison. J'avais d'ailleurs déchiré le numéro de téléphone de Felipe pour ne pas avoir à me poser cette question. J'avais voulu effacer ce que j'avais ressenti dans le club quand il m'avait regardée.

— Voulant dire que c'est moi la méchante qui flirte avec des gars quand son copain est en voyage de travail ?

— Absolument pas ! Vas-tu arrêter de te jeter la pierre un jour ? Tu es humaine, Jas, et ce n'est pas comme si Georges était le chum de l'année. Pas dans les dernières semaines, en tout cas. Ce que je ne voudrais pas qu'il arrive, c'est que tu te jettes sur quelqu'un d'autre pour ne pas avoir à vivre ce qui te fait mal avec Georges.

— Je… je ne suis pas certaine de te suivre.

— Ce que je veux dire, c'est que tu es misérable depuis qu'il est parti. Oui, il y a une part d'ennui, mais il y a aussi le fait qu'il ne te traite pas comme tu voudrais qu'il le fasse. Il va falloir que tu fasses face au problème un jour ou l'autre. J'espère pour toi que ce n'est que passager et que ça va se régler une fois qu'il sera de retour en ville, mais sinon il va falloir que tu fasses quelque chose.

— Comme le laisser ?

— Ben, je ne voulais pas le dire parce que je sais que ce n'est pas nécessairement ce que tu veux entendre un samedi matin, ou n'importe quel autre jour d'ailleurs, mais oui. Tu y avais pensé ?

— Ma sœur m'a dit la même chose.

— Ah ben, ça, ça m'étonne ! La reine des dépendantes affectives t'a dit de le laisser ? Il lui reste du bon sens, à la belle Rose !

— Je suis certaine que c'est passager. Toi-même, tu me l'as dit ! Il n'aime pas parler au téléphone !

— Il n'y a pas juste le téléphone, Jas, et tu le sais très bien.

Je n'ai rien dit. Je continuais d'espérer que tout reviendrait dans l'ordre une fois que nous aurions repris notre train de vie quotidien.

— Je sais. Je ne veux pas en parler. J'en parle déjà assez !

— Ça, c'est vrai, m'a-t-elle répondu en me faisant un clin d'œil et en prenant une gorgée de jus d'orange.

— C'était juste bien de se faire désirer un peu.

— Voilà ! Exactement ! Et tu t'es fait désirer sans avoir acheté une robe dans la section « Ravages » dans la boutique ! Tu es une ravageuse naturelle !

J'ai souri en prenant une bouchée de mon déjeuner. Nous sommes restées attablées pendant une heure encore à nous faire remplir nos tasses de café et à nous parler de tout et de rien. Je ne voulais pas que Roxanne pense que je faisais une obsession sur Felipe, et c'est exactement pourquoi je voulais la laisser sur une autre conversation que le beau Colombien.

***

De retour chez moi deux heures plus tard, alors que je déverrouillais la serrure, le téléphone de l'appartement s'est mis à sonner. J'ai couru jusqu'au salon et me suis mise à fouiller dans les coussins du sofa, sachant que c'était le dernier endroit où je l'avais utilisé. Au bout de cinq sonneries et juste avant que le boîte vocale ne prenne l'appel, j'ai victorieusement sorti le combiné qui était caché dans une des huit couvertures que j'avais installées, et j'ai répondu d'une voix essoufflée.

— Mon Dieu, étais-tu en train de t'entraîner dans ton salon ? m'a lancé ma sœur à l'autre bout du fil.

— Non, non, je viens de rentrer, mais je ne trouvais pas le téléphone !

— Et moi qui avais peur de t'appeler trop tôt vu que tu es sortie hier !

— Haha ! Figure-toi donc que Rox m'a appelée à huit heures moins dix ce matin pour aller déjeuner !

— Ouf ! Tu n'étais pas fatiguée ?

— Oui, mais tu me connais, je ne peux pas me rendormir une fois réveillée.

— Et comment ça a été hier ? C'était bien ?

— Oui, c'était bien. J'ai même dansé ! Bon, juste une danse, mais c'est déjà ça !

— Toi ? Danser ?

— Ben oui, j'avais promis une danse !

— Mon Dieu, c'est comme dans les années quarante ! C'est romantique ! Vous êtes allées où ?

— Je ne me souviens pas du nom… Un club de salsa sur Sainte-Catherine…

— De salsa ? Et tu ne me l'as même pas dit ?

— Ben, je t'ai dit que j'allais danser…

— Oui, mais tu ne m'as pas dit que c'était de la salsa ! Oh, que ça tombe bien !

— Pourquoi ?

— Tu sais quand tu m'as dit que je devrais suivre un cours ?

— Oui…, ai-je répondu en hésitant et en appréhendant ce qu'elle allait me sortir.

— J'ai décidé de prendre des cours de salsa !

— Sérieux ?

— Ben oui, pourquoi pas ?

— Pour rien. Je ne savais pas que tu aimais ça.

— C'est Roxanne qui m'en a donné l'idée l'autre jour, chez maman.

— Ah bon ! C'est bien ! Je suis sûre que tu vas aimer, c'est ton genre comme danse. Tu as trouvé un endroit où suivre les cours ?

— Oui ! Et ça commence mardi soir… Tu sais quoi en plus ?

— Quoi donc ?

— Tu peux encore t'inscrire !

— Moi ? Pourquoi je voudrais m'inscrire ?

— Pour ne pas me laisser y aller toute seule ! S'il te plaît, s'il te plaît, s'il te plaît, m'a-t-elle suppliée alors que j'imaginais le regard implorant qu'elle devait avoir seule, chez elle face à son mur. Je ne connais personne, et je ne veux pas être la pauvre fille qui doit être la partenaire de démonstration du prof parce qu'elle n'en aura pas !

— Mais je ne suis pas un homme !

— Ce n'est pas grave ! De toute façon, c'est juste la base, alors ce n'est pas important si on est deux filles. On échangera de rôle. Une semaine, tu feras l'homme, et, l'autre semaine, la femme. J'ai déjà appelé pour savoir si c'était correct que ma partenaire soit ma sœur !

— Pardon ? Tu as déjà appelé ?

— Ben oui… Je me suis dit que c'était une activité parfaite pour toi et moi ! On va faire semblant qu'on est dans le Sud une heure par semaine ! Et en plus, Georges n'est pas là pour encore deux mois, et tu ne fais rien les soirs de semaine ! Dis oui ! Tu vas pouvoir retourner à ton club et rendre tout le monde jaloux, tellement tu vas bien danser !

Elle n'avait pas tort. Ça m'aiderait à me changer les idées. Et puis, j'aimais mieux l'idée de perdre du poids en suivant des cours de salsa qu'en courant sur un tapis roulant en fixant un mur de béton.

— Bon, O.K.

— Merci, merci, merci ! Alors, ça commence mardi à 19 h. C'est près de ton bureau. Je vais t'envoyer l'adresse par courriel lundi matin !

J'ai raccroché en me demandant si je n'allais pas regretter d'avoir accédé à une telle demande. Je n'avais aucunement prévu retourner au club et encore moins faire une entrée triomphante sur la piste de danse. C'était bien juste dans la tête de ma sœur que de tels scénarios de gloire se produisaient.

De toute façon, je pourrais toujours annuler mon inscription après le premier cours si je voyais que ce n'était pas fait pour moi. Rose ne m'en voudrait pas si je faisais au moins l'effort d'y aller. Rassurée par mes propres pensées, je suis retournée dans le corridor pour ramasser les sacs d'épicerie que j'avais brusquement abandonnés pour pouvoir répondre au téléphone et les ai lourdement traînés jusqu'à la cuisine. J'avais décidé de passer la journée complète du dimanche à me préparer des repas que je ferais congeler pour la semaine. De cette façon, j'honorerais ma devise de « deux minutes dans le micro-ondes sinon je ne mange pas » tout en me nourrissant plus sainement. Et puis, qu'est-ce que je pouvais bien faire d'autre un dimanche ? Au moins, ça ferait passer le temps, ai-je espéré en rangeant les trois sortes de viandes et les huit kilos de légumes dans le réfrigérateur.

✱✱✱

Le lundi matin au réveil, non seulement l'appartement était empli de l'odeur délicieuse du rôti de porc que j'avais fait mijoter pendant la nuit précédente et j'avais des repas santé sagement empilés dans des contenants de plastique dans le congélateur, mais j'avais également un courriel de Georges dans ma boîte de réception. Le sujet, écrit en majuscules et suivi d'une dizaine de points d'exclamation, était éloquent : RETOUR. J'ai ouvert le message qui ne comportait que deux lignes m'annonçant qu'il allait être de retour dans deux semaines pour quatre jours, et qu'il devait travailler plus tard pour les semaines à venir pour respecter son échéancier.

« Enfin », me suis-je dit avec soulagement. J'en étais venue à me demander s'il allait revenir avant la fin officielle du contrat. J'avais hâte de le revoir, et j'avais surtout hâte de constater que rien n'avait changé, que nous nous aimions toujours autant, et la relation me semblait plus difficile uniquement parce que nous étions loin l'un de l'autre. Cette nouvelle était gage d'une excellente journée et m'a mis le sourire aux lèvres pendant tout le trajet d'autobus pour me rendre au bureau. Rien ne pourrait l'assombrir, pas même le fait que j'avais oublié ma carte Opus chez moi, et que j'avais manqué mon autobus habituel parce que je n'avais pas la monnaie exacte à mettre dans le compteur.

— J'ai deux nouvelles à t'annoncer ce matin ! ai-je déclaré à Roxanne en arrivant devant son bureau.

— Ça doit être des bonnes nouvelles parce que j'ai envie de sourire juste à te regarder ! Je t'écoute !

— La première, c'est que Georges revient dans deux semaines pour quatre jours et, la deuxième, je commence des cours de salsa demain soir !

Elle avait l'air perplexe.

— Je suis un peu mélangée... Ce n'est pas un peu contradictoire, tes deux bonnes nouvelles ?

— Hein ? Comment ça ?

— Ben, Georges revient et tu t'en vas faire de la salsa, ce qui, clairement, te ramène à Felipe.

— Mais non ! Je vais faire le premier cours de salsa pour Rose. C'est elle qui m'a suppliée de l'accompagner parce qu'elle ne veut pas être toute seule ! Je me suis même dit que j'allais annuler l'inscription après.

— Est-ce que c'est toi qui lui as proposé la salsa ?

— Ben non, voyons ! Pourquoi ?

— C'est louche que tu commences des cours de salsa quatre jours après en avoir dansé pour la première fois.

— Haha ! Vu comme ça, c'est vrai, mais je t'assure que c'est elle qui en a eu l'idée. Elle a dit qu'on va pouvoir se faire croire qu'on est dans le Sud une heure par semaine.

— Avec la neige qui va bientôt se mettre à tomber, il va juste ne pas falloir que vous regardiez dehors pendant que vous dansez, parce que le retour à la réalité va être assez rapide ! Et Georges qui revient ? Tu en penses quoi ?

— Je suis tellement contente ! On a besoin de se retrouver, je pense. Moi, j'en ai besoin en tout cas.

— Ben, ce qu'il y a de bon, c'est que, dans deux semaines, tu vas avoir eu deux cours de salsa et tu vas pouvoir lui faire une petite danse personnelle, si tu vois ce que je veux dire ! …

— Ça, c'est si je vais au deuxième cours. Je trouve ça un peu gênant de devoir être partenaire avec ma sœur dans une classe où il va y avoir plein de couples !

— Oh, je n'y avais pas pensé ! C'est vrai ! Comment vous allez faire ? Vous ne vous ressemblez tellement pas en plus que c'est certain que le monde va penser que vous êtes un couple dans la vraie vie !

— Rose a dit qu'elle avait déjà appelé pour vérifier si elle pouvait venir avec sa sœur, et ils lui ont dit qu'il n'y avait pas de problème. Pour le reste, je doute fortement que les gens pensent qu'on est un couple… Rose va probablement trouver quelqu'un à qui faire les yeux doux… Si ce n'est pas quelqu'un qui suit le cours, ça va être le prof !

***

Le lendemain soir, j'attendais ma sœur dans le vestibule de l'immeuble du Vieux-Montréal où se trouvait le studio de danse. J'ai regardé ma montre impatiemment. Le cours commençait dans cinq minutes et elle n'était toujours pas là. Je commençais à la soupçonner d'avoir prévu faire une entrée *fashionably late*, comme elle se plaisait à le croire, quand je l'ai vue tourner hâtivement le coin de la rue. Je suis sortie en lui faisant des signes pour qu'elle se dépêche, même si elle se faisait un point d'honneur de ne jamais courir là où elle était attendue, de peur d'arriver échevelée ou suante, ou je ne sais quoi encore.

— Excuse-moi! J'ai été retenue au bureau! Il y avait une crise! m'a-t-elle dit précipitamment une fois devant moi.

— C'est bon, mais dépêche!

— Je me dépêche! Veux-tu ben arrêter de paniquer! Ça ne commence jamais à l'heure de toute façon! Il y a toujours quelqu'un qui va poser des questions au prof avant le début! Tu ne te souviens pas comment c'était à l'école?

— Ce n'est pas l'école! Quelles questions quelqu'un pourrait avoir?

— Je ne sais pas, moi. Des questions sur l'inscription et sur l'horaire, tiens!

Nous avons gravi les deux étages qui nous séparaient du studio.

— Attends! Il faut que j'aille à la salle de bain me remaquiller!

— Pour vrai, Rose? Te remaquiller? C'est un cours de salsa où tout le monde est en couple, sauf toi et moi. Je ne pense pas que c'est vraiment nécessaire que tu te remaquilles.

— Bon, bon, m'a-t-elle répondu en chignant un peu. Mais tu sauras qu'on ne sait jamais où on va rencontrer l'homme de sa vie.

— Je sais, je sais, mais essaie au moins de t'en tenir aux hommes célibataires. Ne va pas essayer de séduire un pauvre gars qui vient ici pour faire plaisir à sa blonde.

— Pffff, je ne sais pas pour qui tu me prends.

Comme elle l'avait prédit, le cours n'était pas encore commencé. Les gens se tenaient par paires dispersées dans le studio, probablement gênés à l'idée de devoir socialiser avec d'autres couples qu'ils ne reverraient jamais après la session. J'ai rapidement enlevé mon manteau et l'ai déposé avec mon sac sur l'un des bancs qui longeaient un mur. Je me suis dirigée vers le fond de la salle en essayant de ne croiser le regard de personne. Rose, de son côté, souriait à tout le monde en me suivant d'une démarche assurée.

— C'est ridicule, qu'on soit deux filles. Tu n'avais pas un de tes amis ou un de tes ex que tu aurais pu forcer à venir avec toi? lui ai-je chuchoté.

— C'est toi qui m'as dit que je devrais prendre un cours pour penser à moi et pas aux hommes! Ça aurait servi à quoi si j'avais invité un gars?

— Ben, tu aurais pu choisir un cours qui ne requérait pas d'avoir un homme comme partenaire.

— Mais j'aime ça, la salsa! Et toi aussi!

— Non, moi, j'ai dansé une danse pour la première fois de ma vie il y a quatre jours, et je n'avais pas l'intention de récidiver.

— De toute façon, on est ici. Pourquoi on s'est mises dans le fond? On ne va rien voir!

— Le prof n'est pas encore là, on pourrait toujours s'en aller… et puis on s'est mises dans le fond pour ne pas attirer l'attention sur nous.

— Arrête donc! Tu vas voir, ça va…

Elle a été interrompue par une voix d'homme puissante à l'accent latin qui provenait de l'avant du studio. Je ne pouvais pas mettre de visage sur la voix, merci au mutant de grandeur abusive qui s'était placé en plein devant moi.

— Bonsoir, tout le monde! Je suis content de vous voir en si grand nombre! s'est écriée la voix avec enthousiasme.

Je me suis déplacée vers ma sœur alors que le professeur continuait à parler en nous souhaitant la bienvenue. Une fois mon champ de vision dégagé, je me suis précipitée instinctivement derrière ma sœur pour me cacher.

C'était Felipe. Le prof de salsa n'était nul autre que Felipe!

Rose s'est retournée vers moi et m'a regardée comme si j'étais folle. Innocemment, je lui ai montré le ventilateur au-dessus de ma tête en lui faisant signe que j'avais froid à l'endroit où je me trouvais. Elle a levé les yeux au ciel, et m'a prise par la main pour m'entraîner vers l'avant. J'aurais voulu m'ancrer dans le sol et refuser de bouger comme le font les enfants, mais je me suis dit qu'une telle réaction attirerait sûrement l'attention, ce qui était la dernière chose que je voulais. J'ai donc suivi ma sœur en regardant le plancher. Je voulais mourir.

Alors que Felipe continuait à expliquer l'origine de la danse et ce à quoi nous pouvions nous attendre d'ici la fin de la session, j'ai tenté de le regarder subtilement. Quelles étaient les chances qu'il soit prof de salsa ? Il m'avait dit qu'il travaillait dans un café ! Depuis quand les propriétaires de cafés avaient aussi le temps de donner des cours de danse ?

« Calme-toi, Jasmine, me suis-je dit en continuant de fixer le plancher. C'est sûr qu'il ne te reconnaîtra pas, voyons. Des filles comme toi, il doit bien en rencontrer des dizaines chaque semaine et son numéro de téléphone circule probablement beaucoup parmi la gent féminine. »

— Est-ce que quelqu'un a une question avant qu'on commence les échauffements ?

— Moi !

Horrifiée, je me suis tournée vers ma sœur, car c'était bien elle qui avait répondu par l'affirmative en levant la main.

— Oui ?

— Bonjour ! Mon nom est Rose, a-t-elle commencé d'une voix mielleuse en battant des cils. Je ne sais pas si c'est à toi que j'ai parlé quand j'ai appelé la semaine dernière, mais je voulais juste rassurer ma sœur ici présente que ce n'était pas un problème qu'elle soit ma partenaire de danse pour la session.

J'aurais voulu rentrer six pieds sous terre. Déjà que je ne pouvais rien faire au fait que ma sœur pose une question et qu'elle soit debout à côté de moi, elle m'incluait dedans en plus ! Quelques rires ont fusé dans la salle.

— Bonjour, Rose. Non, ce n'est pas à moi que tu as parlé et non, il n'y a aucun problème à ce que ta sœur t'accompagne. La danse, ce n'est pas juste une question de partenaire, a-t-il continué en se tournant vers la classe, c'est aussi une question de ressenti. Il faut sentir la musique, le rythme, la chaleur et, ça, c'est très individuel. Ce n'est pas tout le monde qui en est capable, mais Jasmine est sur la bonne voie, alors je pense que tu as une bonne partenaire.

Il avait dit mon nom. Là, je n'avais plus le choix. Je devais lever les yeux du plancher. J'ai timidement détaché mon regard de la latte de bois sur laquelle je faisais une fixation et je l'ai regardé furtivement. Je devais être aussi rouge qu'un panneau d'arrêt. Il m'a fait un clin d'œil joyeux et a commencé les échauffements. Rose me regardait avec les yeux écarquillés, la bouche ouverte.

— Euh… explication ?

— Je te raconterai plus tard.

— Non ! Maintenant ! C'est qui ?

— Tu sais, la seule danse que j'ai dansée vendredi dernier parce que je l'avais promise ?

— Oui…

— Je l'avais promise à lui.

— Je ne te crois pas !

— Je te le jure. Je pensais que je n'allais jamais le revoir.

— Tu me niaises ? Mon Dieu, il est tellement beau ! Comment tu pouvais vouloir ne jamais le revoir ?

— Chut ! Imagine s'il t'entendait !

— Il doit se douter qu'on parle de lui. Je ne t'ai jamais vue aussi rouge que ça !

— Oh non ! Ne me dis pas ça !

— Mais non, ce n'est pas grave. Personne ne te regarde. Alors, il s'est passé quoi après la danse ?

— Rien. Je suis rentrée.

J'ai rapidement cherché Felipe du regard pour m'assurer qu'il n'était pas dans un périmètre trop rapproché de ma sœur et de moi.

— Et lui?

— Comment, lui? Je ne sais pas ce qu'il a fait. J'ai mis Rox dans un taxi, et j'ai pris celui qui était derrière pour me rendre chez moi.

— Il ne t'a pas suivie?

— Euh… non. Et s'il m'avait suivie, j'aurais trouvé ça plus épeurant que romantique, si c'est ce que tu veux insinuer.

— Il t'a demandé ton numéro de téléphone?

— Non… mais il m'a donné le sien avant que je parte.

— Et tu l'as appelé?

— Es-tu folle? Bien sûr que non! Je l'ai déchiré!

Rose a roulé des yeux et s'est tue. Felipe est arrivé à côté de nous au même moment.

— Salut, les sœurs! Comment vous allez?

— Oh, salut! Ça va bien… et toi? ai-je dit en m'efforçant de paraître la plus naturelle possible, comme si je n'avais vraiment pas eu envie de disparaître de la surface de la terre cinq minutes auparavant.

— Bien, bien. Tu as finalement trouvé le temps pour la salsa? J'espère que c'est moi qui t'ai convaincue!

J'ai gloussé comme une dinde. Je m'imaginais comme témoin extérieur de la situation et j'étais embarrassée par moi-même. Il a baissé mes épaules, évidemment aussi tendues qu'une barre de fer, et s'est éloigné vers un autre couple.

— Veux-tu ben me dire c'était quoi, ce rire-là? a pouffé ma sœur aussitôt qu'il a été assez loin.

Je n'ai même pas voulu répondre. Mes mains étaient moites, mes jambes étaient molles et j'avais l'impression que mon cœur avait bravé l'anatomie humaine pour se déplacer jusque dans ma gorge. Nul besoin de dire que je n'ai pas été capable de m'imaginer dans le Sud une seule seconde pendant l'heure qu'a duré le cours. J'étais tellement nerveuse que je n'ai même pas été capable d'exécuter correctement les pas de base qu'il nous avait appris pendant le cours, et qu'il m'avait montrés au club.

— En tout cas, tu n'es pas très bonne pour quelqu'un qui est sur la bonne voie, m'a dit ma sœur une fois la musique arrêtée. On pratiquera ensemble cette semaine. Et tu essaieras d'avoir les mains moins mouillées la semaine prochaine… ou de porter des gants. C'est un peu dégueu.

— Merci à tous ! Bon travail et j'espère vous revoir la semaine prochaine, a lancé Felipe en guise de conclusion.

Nous nous sommes tous dirigés vers les bancs pour récupérer nos effets personnels. Je me dépêchais pour ne pas croiser le regard de Felipe avant de sortir du studio. Rose me suivait, nullement pressée, et continuait de sourire aux gens qu'elle croisait. Alors que je regardais obstinément vers le plancher en ramassant mes choses, j'ai entendu une voix de femme crier le nom de Felipe. J'ai relevé la tête, intriguée, vers l'embrasure de la porte. Une grande brune se tenait là, lui envoyant la main. Mon regard s'est alors détourné d'elle pour épier la réaction de Felipe. Il a d'abord paru surpris, puis un sourire s'est dessiné sur ses lèvres. Il s'avançait vers elle. Rose m'a donné un coup de coude dans les côtes.

— C'est qui, elle ? Tu as vu comment elle est habillée ? Franchement, pour qui elle se prend ?

Je n'ai pas osé lui répondre que c'était le nouveau tailleur de BCBG, celui que j'aurais tellement voulu avoir, mais qui était à un prix exorbitant.

— Je ne sais pas, sa blonde sûrement.

— Sa blonde ? Impossible. Il n'a pas de blonde, voyons ! Un gars qui a une blonde ne regarde pas les autres filles, pour ne pas dire toi, comme ça.

Je regardais Felipe s'approcher d'elle. Je me sentais comme dans un film où chaque scène était présentée au ralenti. J'attendais, tout comme Rose, de voir comment ils allaient se saluer, une fois l'un devant l'autre. Nous avions l'air de deux statues, immobiles à côté du banc, moi, avec mes gants dans une main, et Rose, avec son foulard à moitié enroulé.

Une fois à sa hauteur, Felipe a approché son visage du sien. J'ai littéralement entendu ma sœur retenir son souffle. La fille a passé ses bras autour du cou de Felipe, mais lui, il n'a fait que l'embrasser poliment sur les deux joues.

— Ouf! Tu vois, tu vois? m'a précipitamment chuchoté Rose en me serrant le bras, comme si nous avions échappé à une situation catastrophique.

J'avais l'impression que l'air qui emplissait le studio était devenu trop brûlant pour que je puisse le respirer. Je continuais d'observer la fille, à la dérobée. Elle avait un style vestimentaire absolument remarquable, et je ne pouvais m'empêcher d'envier ses manières qui semblaient si fluides et si gracieuses. Elle a repoussé une mèche de cheveux derrière l'oreille de Felipe, et a éclaté de rire en découvrant des dents parfaitement droites et d'une blancheur immaculée.

— Pourquoi elle rit? Tu as entendu? Qu'est-ce qu'elle a dit?

— O.K., Rose, sérieusement, calme-toi. Tu me stresses.

— Va lui parler!

— Quoi?

— Oui, va lui parler maintenant. Mets-toi debout à côté d'eux et dis quelque chose de drôle, toi aussi.

— S'il te plaît, ne me dis pas que c'est ce que tu fais d'habitude.

— Tu n'auras rien si tu restes plantée comme ça!

— Mais je ne veux rien, non plus.

Je me suis retournée vers le banc pour prendre mon sac. Il y avait quand même des limites à fixer un couple, aussi charismatique soit-il. J'ai passé la bandoulière par-dessus ma tête et j'ai tiré Rose par la main. Elle, elle ne semblait aucunement consciente que nous avions l'air de deux désaxées.

— S'il te plaît, ne dis-rien, lui ai-je dit à mi-voix en me dirigeant vers la porte.

Nous sommes passés à côté de Felipe et j'ai esquissé un vague sourire que j'adressais plus au corridor qui était devant moi qu'à lui. Je le regardais de côté, comme si je m'étais sectionné un nerf du cou pendant le cours. Je devais ressembler à un crabe géant.

— À la semaine prochaine, Jasmine, m'a-t-il murmuré quand je suis passée à côté de lui.

Je me suis entendue rire sottement et répondre par l'affirmative. Je suis sortie du studio avec Rose qui me talonnait et qui, j'en étais sûre, avait dû gratifier la belle inconnue d'un regard méprisant.

— As-tu ta voiture ? Tu veux que je te reconduise ? m'a demandé ma sœur, une fois rendue sur le trottoir, en fouillant dans son sac à la recherche de ses clés.

— Non, merci. Je vais prendre le métro, je dois m'arrêter à l'épicerie avant de revenir chez moi, et c'est directement en sortant de la station.

— Je peux t'y conduire, ce n'est pas un problème.

— Non, je sais, mais j'aime mieux marcher un peu, aussi. Je suis restée assise toute la journée, ça va me faire du bien.

Rose m'a dévisagée pendant un instant.

— Tu es certaine que ça va ?

— Oui, bien sûr ! Pourquoi ça n'irait pas ? Allez, on se parle bientôt, je file.

Je l'ai embrassée et j'ai aussitôt tourné les talons pour ne pas lui laisser le temps de placer un mot. Au coin de la rue, j'ai ralenti ma cadence de marche pour prendre une grande inspiration. L'air était frais et emplissait mes poumons brûlants. J'ai regardé vers le ciel, tout en continuant d'inspirer. J'ai entendu des éclats de voix au loin, derrière moi. Je me suis retournée et j'ai vu se dessiner, dans la pénombre de la rue, deux silhouettes rapprochées l'une de l'autre. J'ai plissé un peu les yeux pour reconnaître la belle au tailleur de riche et Felipe. Gênée d'être seule, en plein milieu du trottoir, à faire des exercices de respiration, je me suis précipitée vers l'entrée du métro qui, heureusement, était à quelques mètres. J'ai dévalé les escaliers roulants, paniquée à l'idée d'être dans le même wagon qu'eux. J'ai hâtivement marché jusqu'au bout du quai, en jetant des regards furtifs derrière moi. Quand j'ai entendu le métro arriver, j'ai soupiré bruyamment. De toute façon, une fille comme ça, est-ce que ça prenait vraiment le métro ? J'étais secrètement convaincue qu'elle avait une limousine qui l'attendait dans la ruelle derrière le studio, et qui allait les mener, Felipe et elle, vers un endroit exotique.

CHAPITRE 10

Le lendemain matin, après avoir passé la moitié de la nuit à réfléchir, je me suis levée avec la ferme intention de ne pas donner plus d'importance qu'il n'en fallait à l'événement de la veille. Après tout, que s'était-il passé exactement ? Rien. Felipe avait simplement été un bon prof. Il était probablement payé en fonction du nombre d'élèves dans la classe. Rien de plus. Et puis le fait qu'il se soit souvenu de mon prénom ne représentait rien non plus. Il avait simplement voulu détendre l'atmosphère.

En chemin vers le bureau, j'ai lu les trois textos et le courriel que Rose avait eu le temps de m'envoyer depuis les douze dernières heures. Évidemment, elle s'attendait à une histoire digne de la grande littérature du 19e siècle, et me suppliait de lui raconter en détail ce qui s'était vraiment passé lors de ma sortie avec Roxanne. La réponse que je lui ai envoyée était aussi claire que la décision que j'avais prise pendant la nuit. Il ne s'était rien passé. Je le connaissais du club et, par hasard, je m'étais inscrite au cours de salsa qu'il donnait le mardi soir. Elle qui était habituellement si vite sur le clavier de son téléphone m'a pas répondu, probablement déçue par ma réponse. Enfin, c'est ce que je croyais.

Une fois arrivée chez Omega, je n'ai même pas eu le temps d'enlever mon manteau que, déjà, Roxanne me prenait par le bras pour marcher avec moi jusqu'à mon bureau.

— Est-ce que c'est vrai ? C'est Felipe qui donne le cours de salsa ?

— Quoi ? Comment tu sais ça, toi ?

— Devine…

— Ne me dis pas que Rose t'a appelée…

— Oh que oui, ma chère ! Je sais tout !

— Je ne sais pas ce que tu sais parce qu'il ne s'est rien passé du tout. Elle a appelé pour quoi au juste ?

— Elle voulait savoir exactement ce qu'il s'était passé entre toi et le dieu colombien.

— Le dieu colombien ? Elle a dit ça ?

— Certainement, et elle n'a pas tort. Bon, c'est vrai que j'étais un peu éméchée la dernière fois que je l'ai vu, mais, à l'entendre parler de lui, il est exactement comme dans mon souvenir.

J'ai haussé les épaules en retirant mon manteau.

— Tu ne vas pas me raconter ?

— Pourquoi ? Et te raconter quoi exactement ? Rose a dû te dire tous les détails, et je suis même presque certaine qu'elle en a rajouté pour que l'histoire soit plus romantique.

— Hé ! On est de bonne humeur ce matin, mademoiselle Tremblay !

— Je suis de très bonne humeur, tu sauras. C'est juste que je ne comprends pas pourquoi tu accordes autant d'importance à tout ça. Rose, je peux comprendre parce qu'elle l'a dans le sang, le romantisme absolu, mais toi ! De toi, ça me déçoit. Je pensais que tu allais être plus rationnelle, lui ai-je répondu en allumant mon ordinateur.

— Oh ! Il y a quelqu'un qui a pensé à tout ça toute la nuit ! Qu'est-ce qui se passe, Jas ? Je t'ai juste demandé de me raconter ce qu'il s'était passé. Tu dois admettre que c'est quand même une coïncidence assez spéciale que ce soit lui qui soit ton prof de salsa !

— Oui, mais je ne le savais pas !

— Bien sûr que tu ne le savais pas ! Je te crois, voyons !

— Pourquoi tu me poses plein de questions, alors? De toute façon, il n'y a rien à dire d'autre que j'ai été au cours, il s'est souvenu de mon nom, et sa blonde est venue le chercher.

— O.K. Je pense que je vais te laisser te calmer un peu. Tu es un peu trop sur la défensive pour une heure aussi matinale. On se parlera ce midi.

Elle a quitté mon bureau en refermant la porte derrière elle. J'ai été tentée de la suivre pour m'excuser, mais je suis restée clouée sur ma chaise. Je me sentais comme s'il fallait que je me défende devant le monde entier, alors que je n'avais rien fait et qu'il ne se passait absolument rien. J'aurais voulu me rouler en boule et attendre que ma mère vienne me flatter les cheveux en me disant doucement que tout allait s'arranger. Mais le paradoxe, c'est qu'il n'y avait rien à arranger et aucune raison valable pour que ma mère vienne me flatter les cheveux!

J'ai ouvert ma boîte de réception en souhaitant ardemment y trouver un message de Georges. J'ai soupiré devant mon ordinateur. Il me semblait que ça m'aurait fait du bien de lire un message de mon amoureux. Il y avait plusieurs courriels non lus dans ma boîte, mais aucun de mon copain. Je me suis hasardée à lui en envoyer un pour lui dire que je m'ennuyais de lui, que j'avais hâte de le revoir, et que je comptais les quatorze nuits qu'il me restait à passer avant qu'il revienne. Une fois mon message dans l'espace intergalactique du monde web, je me suis calée dans mon fateuil et j'ai fixé la photo de nous deux que j'avais en permanence sur mon bureau. C'était une photo qui datait de trois ans. Nous commencions à nous fréquenter et, chaque fois que je regardais le cliché, je me surprenais à nous trouver exceptionnellement beaux. Nous avions l'air heureux. Je riais à pleines dents, alors que lui me regardait, les yeux brillants. Me regardait-il encore comme ça et ne le remarquais-je plus? Avions-nous laissé la routine prendre trop de place dans notre quotidien de couple?

À l'heure du dîner, je me suis rendue au bureau de Roxanne en traînant les pieds dans le corridor. Elle était au téléphone et n'importe qui, avec la moitié d'un cerveau, aurait compris qu'elle ne voulait que raccrocher. Je sentais l'impatience dans sa voix et je ne comprenais pas pourquoi l'interlocuteur s'obstinait à poser des questions. Il était 12 h 04. Pour Roxanne, c'était considéré comme du temps supplémentaire sur son heure de dîner pour laquelle elle n'était pas payée.

— Monsieur, je ne sais pas. Je suis réceptionniste. Les questions que vous me posez ne relèvent pas de mes connaissances. Mais comme je vous ai dit ce matin quand vous avez appelé, je vais transmettre vos coordonnées à quelqu'un qui vous rappellera sous peu avec toutes les réponses. D'accord? Merci. Au revoir, a-t-elle dit en raccrochant bruyamment et en tournant vers moi. Ouf! Peux-tu croire que ça fait trois fois qu'il appelle aujourd'hui?

— C'est qui?

— Je ne sais pas, moi! Quelqu'un de fatigant qui veut avoir des assurances et qui ne comprend pas que ce n'est pas avec moi qu'il va le faire.

— Tu as transféré son message?

— Ben oui, qu'est-ce que tu penses? Je l'ai transféré à la minute où il a raccroché la première fois. Il est tellement lourd avec toutes ses questions, je ne voulais pas qu'il rappelle encore! Mais, à ce que je peux voir, personne ne l'a encore rappelé. Je vais essayer de trouver quelqu'un cet après-midi.

Je l'ai regardée ramasser ses effets personnels et les enfouir dans le grand fourre-tout qui lui servait de sac à main. Elle a pris un élastique dans sa trousse à maquillage et relevé ses longs cheveux noirs en un chignon savamment négligé.

— Je… je voulais m'excuser, Rox. Je n'avais pas à te parler comme ça ce matin.

Elle a levé les yeux du miroir de poche qu'elle tenait entre ses doigts.

— C'est correct. Je ne t'en parlerai pas, de tes cours de salsa, si c'est pour te mettre toute à l'envers comme ça.

— Je ne suis pas à l'envers… C'est juste que Rose m'a posé tellement de questions hier que je pense que j'étais excédée d'entendre parler de Felipe. Tu veux aller marcher dehors un peu?

Elle a acquiescé en se dirigeant vers le vestiaire pour prendre son manteau. Nous sommes sorties de l'immeuble en gardant le silence.

— Je ne veux pas parler de Felipe ou du cours de salsa, ai-je lâché une fois sur le trottoir.

— C'est correct, Jas. Je t'ai dit que je n'allais pas t'en parler si tu ne veux pas.

J'ai à peine écouté sa réponse, tout occupée que j'étais à formuler ma prochaine phrase.

— Je… je ne veux pas en parler parce que je ne me sens pas bien.

— Tu ne te sens pas bien? Dans quel sens?

— Dans le sens où ça m'a fait quelque chose de revoir Felipe. Quelque chose que je ne veux pas ressentir.

— La même chose que la dernière fois quand on est allées déjeuner?

J'ai hésité avant de répondre « oui » en baissant les yeux.

— Et tu ne voulais pas en parler parce que tu as peur que je te juge?

— Non. Je ne veux pas en parler parce que je me dis que si je l'ignore, c'est comme s'il ne s'était rien passé et je n'ai pas besoin d'y penser.

— Mais il se passe quoi au juste?

— Comme tu l'as dit… La même chose que quand on l'a vu au club. Mais hier, il n'y avait pas d'alcool, pas plein de gens qui avaient trop bu et pas de musique tellement forte qu'on ne s'entend plus réfléchir. Je n'étais pas habillée en minijupe non plus et je n'avais pas pris une heure pour m'arranger avant d'y aller. Et même à ça, c'était la même chose. La même émotion. Sauf qu'il était avec sa blonde.

— Est-ce que c'est vraiment sa blonde? Rose jurait que non.

— Depuis quand est-ce que Rose est devenue la référence en matière de relation? ai-je dit simplement.

— Bon… et qu'est-ce que tu vas faire, alors?

— C'est simple. Je vais arrêter d'aller au cours.

— Sérieusement?

— Ben oui, sérieusement. Qu'est-ce qu'il faudrait que je fasse d'autre?

— Pas mal n'importe quoi d'autre qu'arrêter les cours… Lui parler?

— À Felipe?

— Ben oui. Les chances qu'il soit aussi intéressant qu'il est beau sont assez minces. Crois-moi, je parle par expérience. As-tu déjà rencontré un homme qui est physiquement et intellectuellement parfait? D'habitude, c'est l'un ou l'autre, tu sais. Moi, je suis presque certaine qu'une fois que tu lui auras vraiment parlé, tu vas être déçue.

— Et si je ne le suis pas?

— Tu décideras à ce moment-là. Ça ne sert à rien de vivre dans l'avenir.

— Mais si je ne suis pas déçue, je vais faire quoi? Je devrai laisser Georges? Non, je refuse de faire ça. C'est pour ça que je pense que c'est une bien meilleure idée de ne plus aller aux cours.

— Écoute, ça va être assez direct, ce que je vais te dire, mais essaie d'en prendre seulement le fond et non la forme.

Elle s'est éclairci la gorge avant de poursuivre :

— Tu es pathétique si tu décides de faire ça. Et en plus d'être pathétique, tu es peureuse.

J'ai ouvert la bouche pour riposter.

— Non, non ! Laisse-moi finir. Tu penses qu'en t'empêchant d'aller aux cours de salsa et de parler à Felipe, tu vas sauver ta relation ? Peut-être que ça va marcher cette fois-ci, mais tu vas faire quoi après ? Lâcher ton travail et t'enfermer chez toi pour être certaine de ne jamais rencontrer quelqu'un de plus intéressant que Georges ? Avoir plein d'enfants avec et te dire que plus jamais tu ne pourras tout recommencer parce que ce sera lui le père ? Tu fais pitié si tu penses faire ça. Si tu m'avais dit : « Je déteste la salsa, je ne veux plus en refaire », je n'aurais rien dit mais, là, tes raisons sont nulles. Est-ce que tu aimes ça, danser la salsa, oui ou non ?

— Oui…

— Bon, alors tu devrais continuer les cours.

— Mais !…

— Non, pas de « mais ». S'il te plaît, ne deviens pas ce genre de femme qui laisse tout tomber à la moindre peur. Tu es mieux que ça.

J'ai expiré longuement. Je ne savais plus quoi dire. Les mots restaient pris dans ma gorge.

— Tu ne vas pas pleurer, là ?

Je me suis ressaisie et j'ai furtivement essuyé mes yeux qui, effectivement, s'emplissaient de larmes. Je l'ai regardée en souriant.

— Tu sais que je ne sais pas ce que je ferais sans toi ?

— Tu n'irais plus aux cours de salsa si je n'étais pas là et, ça, ce serait honteux. Comment je pourrais avoir des cours gratuits si tu ne payais pas pour y aller et tout m'apprendre ensuite ?

J'ai éclaté de rire en prenant son bras sous le mien. Elle avait raison, et j'avais eu besoin de me faire dire, à voix haute, que je pouvais continuer à aller aux cours sans avoir l'impression d'être infidèle à mon copain. Tout était si simple avec Roxanne. Je n'avais pas besoin d'étaler mes émotions en long et en large comme j'aurais été obligée de le faire avec ma sœur. Ce qui comptait, c'était ce que je voulais. Pas ce que les autres attendaient de moi.

***

Le mardi suivant, je me suis présentée au cours avec plus d'assurance que la semaine précédente. Je n'avais même pas attendu Rose dans le vestibule parce que j'étais trop gênée de monter toute seule. Je suis arrivée dans le studio comme une grande et j'ai enlevé mon manteau que j'ai déposé sur un banc. Les couples commençaient à arriver un par un et, à 19 h, Felipe a fait son entrée. Il avait l'air essoufflé, comme s'il avait traversé la moitié de la ville en courant. Ses cheveux ébène, d'habitude bien coiffés, étaient sens dessus dessous, ce qui lui donnait cependant un air encore plus irrésistible. Même si je balayais du revers de la main les commentaires de Roxanne et de Rose sur son physique plus qu'avantageux, je ne pouvais m'empêcher d'admettre, sans pour autant le crier sur tous les toits, qu'il était vraiment beau. Vraiment beaucoup. Son visage était parfaitement découpé et sa mâchoire carrée était mise en évidence par ses cheveux qu'il repoussait derrière ses oreilles. Il était grand, fort, avec le dos large. Alors que je le dévisageais, son regard a croisé le mien. J'ai fait semblant de regarder vers la porte à la recherche de ma sœur qui n'était toujours pas arrivée.

— Bonsoir, tout le monde ! Merci d'être venus. Je suis en peu en retard, mais je vous assure que ça ne se reproduira plus. Nous allons commencer tout de suite avec les échauffements qu'on a appris la semaine dernière. Tout le monde deux par deux!

J'étais mortifiée. Rose n'était toujours pas là et j'étais debout, seule, au milieu de tous les couples qui s'en donnaient à cœur joie. Je me suis dirigée vers mon sac à main pour prendre mon téléphone et appeler ma sœur. J'ai regardé l'écran de mon cellulaire. Elle m'avait envoyé un texto pendant l'après-midi pour me dire qu'elle ne se sentait pas très bien, et qu'elle préférait se reposer plutôt que de venir au cours. Trop concentrée sur l'attitude que j'allais adopter devant Felipe, je n'avais pas regardé mon téléphone de l'après-midi, et ce n'était que maintenant que je voyais son message.

J'ai remis l'appareil dans mon sac et j'ai pris mon manteau.

— Tu pars déjà? Pas de salsa cette semaine? m'a demandé Felipe qui était apparu à côté de moi.

— Salut! Non, pas de salsa. Ma sœur est malade et je viens de prendre son message. Je n'ai pas de partenaire, mais nous allons venir la semaine prochaine! Promis.

— Attends. Moi, je vais être ton partenaire pour ce soir. ¿ *Sí?*

Je n'ai même pas eu le temps de répondre qu'il me tirait déjà vers l'avant de la classe en lançant mon manteau sur le banc. Je l'ai suivi timidement. Une fois les échauffements terminés, il s'est dirigé vers la chaîne stéréo pour mettre une musique d'origine cubaine, comme il avait pris soin de le préciser. J'ai laissé les notes m'envahir alors qu'il me prenait par la taille en comptant, d'abord à voix haute, les temps sur lesquels nous devions faire les pas. J'essayais de me dégager un peu de sa prise de bras solide pour pouvoir regarder mes pieds pendant que je dansais.

— Tu sais, quand tu danses la salsa, il faut que tu regardes ton partenaire dans les yeux de temps en temps…, m'a-t-il doucement murmuré à l'oreille.

— Oh ! Mais c'est parce que si je ne regarde pas mes pieds, je vais faire n'importe quoi !

— Il y a ce qui se passe avec les pieds et ce qui se passe dans le haut du corps aussi.

J'ai plongé mon regard dans le sien. Il me regardait en souriant. Puis il a dit à tous les danseurs de serrer le corps de leur partenaire plus près du leur, ce qu'il a fait aussitôt avec moi. Il était chaud et je sentais ses avant-bras musclés me serrer la taille. Pendant un moment, je me suis dit que je jouais avec le feu, que je devais reculer, le remercier et m'enfuir en courant jusque sous mes couvertures et rester là jusqu'à ce que Georges revienne. Mais je n'en ai rien fait. Je suis restée collée à lui pendant une heure.

À la fin du cours, je me suis dirigée vers le banc pour y prendre mes choses. J'appréhendais l'arrivée de sa parfaite copine et d'un de ses tailleurs qui ne manquerait pas de me faire crever de jalousie, et je tentais de croiser son regard pour lui dire au revoir avant de partir. Son attention était toute tournée vers un homme et une femme qui attendaient, avidement, un hochement de tête de sa part pour se faire rassurer sur la façon dont ils comptaient leurs pas. Alors que je piétinais sur place, hésitant entre partir sans le saluer et rester là, il a tourné la tête dans ma direction. Je lui ai envoyé la main, mais il m'a fait signe de l'attendre.

J'ai hoché la tête et me suis assise sur le banc en le regardant enlacer la partenaire de l'homme pour lui montrer comment les pas devaient être exécutés. La femme semblait être en extase devant lui. À la vue de son air un peu bébête, je me suis demandé si j'avais l'air de ça quand je dansais avec lui. J'ai soupiré. Évidemment que je ressemblais à ça ! Si j'étais capable de rire comme une dinde quand Felipe me parlait, je devais inévitablement en avoir l'air.

— Alors, ce n'était pas trop pire d'être la partenaire du prof? m'a demandé Felipe discrètement au bout de quelques minutes, alors que le couple ramassait ses effets personnels.

— Haha! C'est à toi que je devrais poser la question! Ce n'était pas trop pire pour toi?

— Non, pas du tout. Je recommencerais, moi.

Je me suis sentie rougir. Il n'a pas semblé le remarquer et m'a demandé si je prenais le métro pour me rendre chez moi.

— Le métro? ai-je répété comme si j'entendais le mot pour la première fois. Euh… oui, oui! Toi aussi?

— Oui. On marche ensemble?

J'ai hésité avant de répondre. Sa copine ne venait donc pas le chercher?

— Oui, bien sûr! As-tu besoin d'aide pour fermer?

— Non, il faut juste que je barre le studio.

Nous avons descendu les escaliers en silence. Je ne savais pas quoi dire. D'habitude, j'avais un grand répertoire de questions à poser aux gens que je ne connaissais pas pour en apprendre davantage sur eux, mais, à mon grand désespoir, elles semblaient toutes s'être envolées avec ma capacité à rire normalement quand j'étais près de lui.

— Tu… Ça fait longtemps que tu es prof de salsa? ai-je finalement demandé.

— Non. C'est ma première année en fait. C'est un ami à moi qui donnait le cours avant, et il est retourné à Cuba voir sa famille pour l'année. Il m'a demandé si j'étais intéressé à le donner et j'ai dit oui. Je danse depuis que je suis petit, alors c'est vraiment plus pour le plaisir que je le fais. Je suis tellement occupé avec le café que c'est un miracle que je sois capable de me libérer pendant une heure tous les mardis! C'est d'ailleurs pour ça que j'étais en retard ce soir. J'avais une machine espresso qui ne fonctionnait plus et il fallait que j'attende le réparateur.

— Oh! Et il est arrivé finalement?

Une fois les mots sortis de ma bouche, je me suis rendu compte à quel point je posais des questions stupides. Le genre de questions qu'on pose à quelqu'un qui se trouve devant nous, mais qu'on a préalablement essayé d'ignorer et à qui on ne veut pas vraiment parler.

Felipe s'est contenté de hocher la tête.

— Et toi, Jasmine? Quoi de neuf depuis que je t'ai vue au club?

— Moi? Rien. Rien du tout, en fait. Je travaille toujours autant et je prends des cours de salsa pour faire plaisir à ma sœur.

— Et toi, ça ne te fait pas plaisir?

— Oui, bien sûr! Sinon, pourquoi je le ferais?

— Je ne sais pas. Pour faire plaisir aux gens. Il y a beaucoup de personnes comme ça.

Pendant un bref instant, j'ai sérieusement considéré la possibilité que ma sœur ou Roxanne l'aie appelé avant le cours pour le persuader de faire cette remarque. Je me suis même demandé si ce n'était pas un coup monté de m'avoir laissée seule au cours. Puis je me suis dit que je devenais paranoïaque.

— Et le copain? Ça va bien? a-t-il poursuivi devant mon silence.

— Oui! Il revient passer quatre jours en ville en fin de semaine d'ailleurs.

— Il ne vit pas à Montréal?

— Oui, mais il est sur un gros projet de construction dans le Grand Nord. Il est ingénieur. Ça fait un mois et demi qu'il est parti, et il va lui rester un autre mois à faire après la fin de semaine.

— Je vois. Tu trouves ça difficile?

— Je mentirais si je te disais que non. On vit ensemble, alors je remarque beaucoup plus son absence que si on habitait dans des appartements différents.

— Et lui aussi trouve ça difficile ?

— Oui, enfin je ne sais pas si c'est autant que moi. Il est dans un nouvel environnement et il travaille beaucoup, alors il n'a pas vraiment le temps de s'ennuyer.

— Il est fou s'il ne s'ennuie pas. C'est très compliqué, les relations à distance.

— C'est gentil. Mais tu sais, ce n'est pas permanent comme situation. Il va revenir. Sa vie est à Montréal. Pas dans le Grand Nord.

— J'espère ! Je ne sais même pas comment vous faites pour vous habituer à l'hiver comme ça, à chaque année.

— On s'y fait…

J'ai hésité avant de poser ma prochaine question. Je ne voulais pas avoir l'air de me mêler de sa vie.

— Et toi ?… Tu as quelqu'un dans ta vie ?

— Plus maintenant. C'est pour ça que je te demandais comment tu trouvais ça, les relations à distance.

— Oh ! Je pensais que la fille de la semaine passée était ta blonde.

La phrase s'était échappée toute seule de ma bouche. Il a eu l'air de réfléchir et de se demander de qui je voulais parler.

— Caro ? Non.

— Ah, excuse-moi. Ça ne me regarde pas de toute façon.

Une partie de moi espérait qu'il ne me croie pas vraiment et me parle du lien qu'il entretenait avec cette Caro.

— Ce n'est qu'une amie… Je pense qu'elle voudrait plus, mais pas moi. On n'est pas vraiment sur la même planète.

J'ai hoché la tête, comme si je comprenais ce qu'il voulait dire. Je n'allais quand même pas lui demander de tout me confier ! Un peu plus, et on aurait pu demander à la STM de nous fournir un divan de psychanalyse. J'ai donc tenté de ramener la conversation sur les relations à distance. Au moins, c'était un sujet que je connaissais bien.

— Donc, tu as eu une relation à distance aussi ? Elle ne vivait pas à Montréal ?

— Oui. Mais elle voulait voyager. Je l'encourageais à le faire d'ailleurs parce qu'elle vivait pour ça. Au début, on a essayé et c'était dur avec les différents fuseaux horaires. Elle voulait que j'aille la rejoindre, mais je ne pouvais pas partir et laisser le café qui commençait à marcher. Et puis, ma mère est à Montréal aussi, et je suis son fils unique. Je ne pense pas qu'elle me le pardonnerait.

— Je comprends… Alors, vous vous êtes laissés ?

— Oui. Ça fait trois mois. On ne voulait pas se faire encore plus de mal.

— Mais… elle va revenir, non ?

— Oui… Enfin, je ne sais pas.

— Je m'excuse. Je ne voulais pas être indiscrète.

— Non, non, ne t'excuse pas. Je ne sais pas si elle va revenir. Aux dernières nouvelles, elle s'était trouvé un emploi comme serveuse dans un resto à Paris. Alors, je ne pense pas qu'elle pense revenir de sitôt.

— Je suis désolée.

— C'est la vie ! On aime et c'est ça qui est important, non ? Le reste, on s'en fout. De toute façon, sans l'amour, le reste n'existerait pas. Il ne resterait plus rien.

Mon cœur s'est serré alors que je me levais de mon banc en lui souriant.

— C'est ma station.

— Tu diras à ta sœur que ça ne me dérange pas qu'elle s'absente du cours de la semaine prochaine. Je serai ton partenaire quand tu voudras !

Je lui ai fait un clin d'œil en sortant du wagon. Je sentais son regard sur moi alors que je me dirigeais vers les escaliers mécaniques. Puis j'ai entendu le métro repartir. J'ai tourné la tête dans sa direction. Il me regardait toujours.

En sortant du métro, j'ai appelé Roxanne. Je n'aimais pas marcher seule tard le soir jusque chez moi et j'en profitais toujours pour appeler quelqu'un.

— Allô !

— Salut ! Est-ce que je te réveille ? Tu as l'air endormie.

— Non, non. Je regardais un film, m'a-t-elle répondu en se raclant un peu la gorge. Ça va ? Comment a été le cours ?

— Bien. On a appris de nouveaux pas.

— Et c'était le tour de qui d'être la femme cette semaine ?

— Moi !

— Et Rose n'a pas trop chigné ?

— Non, elle n'était pas au cours.

— Comment, elle n'était pas au cours ?

— Elle est malade. Elle m'avait envoyé un texto cet après-midi pour m'avertir, mais je l'ai seulement vu au début du cours quand je me suis rendu compte que j'étais solo au milieu des couples et qu'il n'y avait aucun signe de ma partenaire !

— Oh non ! C'est poche, tu y as été pour rien !

— Bah, je suis quand même restée.

— Tu es restée seule ? Comment tu as fait ?

— J'ai été la partenaire de Felipe.

Roxanne s'est tue. Son silence était encore plus éloquent que ses mots.

— Quoi ? lui ai-je demandé, incapable de soutenir le temps mort encore plus longtemps.

— Ben rien… Tu as dansé pendant une heure avec lui ?

— Oui… pourquoi ?

— Pour rien. C'était bien ?

— Ben, disons que ça faisait différent que de danser avec ma sœur !

— Ah oui, j'imagine. Je te gage que toutes les femmes du cours ont dû être jalouses !

— Toutes, je ne sais pas, mais je peux te dire que, pendant que je l'attendais à la fin du cours, il montrait les pas à une des filles, et elle était littéralement pendue à son cou avec des étoiles dans les yeux!

Je ne lui ai pas fait part de ma réflexion sur le fait que je devais avoir l'air encore pire qu'elle, et qu'en ce qui me concernait, je n'avais même pas besoin de danser avec lui pour avoir l'air aussi désorientée: il me parlait et je perdais tous mes moyens.

— Attends… Quand tu l'as attendu à la fin du cours? Pourquoi tu l'as attendu? Vous avez fait de quoi après le cours? Coudonc, il est quelle heure, là?

— Non, on a juste pris le métro ensemble, c'est tout.

— Et sa blonde?

— Oh, ben, ce n'est pas sa blonde, finalement. C'est juste une amie, qu'il m'a dit.

— Une amie? Le genre d'amie que tu tiens dans tes bras dans tes nuits de solitude?

— Pffff, la conversation n'a pas été jusque-là, quand même.

— De quoi d'autre vous avez parlé?

— Bah… de Georges, de son ancienne blonde, des relations à distance…

— De Georges? Vous avez parlé de Georges? Pour quoi faire?

— Comme ça. Il m'a demandé comment ça allait avec mon copain, et je lui ai répondu que, justement, il revenait en fin de semaine. Bref, rien de vraiment extraordinaire.

— Pardon? Il y a une semaine, tu ne voulais plus aller au cours parce que Felipe te faisait sentir bizarre et, là, tu me dis que vous avez pratiquement passé toute la soirée ensemble, qu'il est célibataire et tu n'as rien de plus excitant à me dire que vous avez parlé de ton chum?

— On n'a pas pratiquement passé la soirée ensemble. On a dansé pendant une heure au cours et on a pris le métro pendant quinze minutes.

— Tu joues sur les mots.

— Mais non ! Je ne veux juste pas donner de l'importance à quelque chose qui ne devrait pas en avoir. Georges revient en fin de semaine. C'est ça qui est important. Pas les discussions que j'ai dans le métro avec mon prof de salsa.

— Peut-être que mon rhume s'est attaqué à mon cerveau, parce que je ne te comprends pas du tout.

— Oh, tu es malade ? ai-je demandé, trop heureuse de changer de sujet.

— Oui… Ce doit être le même virus que ta sœur. Je ne pense pas que je vais rentrer au bureau demain, si ça continue comme ça.

— Je suis encore près du métro… Tu veux que je t'apporte quelque chose ?

— Non, merci. Je vais juste aller me coucher et espérer que ça passe pendant la nuit.

— O.K., repose-toi bien et appelle-moi si tu as besoin de quelque chose.

J'ai raccroché et j'ai continué à marcher. Je me sentais totalement ridicule d'avoir eu cette conversation avec Roxanne en lui laissant croire que ça ne m'avait pas dérangée le moins du monde d'avoir eu un contact plus personnel avec Felipe. Je savais fort bien que ça m'avait ébranlée, mais je ne voulais pas l'admettre et je voulais encore moins y penser. J'avais naïvement cru qu'en parlant à mon amie, j'allais finir par croire les histoires que je lui racontais.

La vérité, c'était que je ne savais plus quoi penser. Georges revenait dans trois jours et j'avais hâte de le voir et d'être dans ses bras. Ça, j'en étais certaine. Ce dont j'étais moins certaine, c'était pourquoi Felipe me rendait aussi molle quand je le voyais, et pourquoi mon cœur avait presque sauté un battement quand j'avais appris qu'il était célibataire.

CHAPITRE 11

Le lendemain, Roxanne n'était pas au bureau. Je l'ai appelée pour prendre de ses nouvelles, mais la conversation a été brève. Sa voix était éteinte ; elle avait l'air d'être en train d'agoniser.

— Pauvre cocotte, lui ai-je dit, compatissante. Ne t'inquiète pas, je suis sûre que le bureau va être capable de se passer de toi une journée.

— Ne me fais pas rire ! Ça me fait trop mal.

— Tu avais raison, c'est probablement la même chose que ma sœur. Je lui ai parlé ce matin et elle avait l'air aussi mal en point que toi.

— Je vais rentrer demain, m'a-t-elle dit péniblement.

— C'est moi qui ne serai pas là demain, tu ne te souviens pas ?

— C'est vrai ! Tu vas chercher Georges à l'aéroport ? Ça va être nul au bureau si tu n'es pas là. Je pense que je vais me forcer pour être encore malade.

— À t'entendre, tu n'auras pas à faire beaucoup d'efforts.

J'ai raccroché un instant plus tard après lui avoir juré de l'appeler pendant la fin de semaine si j'arrivais, comme elle le disait, à cesser mes ébats sexuels pendant quelques minutes. Je devais régler les dossiers urgents qui traînaient sur mon bureau, puisque je ne serais pas de retour avant le lundi suivant. J'étais relativement à jour et, à mon plus grand bonheur, j'ai pu quitter le bureau à 17 h et non pas à 21 h comme je me l'étais imaginé.

De retour à l'appartement, j'ai fait un mini-ménage pour dire que j'avais quand même préparé les lieux pour le retour de mon copain, puis j'ai été me coucher. L'avion de Georges atterrissait à 8 h 55 le lendemain matin et je voulais avoir l'air aussi en forme que possible.

∗∗∗

À exactement 6 h le jeudi matin, j'ai ouvert les yeux. J'ai maudit le fait que je ne sois jamais capable de me rendormir et je me suis levée pour me diriger vers la salle de bain. J'avais des cernes qui, à mon avis, se rendaient presque sous mon menton, et mes cheveux rappelaient la forme d'une boule disco qui aurait eu un choc électrique. Heureusement, j'avais amplement le temps de me préparer et de tenter de paraître un minimum désirable.

Redoutant une circulation monstre, je suis partie de l'appartement à 7 h 15, mais suis arrivée à destination à 7 h 40. Il me restait donc une heure à tuer avant l'arrivée de l'avion. Je me suis résolue à attendre dans un café de l'aéroport avec une revue sur les potins des stars dont je ne reconnaissais pas la moitié.

À 8 h 30, j'étais devant les portes d'où Georges allait sortir. Plus les minutes avançaient, plus j'étais nerveuse. Un peu comme si j'attendais quelqu'un que je n'avais pas vu depuis des années et qui avait des chances de ne pas me reconnaître.

Vingt minutes après l'atterrissage de l'avion, les premiers passagers ont commencé à apparaître. Je tirais le cou pour être certaine de voir mon copain. L'attente n'a pas été très longue : il était le cinquième à pousser les portes.

— Georges ! Georges ! me suis-je exclamée en lui faisant de larges gestes de bras et en sautant sur place.

J'ai vu son regard chercher d'où provenait ma voix. J'ai couru vers lui en poussant les gens autour de moi. Une fois à sa hauteur, je me suis jetée à son cou.

— Oh, tu m'as tellement manqué ! Je suis tellement contente de te voir !

— Allô, ma belle, m'a-t-il répondu en m'embrassant dans les cheveux. Je suis content de te voir aussi. Comment ça va ? Pas trop fâchée d'être venue me chercher aussi tôt ?

— Ben non, voyons ! Tu le sais bien que je serais venue à n'importe quelle heure.

Comme il ne rentrait que pour quatre jours, il n'avait qu'un bagage de cabine avec lui et nous avons pu quitter l'aéroport immédiatement.

— Et puis, es-tu content d'être de retour ? Comment ça avance le chantier ? Tu ne t'ennuies pas trop tout seul dans la neige ? lui ai-je demandé une fois dans la voiture.

— Haha ! Ce n'est pas si pire que ça. Le chantier avance et ça me tient vraiment occupé : j'ai à peine le temps de penser à Montréal. Mais oui, je suis content de revenir pour une couple de jours. Ça fait du bien d'être de retour à la maison.

— Moi, en tout cas, je peux te dire que je pense à toi. Tous les jours, même. L'appartement est tellement vide sans toi. Et ça n'a pas été évident de m'habituer à cuisiner pour une personne et à dormir toute seule toutes les nuits.

— Je suis sûr que Roxanne et ta sœur t'ont pourtant tenu compagnie.

— Oui, mais elles ne sont pas toi… Ce n'est pas la même chose. D'ailleurs, c'est drôle que tu en parles parce que j'ai commencé quelque chose de nouveau avec Rose. Elle trouvait que je faisais trop pitié toute seule à la maison tous les soirs, lui ai-je dit en faisant une moue attendrissante dans l'espoir qu'il me trouve adorable.

— Ah oui? Quoi? m'a-t-il répondu en gardant les yeux sur la route.

— Des cours de salsa!

— De salsa? Toi? Tu n'aimes même pas ça, danser!

— Ha! Ça, c'était avant que je commence les cours. Non, mais, sérieusement, je l'ai fait pour Rose au début et, après le premier cours, je me suis rendu compte que c'était quand même bien, tu sais. Ça libère du quotidien.

Bien évidemment, je ne lui ai pas mentionné que c'était le gars avec qui j'avais dansé au club qui donnait les cours. Il n'avait pas besoin de le savoir, après tout. Ce n'était pas une information pertinente pour lui. Ni pour personne d'autre.

— D'ailleurs, ai-je continué en cherchant mes lunettes de soleil dans mon sac, j'ai pensé qu'on pourrait peut-être sortir dans un club de salsa ce soir, si ça te tente. Je pourrais te montrer ce que j'ai appris jusqu'à maintenant. Je pense que tu vas être pas mal impressionné! Et puis j'aimerais mille fois mieux que ce soit toi mon partenaire plutôt que ma sœur!

— Ce soir? Je ne sais pas trop, chérie. Je travaille en fou depuis un mois, alors j'espérais relaxer une fois à la maison. Et puis, ça fait longtemps qu'on ne s'est pas vus. Une soirée tranquille à la maison avec des films et une bouteille de vin, ça ne te tenterait pas?

— Oh! Je comprends! D'accord, va pour les films et la bouteille, alors! Tu as raison, on sera plus tranquilles.

Georges a souri d'un air satisfait en posant sa main sur ma cuisse. Une fois à l'appartement, il a fait le tour comme pour s'assurer que rien n'avait changé et est ensuite revenu vers moi pour me prendre dans ses bras en enfouissant son visage dans mon cou.

— Tu m'as manqué, Jas. Tu vas m'en vouloir si je vais faire une petite sieste avant qu'on commence notre journée? Je suis tellement fatigué. On est partis vraiment tôt ce matin et je pense que j'ai dormi quelque chose comme trois heures dans les dernières vingt-quatre heures.

— Non, bien sûr que non ! Va te reposer. Je vais aller à la boulangerie pendant ce temps-là pour nous préparer un bon petit-déjeuner.

— Tu es un amour. Merci, chérie, m'a-t-il dit en m'embrassant avant de se diriger vers la chambre à coucher.

Je l'ai suivi du regard avant d'aller chercher mon manteau pour sortir. J'avais envie d'appeler Roxanne pour lui dire qu'elle s'était royalement trompée en pensant qu'on allait passer les quatre jours à batifoler au lit, mais je me suis dit que c'était de la mauvaise foi de ma part. Ça arrivait à tout le monde d'être vraiment fatigué ! Et nous n'étions plus un couple qui commençait à se fréquenter, et qui avait besoin de s'envoyer en l'air à la minute où il se retrouvait. Nous avions une relation mature et responsable où chacun respectait les besoins de l'autre. Et si l'autre avait besoin de dormir, il fallait bien lui en laisser le droit.

Trois heures plus tard, Georges a finalement émergé de la chambre à coucher. Par chance, je n'avais pas commencé à préparer le déjeuner et j'étais plutôt assise dans le salon, un livre à la main, pour ne pas faire de bruit.

— Bien dormi ? lui ai-je demandé alors qu'il s'écrasait lourdement dans le sofa à côté de moi.

— Oui. Je me sens tellement paresseux aujourd'hui. J'ai juste envie d'être en pantalon de pyjama toute la journée. Avais-tu prévu quelque chose ?

— Non… On fait comme tu veux. Je veux passer le plus de temps avec toi avant que tu repartes, lui ai-je répondu en me serrant contre lui.

— Parfait ! En pyjama toi aussi, alors !

J'ai ri en marchant vers la chambre pour aller chercher mon pyjama. Nous avons passé toute la journée à ne rien faire. Georges ne voulait pas parler du Grand Nord, invoquant le repos mental dont il avait besoin en revenant à la maison. Je ne l'ai pas poussé à m'en parler. À 21 h, rompus de fatigue tous les deux, lui de son voyage et de son manque de sommeil, et moi du stress que je m'étais imposé depuis qu'il était parti, nous avons éteint les lumières pour nous coucher.

Une fois au lit, je me suis collée à lui de façon suggestive. Il m'a prise par la taille et m'a embrassée doucement en se déplaçant vers moi. Il n'y a eu aucun préliminaire avant qu'il ne retire son pantalon pour me faire l'amour, chose que je trouvais étrange, puisque ce n'était pas dans ses habitudes. Je n'ai rien dit et me suis concentrée sur son mouvement. J'avais tenté d'allumer la lampe de chevet pour mieux le voir, mais il avait retenu ma main dans la sienne.

Cinq minutes plus tard, tout était fini. Georges était de retour à sa place dans le lit et je n'avais pas bougé de la mienne. Il n'y avait pas eu de passion. Pas de feux d'artifice qui explosent à l'intérieur et pas de baisers qui font chavirer. Rien.

— Excuse-moi, m'a-t-il murmuré.

— De quoi?

— Ce n'était pas une de mes meilleures performances, je le sais bien. Je suis fatigué.

J'ai hésité avant de répondre.

— C'est… c'est correct, chéri.

— Bonne nuit.

Il a remonté les couvertures sur lui et s'est tourné pour me faire dos. Je n'ai rien dit. J'ai laissé le silence nous séparer. Je me sentais bizarre. Il y avait quelque chose qui avait changé. Quelque chose était différent.

***

Le lendemain matin, je me suis réveillée au son de sa voix. Je l'entendais rire et marcher de long en large dans le salon. J'ai étiré le bras pour tourner le réveil vers moi : 10 h 30. Visiblement, j'avais du sommeil à rattraper. J'ai soulevé un pan du rideau qui se trouvait près de moi pour laisser le soleil m'aveugler.

Georges est entré dans la chambre et s'est couché à côté de moi, tout habillé.

— Tu pars ?

— Oui, il faut que j'aille chez ma mère. Elle voulait qu'on soupe chez elle ce soir, mais je lui ai dit que je t'emmenais au resto. Je m'en suis tiré en lui disant que je pourrais dîner avec. Tu veux venir ?

— Maintenant ?

— Dans vingt minutes, environ.

— Bah, vas-y sans moi. Il faudrait que je lave mes cheveux et j'en ai pour une heure à tout faire. Mais tu veux aller au resto ce soir pour vrai ?

— Bien sûr… à moins que tu aies fait d'autres plans ?

— Non, en fait, je pensais qu'on aurait pu aller au resto aussi, alors c'est parfait.

— On se voit cet après-midi, alors. Ne fais pas de réservation nulle part, c'est moi qui t'invite et je veux que ce soit une surprise.

— D'accord. À plus tard.

Il m'a donné un baiser sonore sur le front avant de partir. Quand j'ai entendu la porte de l'appartement se refermer, je me suis levée pour me faire un café. Je m'étais attendue à ce qu'il se reprenne pour sa performance de la veille au réveil, mais il ne s'était rien passé. Pas même un signe annonçant que quelque chose aurait pu se passer. J'étais déroutée.

J'ai profité de son absence pour sortir me changer les idées. Il faisait un soleil de plomb dehors malgré la fraîcheur de l'air. J'ai marché et marché dans les rues de mon quartier en ne les reconnaissant pas vraiment. Tout ce que je voyais, c'était la scène de la veille. Pourquoi n'avait-il pas voulu que j'allume la lampe? Pourquoi avait-il été si expéditif? Est-ce que j'aurais dû m'en faire plus que je ne m'en faisais déjà? Pourquoi autant de questions? En temps normal, j'aurais été tentée d'en parler avec Roxanne ou même avec Rose, mais, aujourd'hui, je ne voulais pas. Je voulais que ces quatre jours soient entre Georges et moi, et personne d'autre. Je voulais qu'on se retrouve, et je savais que ça allait être d'autant plus difficile si je demandais à une tierce personne de me donner son avis, aussi sensée soit-elle.

Je suis rentrée une heure plus tard, les joues rouges, mais le regard éteint. Je me suis fait couler un bain chaud dans lequel je me suis complètement immergée. Ça ne me servait à rien d'argumenter avec lui pendant les quatre jours qu'il était ici, ai-je pensé alors que j'avais la tête sous l'eau. Je devais passer par-dessus l'épisode sexuel décevant de la veille pour me concentrer sur le reste de la fin de semaine. C'était la seule chose positive à faire.

**

Quelques heures plus tard, je suis sortie de la chambre pour rejoindre Georges, qui m'attendait dans le salon.

— Wow! Tu es donc bien belle!

— Merci! C'est la robe, elle est neuve. Ou peut-être que c'est ma nouvelle façon de me maquiller?… C'est Rose qui m'a montré.

— Ou peut-être que c'est juste toi, aussi!

J'ai constaté avec soulagement qu'il m'avait regardée, alors que j'avançais vers lui, de la même façon qu'il me regardait sur la photo que j'avais dans mon bureau. Tout n'était pas perdu.

— Alors, on va où ?

— Ah ! C'est une surprise ! Tu es curieuse, hein ?

— Ben, je me demande…

— Bon, O.K., comme tu n'aimes pas vraiment les surprises, je vais te le dire. J'ai des billets pour aller voir le cirque !

— Le cirque ? Le Cirque du Soleil ?

— Ben non, pas le Cirque du Soleil, franchement ! Il n'est pas à Montréal, en ce moment. C'est une troupe qui vient d'Australie. Il paraît qu'ils sont super bons. Tu es contente ? m'a-t-il demandé devant mon air perplexe.

— Oui… oui.

Je trouvais qu'il avait créé une attente inutile. Il savait pourtant bien que je n'étais pas le genre de personne qui s'extasiait devant les pirouettes des clowns. J'étais en fait terrorisée par ceux-ci, probablement à cause du grand nombre de films d'horreur que j'avais regardés, à moitié cachée dans les coussins du sofa, pendant mon enfance. Et puis, j'étais sceptique devant la façon dont les animaux étaient traités. On ne savait pas vraiment ce qui se passait une fois les rideaux fermés.

— Et avant, je t'emmène souper au casino ! On pourra jouer une partie de poker avant de souper.

Je tombais des nues. Finalement, la soirée parfaite qu'il avait planifiée était plutôt *sa* soirée parfaite. Je me sentais comme un boulet qu'il devait traîner pour éviter que je me fâche. Le casino ? Une partie de poker ? Je n'avais jamais joué au poker de ma vie ! Georges avait bien essayé de m'apprendre une ou deux fois, mais j'étais d'une nullité consternante. J'ai ravalé mes larmes et ma déception, et je l'ai suivi jusqu'à la voiture, emmitouflée dans mon foulard pour cacher mes yeux. Il avait l'air tellement heureux et excité que je n'ai osé rien dire. Est-ce que ça en aurait vraiment valu la peine ? Il avait déjà tout réservé. Est-ce que rester à l'appartement pour se disputer était une option plus intéressante?

— Est-ce que tu penses qu'on peut laisser tomber la partie de poker avant souper? lui ai-je demandé, en prenant mon courage à deux mains, une fois dans la voiture.

— Pourquoi? C'est exactement pour ça que les gens vont souper au casino!

— Je sais, mais je n'aime pas ça, le poker, je ne sais pas jouer et, honnêtement, ça ne me tente pas vraiment de l'apprendre ce soir. Tu pourras y retourner avec un de tes amis si tu veux jouer.

— Tu es déçue?

— Je vais être déçue si tu t'entêtes à vouloir le faire, oui.

— Bon, d'accord. Pas de poker.

Il n'avait pas l'air trop contrarié.

Nous avons continué à rouler en silence. Je savais qu'il aurait aimé jouer aux cartes, mais je ne me sentais pas mal d'avoir insisté. Après tout, il devait respecter ce que je voulais aussi. Il fallait que ce soit réciproque, quand même, tous ces beaux principes d'égalité et de respect!

Georges a garé la voiture dans le stationnement du casino et en est sorti rapidement. Avant d'ouvrir la portière à mon tour pour le suivre, j'ai pris une grande inspiration en me jurant de trouver les points positifs de cette soirée. Je voulais que l'on puisse se retrouver, lui et moi, et si c'était le casino et le cirque qui le rendaient possible, j'allais profiter de chaque instant.

***

Cinq heures plus tard, après les derniers saluts et remerciements devant la foule du cirque, j'ai dû admettre que la soirée avait été parfaite. Le souper avait été délicieux et le cirque, qui était en fait une troupe de danse australienne que Georges avait pris pour un cirque en entendant le mot « troupe », avait un talent fou.

Nous sommes sortis du chapiteau main dans la main.

— Alors, pas trop déçu de ne pas avoir vu d'acrobates sur un fil de fer ? lui ai-je demandé en rigolant.

— Un peu, oui. Je pensais vraiment que c'était un cirque avec des lions et tout.

— Des lions ? Georges, même le Cirque du Soleil n'a pas de lions. Des chevaux, peut-être, mais des lions ? Tu es sérieux ?

— Moi, c'est ce que j'aurais voulu voir.

Il avait une voix d'enfant déçu. Une sonnerie a interrompu notre conversation. Georges a sorti son téléphone de sa poche et a regardé l'écran.

— Veux-tu rentrer tout de suite ? m'a-t-il demandé après avoir répondu par texto à quelqu'un.

— Pourquoi ?

— C'est Éric qui vient de me texter. Il est dans un bar pas trop loin d'ici avec plein d'amis. On y va ?

— Oh, je ne sais pas trop... J'ai pensé qu'on aurait peut-être pu se reprendre pour hier, ai-je dit en me collant à lui.

— On a toute la nuit pour se reprendre, ma belle ! On y va ? Allez, je n'y vais pas sans toi !

Il s'était légèrement dégagé de mon étreinte en me répondant.

— Bon, comme tu veux, ai-je répondu, perplexe, ne sachant pas vraiment quoi dire d'autre. Mais pas longtemps, d'accord ?

— Promis.

Dès que nous sommes entrés dans le bar, Éric s'est précipité vers Georges. Ses autres amis ont fait de même. J'avais l'impression d'assister au retour de l'ami prodigue. J'ai souri en saluant les gars, et je me suis dirigée vers la copine d'Éric, Vanessa. Ça ne faisait pas très longtemps qu'ils étaient ensemble et, toutes les fois où je l'avais vue, je l'avais trouvée très sympathique.

Nous nous sommes assises au bar et avons discuté de banalités pendant une bonne heure. Je me retournais de temps à autre vers Georges pour voir s'il était prêt à partir, mais il semblait avoir oublié ma présence, tout occupé qu'il était à rire avec ses amis.

Au bout d'une heure trente, je l'ai attrapé sur le chemin des toilettes.

— Es-tu presque prêt à partir? Il me semble qu'on serait bien sous les couvertures…

— Déjà?

— Ben, il est presque 1 h.

— C'est parce que Phil s'en vient. Il vient de finir son quart au resto. Ça te dérange si je rentre un peu plus tard?

J'étais désemparée. Non seulement il ne m'avait pas invitée à rester mais, en plus, il ne semblait aucunement préoccupé par le fait que je veuille rentrer.

— Je pensais qu'on allait passer du temps ensemble…, ai-je commencé.

— Je sais, chérie, mais il veut vraiment me voir avant que je reparte. Je te promets que je serai à la maison à 2 h maximum.

— Pour vrai?

— C'est promis.

— Bon, je vais nous préparer une ambiance romantique en attendant que tu arrives. Je vais allumer les chandelles et t'attendre dans ce déshabillé que tu aimes tant… Ça te ferait plaisir?

— Si ça me ferait plaisir? Tu connais déjà la réponse, m'a-t-il chuchoté dans l'oreille.

J'ai ramassé mes choses et j'ai salué Vanessa en la plaignant secrètement d'attendre son chum au bar. En sortant, j'ai dit à Georges que j'allais prendre la voiture pour qu'il puisse revenir en taxi, étant donné qu'il avait trop bu pour conduire. Il a hoché la tête en fouillant dans ses poches d'une main pour trouver les clés alors qu'il tenait un *shooter* dans l'autre.

Une fois à la maison, j'ai pris une douche et me suis affairée à essayer de retrouver les chandelles que je savais avoir rangées quelque part, mais où ? À 1 h 40, je les ai finalement trouvées, derrière une montagne de plans que Georges avait entassés dans un coin de garde-robe. Je me suis dépêchée de les disposer le plus ingénieusement possible et j'ai couru à la cuisine pour ouvrir une bouteille de vin. Heureusement, je savais où était mon déshabillé en dentelle noire que Georges aimait tant et je l'ai enfilé rapidement.

Je me suis assise sur le bout du lit avec ma coupe de vin. Il était 1 h 57.

À 2 h 45, Georges n'était toujours pas là. À 3 h 30, je me suis levée lentement pour me diriger vers la salle de bain afin de me démaquiller et de retirer ce ridicule déshabillé qui faisait de moi un objet de moquerie. J'ai titubé légèrement sur mon chemin. En une heure trente, j'avais pratiquement bu les trois quarts de la bouteille en regardant la cire couler le long des chandelles.

Après m'être brossé les dents, j'ai mis mon pyjama habituel et je me suis couchée sous les couvertures. J'ai tenté de retenir les larmes de déception et de douleur que je sentais en moi depuis une heure, mais je n'en ai pas été capable. J'ai pleuré. J'ai pleuré tout ce qui n'était plus et qui ne reviendrait probablement pas. Je ne cherchais plus à comprendre. Je ne faisais que ressentir. Je ne l'avais même pas appelé. Je lui aurais dit quoi, de toute façon ? Il le savait déjà.

À 4 h 15, j'ai entendu le son de la serrure qu'on déverrouillait. J'ai remonté les couvertures sur moi et j'ai fermé les yeux.

Georges est entré dans la chambre. Je l'ai senti hésiter dans le cadre de porte. Je n'ai pas bougé et j'ai tenté de donner un rythme régulier à ma respiration pour qu'il me croie endormie. Il a rebroussé chemin vers la salle de bain et j'ai entendu l'eau couler.

Quinze minutes plus tard, il se couchait à côté de moi. Il a posé une main sur mon épaule, mais comme je n'ai fait aucun mouvement, il l'a enlevée presque aussitôt.

***

Le lendemain matin, je me suis levée et je suis sortie avant qu'il ne se réveille. J'ai été déjeuner au centre-ville, près du bureau. J'avais besoin d'être seule et loin de l'appartement. J'avais besoin de ne pas lui parler.

Je suis rentrée à la maison quelques heures plus tard. Il m'attendait. Un énorme bouquet de fleurs trônait sur la table de la cuisine. Georges me regardait d'un air pitoyable.

— Chérie, je m'excuse, je n'ai pas vu l'heure passer, hier…

— Je ne veux pas en parler, Georges. Tu pars demain pour un mois et demi encore. Ça ne sert à rien d'en parler maintenant, d'accord?

— Mais…

— Il n'y a rien à dire. Pas maintenant, en tout cas.

— Qu'est-ce que tu veux dire?

— Rien de plus que ce que je viens de te dire.

Il n'a rien dit. Il savait qu'il m'avait blessée. Que pouvait-il faire d'autre que s'excuser?

Nous avons passé le reste de la journée dans l'appartement à faire des trucs chacun de notre côté. Je me suis mis en tête de faire le ménage de tous mes produits de beauté qui étaient dans la salle de bain. Par chance, il y en avait beaucoup et ça m'a pris presque trois heures pour en venir à bout.

Nous avons soupé devant la télévision en nous adressant à peine la parole. J'appréhendais trop un souper face à face à la table de la cuisine, et je lui avais proposé de manger devant un film que j'avais acheté pendant la semaine et que je n'avais pas eu le temps de regarder.

Je me suis couchée quinze minutes après la fin du film pour être certaine d'être endormie quand il viendrait se coucher à son tour.

Son avion décollait à 13 h le lendemain et c'était moi qui devais le conduire à l'aéroport.

***

Je me suis réveillée à 10 h. Je l'ai regardé dormir pendant quelques minutes avant de me lever pour faire du café. Autant j'avais hâte qu'il sorte de l'avion à peine quatre jours auparavant, autant j'avais hâte qu'il le reprenne aujourd'hui. J'avais une décision à prendre et j'avais besoin de calme. Lorsqu'il s'est levé peu de temps après, il osait à peine me regarder dans les yeux.

Nous avons fait tout le chemin jusqu'à l'aéroport en silence. Une fois dans le stationnement, il a arrêté le moteur et m'a tendu les clés. Je les ai prises et j'ai inspiré profondément.

— Il te reste du temps avant d'embarquer, alors est-ce que ça te dérangerait si on se parlait un peu? lui ai-je demandé d'une voix faible, mais assurée.

— Bien sûr que non, chérie.

— Tu me connais, je ne peux pas te laisser partir comme ça. Pas alors que nous sommes en chicane. Je m'en voudrais trop si quelque chose arrivait.

J'ai fait une pause de quelques secondes.

— Je ne sais plus ce qui t'arrive, Georges. Je ne comprends plus. J'ai tellement espéré cette fin de semaine, et il n'y a rien qui s'est passé comme je l'aurais voulu. Je pensais qu'on allait se retrouver, qu'on allait passer du temps ensemble, qu'on redeviendrait ce qu'on a toujours été. Tout est difficile entre nous depuis quelques mois, et il me semble que ce n'était pas comme ça avant. Il me semble que c'est de pire en pire.

— Je sais que tout est de ma faute…, a-t-il commencé.

— Laisse-moi finir. Non, ce n'est pas uniquement de ta faute. C'est moi aussi qui ai trop souvent passé sous silence comment je me sentais vraiment, mais, là, c'est assez. Je ne peux pas vivre tout ça. Je me suis sentie tellement seule hier, tellement trahie. Sais-tu à quel point c'est humiliant de devoir retirer un déshabillé qu'on a mis pour quelqu'un qui n'est jamais venu ? Et enlever les traces de maquillage qui a coulé à cause des larmes ? Le sais-tu ?

J'ai éclaté en sanglots. Il a posé sa main sur ma cuisse. Je n'ai pas eu la force ni la présence d'esprit de la repousser.

— Sois honnête avec moi, Georges. M'aimes-tu encore ?

— Oui.

J'ai eu l'impression qu'il avait un peu hésité avant de me répondre. J'ai essayé de me convaincre que ce n'était qu'une impression et que les impressions n'étaient pas nécessairement la réalité.

— Moi aussi, je t'aime et c'est pour ça que je te dis tout ça et que je ne te laisse pas prendre l'avion sans t'avoir parlé. Mais j'ai besoin de réfléchir.

— Je comprends. Je t'aime, Jasmine, et, pour rien au monde, je ne voudrais que tu aies mal à cause de moi.

— Mais c'est déjà fait, Georges. C'est ça que tu n'as pas l'air de comprendre. Il est déjà là, le mal que tu m'as fait.

Ni lui ni moi n'avons prononcé un mot pendant plusieurs minutes. Il n'y avait que le son de mes sanglots qui s'estompaient lentement et qui troublaient le silence.

— Je vais t'appeler demain, O.K. ?

— Si tu veux, Georges.

— Je me sens tellement mal de partir pendant que tu pleures.

J'ai essuyé mes yeux et j'ai tenté d'esquisser un sourire.

— Ça va aller. Je vais être correcte. J'ai juste besoin de temps.

Il a débouclé sa ceinture et s'est avancé vers moi pour m'embrasser. Je l'ai laissé faire. Je lui avais dit tout ce que j'avais sur le cœur.

Il est sorti de la voiture et a ouvert la portière arrière pour prendre son sac. Je ne l'ai pas regardé marcher vers les portes automatiques de l'aéroport comme je l'avais fait la fois précédente. Je suis restée assise sur mon siège en regardant les avions qui arrivaient et partaient.

Machinalement, je suis sortie de l'auto à mon tour dix minutes plus tard pour aller prendre place sur le siège du conducteur. J'ai démarré et j'ai quitté l'aéroport.

CHAPITRE 12

Le lendemain matin, je suis arrivée au bureau complètement anéantie avec les yeux bouffis. J'avais passé tout l'après-midi de la veille sur mon sofa, à écouter des films tristes de chiens qui meurent et d'amour impossible en serrant ma boîte de kleenex sur ma poitrine. Je m'étais extirpée du canapé une fois la nuit tombée pour me diriger vers la chambre à coucher, toujours en serrant mes mouchoirs. Je n'avais pas de souvenir de l'heure à laquelle je m'étais finalement endormie, mais, en me réveillant, j'avais dû décoller les morceaux de kleenex qui avaient séché sur mes joues.

Quand Roxanne m'a vue pousser les portes vitrées d'Oméga, elle s'est levée de sa chaise pour s'approcher de moi.

— Mais qu'est-ce qui se passe ? Tes yeux sont tout rouges !

Ça m'a tout pris pour ne pas me remettre à pleurer au beau milieu de la réception. J'ai regardé par terre et j'ai ouvert la bouche pour parler, mais je me suis tue. Je savais que le seul fait de prononcer le nom de mon copain allait me faire repartir de plus belle. Roxanne m'a prise par la main pour m'emmener vers les toilettes. Elle a refermé la porte derrière moi et l'a verrouillée.

— Tu me fais peur, Jas. Qu'est-ce qui se passe ?

— Ça… n'a pas très bien été en fin de semaine. Je pense que c'est fini entre Georges et moi.

— Quoi ? Pourquoi ? Comment ça ?

— Je pense que ça ne fonctionne plus. Je pense qu'il ne m'aime plus, ai-je répondu en éclatant en sanglots.

Roxanne n'a rien dit. Elle m'a serrée très fort dans ses bras et a ensuite reculé pour me regarder. Elle m'a tendu un morceau de papier de toilette. Elle semblait dépassée, ce qui n'était pas peu dire pour Roxanne.

— Qu'est-ce qui s'est passé?

J'ai commencé à lui raconter ma fin de semaine, depuis le sexe décevant jusqu'à mon ridicule déshabillé qui n'avait servi à rien d'autre qu'à m'humilier à la lueur romantique des chandelles. Alors que j'essayais de lui relater les faits de manière intelligible, ce qui était relativement difficile considérant que je plaçais mes bouts de phrase entre deux hoquets, on a cogné à la porte des toilettes. Roxanne m'a fait signe de ne pas m'en faire et de continuer à parler. On a cogné de nouveau, plus fort cette fois. Exaspérée, Roxanne s'est levée du comptoir sur lequel elle était assise pour déverrouiller la porte et l'ouvrir juste assez pour voir la personne à qui elle allait s'adresser. Heureusement pour elle, ce n'était pas un des patrons, mais une nouvelle fille du service des ventes.

— Tu ne vois pas que la porte est barrée? Ce n'est pas juste pour le plaisir de la barrer que je l'ai fait! On est occupées! a-t-elle dit sèchement.

— Mais vous n'avez pas le droit de faire ça!

— Je n'ai pas le droit de faire ça? Va donc te plaindre d'abord. Le temps que tu trouves quelqu'un que ça va intéresser, on va être sorties.

La fille n'a pas demandé son reste et a tourné les talons en lançant une insulte à mi-voix à mon amie. Roxanne a refermé la porte en levant les yeux au ciel et est revenue s'asseoir sur le comptoir.

— Continue…

— C'est tout. Je suis allée le reconduire à l'aéroport hier et je lui ai dit que ça ne fonctionnait plus.

— Donc, tu l'as laissé?

— Non, pas tout à fait. Je lui ai dit que j'avais besoin de temps pour réfléchir à tout ce qui se passait.

— Et lui, qu'est-ce qu'il disait ?

— Rien. Il n'a pratiquement rien dit d'autre qu'il ne voulait pas me faire de peine.

Roxanne, qui n'hésitait jamais à prendre position, se taisait. Le silence nous a enveloppées toutes les deux, au milieu des toilettes dans lesquelles on suffoquait.

— Est-ce que tu penses que ça pourrait être un peu à cause de Felipe que tu te sens comme ça ? m'a-t-elle demandé, doucement.

— Qu'est-ce que tu veux dire ?

— Ben, que tu remets en question ta relation avec Georges parce que tu aurais rencontré quelqu'un de mieux…

— Je… je te mentirais si je te disais que je n'y ai pas pensé. Georges ne me regarde pas comme Felipe me regarde et quand j'ai dansé avec lui, j'ai ressenti quelque chose que je n'avais jamais ressenti avant, même pas au début avec Georges. Tu te souviens quand je t'ai dit que je ne me souvenais pas si j'avais eu le cœur qui avait chaviré quand j'ai rencontré Georges ? Tu avais raison. Ça ne s'est pas passé. Je l'ai eu avec Felipe. Jamais avec Georges.

Roxanne a hoché la tête.

— Je ne sais plus rien, Rox, ai-je dit en pleurant encore plus fort. Je ne me comprends plus moi-même. Il me semble que je planifiais d'avoir des enfants avec Georges il y a trois mois et, maintenant, je me demande si c'est vraiment avec lui que je devrais passer ma vie. Qu'est-ce qu'il faut que je fasse ?

— Je ne peux pas te dire quoi faire. Tu dois prendre une décision et peu importe celle que tu prendras, ce sera la bonne parce que c'est toi qui l'auras prise.

— Mais je ne veux pas y penser ! Ça me fait trop mal d'y penser. J'ai passé l'après-midi d'hier à y penser et regarde-moi aujourd'hui. Je ne peux pas être comme ça tous les jours, ai-je dit en reniflant.

Roxanne a délicatement replacé une mèche de cheveux derrière mon oreille.

— Je comprends, mais laisse-toi du temps. Es-tu certaine que ce soit une bonne idée que tu sois venue travailler aujourd'hui?

— Oui. Je me le suis demandé aussi en me réveillant ce matin, mais quand je me suis mise à pleurer en voyant la tasse dans laquelle Georges prend son café, je me suis dit que je devais sortir de l'appartement.

Elle m'a regardée avec un sourire triste et est descendue du comptoir.

— Tu sais que j'aimerais mille fois plus rester avec toi que répondre au téléphone, mais si je ne veux pas me faire renvoyer, il faut que je retourne en avant.

— Oui, oui. Merci, Rox.

— Je suis là pour toi. N'importe quand, tu le sais bien, m'a-t-elle dit en déverrouillant la porte. Sors d'ici toi aussi. Il doit faire soixante degrés dans cette toilette! Dire que je suis toujours en train de me plaindre du froid à mon bureau. Je devrais déménager la réception ici!

Je l'ai écoutée et je suis sortie des toilettes après elle, le temps de m'asperger le visage d'eau fraîche. J'ai longé les corridors jusqu'à mon bureau en fixant le tapis. Je ne voulais croiser le regard de personne et je ne voulais surtout pas qu'un collègue me demande joyeusement comment s'étaient passées les retrouvailles avec mon copain. Par chance, mes yeux n'ont rencontré aucune paire de chaussures sur mon chemin.

Une fois devant mon ordinateur, j'ai lu rapidement les courriels reçus. Il y en avait un de Georges, envoyé il y avait à peine une heure.

Salut Jasmine,

Je m'excuse pour en fin de semaine. Je sais que je t'ai dit que j'allais t'appeler aujourd'hui, mais comme tu m'as dit que tu avais besoin de temps, je ne veux pas te forcer à me parler. Tu m'appelleras, toi, si ça te tente.

À +

G.

Mes larmes, que j'avais réussi à interrompre le temps du trajet des toilettes à mon bureau, ont recommencé à couler de plus belle. Je me suis levée de ma chaise, j'ai remis mon manteau et je suis sortie de mon bureau. J'ai informé Roxanne de mon départ et du courriel de Georges.

— Si quelqu'un me cherche, tu diras que je ne me sentais pas bien et que j'ai pris une journée de maladie. Ça ne me sert à rien de rester enfermée dans mon bureau à pleurer. Si au moins je pleurais en travaillant, ce serait déjà mieux mais, là, je veux juste me rouler en boule dans un coin.

— O.K. Qu'est-ce que tu vas faire ?

— Aller au spa, je pense. Je ne peux pas rentrer chez moi. Je ne veux pas être seule entre les quatre murs de mon appartement.

— Appelle-moi si tu as besoin de quelque chose.

— D'accord. À demain.

Je suis sortie de l'immeuble hâtivement. Une fois sur le trottoir, je me suis arrêtée pour regarder autour de moi. Je ne savais plus où aller pour me sentir mieux. Je me sentais comme si je n'avais plus de points de repère, comme si l'existence de Georges dans ma vie était la seule chose qui me permettait de fonctionner. J'ai commencé à marcher au hasard des rues du centre-ville.

Je regrettais presque d'avoir ouvert son courriel. Avant sa lecture, je pouvais oser continuer de croire que la situation n'était pas permanente, que les choses redeviendraient comme avant quand son contrat serait terminé. Son courriel me laissait entendre que non. Je le connaissais assez pour savoir lire entre les lignes. Il me laissait entendre qu'il avait bien compris qu'il m'avait fait de la peine et que je me sentais désemparée, mais qu'il choisissait de ne pas s'impliquer pour sauver la relation. Il me laissait la décision entre les mains.

J'ai continué à marcher rapidement en souhaitant qu'un signe de l'univers me tombe sur la tête. Une sorte d'épiphanie qui me dicterait quoi faire et à quel moment le faire. Évidemment, il n'en a rien été. La seule chose qui m'est tombée sur la tête était la fine neige qui annonçait le début d'une première tempête. Je commençais à avoir froid, mais je ne voulais pas rentrer à la maison tout de suite. Je me suis dirigée vers le spa, dans l'espoir d'obtenir un massage sans rendez-vous.

L'univers a au moins exaucé cette demande. J'ai pris place sur la table en attendant l'arrivée de la masseuse. J'ai pleuré pendant la totalité du soin. À un certain point, la masseuse, probablement mal à l'aise de ne rien dire, m'a demandé si ça allait. Je lui ai répondu que oui, que c'était sûrement à cause des points de pression qui me rendaient plus sensible. Je l'ai entendue soupirer de soulagement. Elle m'avait posé la question parce que c'est ce que n'importe quelle personne sensée aurait fait devant quelqu'un qui n'arrête pas de pleurer. Elle avait probablement eu peur que je réponde « non » et que je me mette à lui parler de ma vie.

Au bout d'une heure, je me suis rhabillée et lui ai remis un généreux pourboire. Elle a pris l'argent et m'a regardée avec empathie en me souriant. C'est du moins ce que je voulais croire, mais les chances que ça ait été de la pitié étaient considérables.

J'ai quitté l'établissement pour me rendre chez moi, puisque je ne pouvais pas passer le reste de ma vie à marcher pour éviter de rentrer.

Pour la première fois depuis que Georges était parti, je ne me suis pas connectée sur Skype en arrivant. Je ne voulais pas lui parler. Je ne savais pas quoi lui dire. Je me sentais vide. J'ai passé la soirée devant la télévision. Je n'ai pas répondu aux appels de Roxanne, mais je lui ai envoyé un texto pour lui dire que j'étais correcte et que je n'étais pas en train de me pendre avec une des cravates de mon copain. Je n'ai pas pleuré non plus. J'ai mis la boîte de mouchoirs le plus loin possible de moi et j'ai dirigé mon attention vers la comédie que je m'étais louée. Pleurer ne changerait rien. Pas à ce point.

***

Le lendemain, je me suis levée plus calme que le matin précédent. Bien sûr, je pensais à Georges et à notre relation à chaque seconde, mais j'avais décidé de suivre le conseil de Roxanne et de laisser le temps au temps. De toute façon, je n'avais rien à perdre de plus que ce que j'avais déjà perdu.

Rox m'a accueillie au bureau avec une tasse de caramel *macchiato*.

— Je sais que c'est ton café préféré et je me suis dit qu'au moins, j'allais t'aider à commencer ta journée avec quelque chose que tu aimes.

Je lui ai souri en prenant la boisson.

— Comment ça va aujourd'hui ?

— Un peu mieux qu'hier. Je me suis couchée tôt et j'ai bien dormi. Finalement, j'ai été me faire masser en partant d'ici. Pauvre masseuse qui a dû endurer mes reniflements pendant une heure !

— Bah, c'est ça, le service à la clientèle. On endure. Je voulais te dire que ta sœur a appelé pour confirmer pour ce soir. Elle m'a dit qu'elle ne pouvait pas te rejoindre sur ton cellulaire et elle veut être certaine que tu iras au cours.

— Tu lui as dit ?

— Dit quoi ?

— Pour Georges et moi…

— Non. Ce n'est pas à moi de lui dire.

— Tant mieux. Je ne veux pas qu'elle le sache. Elle va me rendre encore plus émotive et puis elle va inclure ma mère dans l'histoire, et ça va devenir ingérable. On garde ça entre toi et moi pour l'instant, O.K. ?

— Tu n'as même pas besoin de me le préciser, Jas. Je serais une amie horrible si je me mettais à aller raconter ta vie, voyons.

— Mais non, je sais, je te fais confiance.

— Alors ? Tu vas y aller ce soir ?

— Oui. Il n'y a aucune raison valable pour laquelle je ne devrais pas y aller. Pourquoi ? Tu ne penses pas que je devrais y aller ? ai-je demandé, soudain incertaine.

— Je pense que c'est une très bonne chose que tu y ailles. Tu aimes ça, la salsa, c'est toi-même qui l'as dit.

— C'est ce que je me suis dit aussi. Bon, je vais aller travailler un peu et en profiter pour appeler Rose. Comment elle avait l'air au téléphone ?

— Bien. Je pense que ça va être une conversation facile, m'a rassurée Roxanne. Je n'ai pas senti d'exaltation particulière.

En marchant vers mon bureau, je n'ai pas pu m'empêcher de ressentir une pointe de déception à l'idée que Rose allait être présente au cours de salsa. J'avais secrètement espéré pouvoir encore être la partenaire de danse de Felipe, juste pour me confirmer que je ressentais vraiment quelque chose de réel quand j'étais dans ses bras. C'était peut-être mieux ainsi, me suis-je dit en décrochant mon téléphone pour appeler ma sœur. Peut-être qu'en cherchant à le savoir maintenant, je ne laissais pas le temps au temps.

Après avoir laissé un message sur la boîte vocale de Rose pour lui confirmer ma présence, j'ai ouvert ma boîte de courriels. J'ai rapidement regardé la liste des expéditeurs. Il n'y en avait aucun de Georges. Je savais bien qu'il m'avait avertie qu'il ne m'appellerait pas, mais, peut-être par automatisme, je ne pouvais pas faire autrement que de chercher son nom dans ma boîte. En revanche, il y en avait des dizaines auxquels je devais répondre. Ça me rassurait de voir la quantité de travail que j'avais devant moi. Je pourrais mettre mes émotions en veille pendant la journée et, ça, ça ne ferait de tort à personne.

***

Un peu avant la fin de la journée, je me suis rendue aux toilettes pour retoucher mon maquillage. Je me sentais bizarre de me préparer ainsi pour un autre homme que Georges, mais je me suis dit que je ne faisais rien de mal. Ce n'était quand même pas une ligne de crayon noir sous les yeux qui faisait de moi une blonde infidèle ou aguicheuse.

Rose m'avait demandé d'arriver une demi-heure à l'avance pour qu'on puisse se parler un peu avant le début du cours. Elle m'avait en effet texté pendant l'après-midi qu'elle avait l'impression que ça faisait des semaines qu'on ne s'était pas parlé, et m'ordonnait d'aller la rejoindre au café situé au rez-de-chaussée de l'immeuble où avait lieu le cours.

Moi aussi, j'avais l'impression que ça faisait longtemps qu'on ne s'était pas vues. Tellement de choses s'étaient passées depuis notre dernière conversation, mais je ne me sentais pas prête à tout lui raconter. Surtout pas les éléments qui concernaient Georges. Pas encore.

À 18 h 15, j'étais devant la vitrine du café. Ma sœur était déjà assise à une table et me faisait de grands signes dans la fenêtre comme si je pouvais la manquer, dans ce café où il y avait six tables et aucun client.

Je suis entrée et l'ai embrassée sur les deux joues avant de me diriger vers le comptoir pour commander un bol de café au lait.

— Ça va mieux que la semaine dernière ? C'était quoi ? Un rhume ? lui ai-je demandé en m'asseyant devant elle avec ma boisson fumante.

— Quelque chose comme ça. Je m'en voulais tellement de n'être pas venue au cours. Je sais comment ça t'aide pour te changer les idées pendant que Georges n'est pas là.

J'ai eu l'impression de rougir.

— Oh, tu sais, j'ai quand même été au cours. J'ai vu ton texto une fois le cours commencé, ai-je dit innocemment en réponse à son regard interrogateur. J'étais déjà là, alors je suis restée.

— Mais… tu as dansé avec qui ? Non ! Dis-moi pas que… Tu as dansé avec le dieu colombien pendant tout le cours ?

— « Danser » est un bien grand mot.

— Danser, marcher, sauter, appelle ça comme tu voudras ! Ce qui est intéressant, c'est que tu l'as fait avec le dieu colombien !

— Veux-tu bien arrêter de l'appeler comme ça ? C'est Felipe, son nom.

— Hooouuuuuuuu ! Georges devrait commencer à s'inquiéter. Surtout que, physiquement, il ne fait pas vraiment le poids devant l'étalon colombien.

J'ai eu l'impression de recevoir un coup de poignard quand elle a prononcé le nom de Georges. Pourtant, je ne l'ai pas laissé paraître.

— L'étalon ? Es-tu sérieuse ?

— Au moins, je n'ai pas dit « le dieu ».

J'ai soupiré.

— Ben là, veux-tu que je m'en aille pour que tu puisses encore danser avec ce soir ?

— Mais non, voyons ! Ça a sûrement été très pénible pour lui de danser avec moi la semaine dernière. Je n'étais pas très bonne.

— Ben oui, m'a-t-elle dit sarcastiquement, je suis certaine qu'il a trouvé que c'était une corvée à la façon qu'il a de te regarder.

Je n'ai pas relevé son dernier commentaire et j'ai plutôt changé de sujet.

— As-tu parlé à maman dernièrement ? Ça fait longtemps que je n'ai pas eu de ses nouvelles.

— Elle m'a dit la même chose quand je lui ai parlé la semaine dernière, mais elle ne voulait pas t'appeler parce qu'elle disait que Georges était en ville pour la fin de semaine et qu'elle ne voulait pas vous déranger. J'avais oublié qu'il revenait ! Ça s'est bien passé ? Qu'est-ce que vous avez fait ?

Je détestais mentir. Surtout à ma famille ou à des gens que j'aimais. Mais ce n'était ni l'endroit ni le moment de tout raconter à Rose.

— Il était pas mal fatigué, alors on est restés tranquilles. On est sortis souper au casino vendredi et, après, on a été voir une troupe de danse australienne.

— Je vois… Tu lui as dit que tu suivais des cours de salsa maintenant ?

— Oui ! Je voulais même l'emmener danser jeudi soir, mais il était tellement fatigué, le pauvre !

— Et ça se passe bien dans le Grand Nord ?

— J'imagine, oui. Il voulait décrocher, alors il ne voulait pas vraiment en parler.

— Ah bon. Ça doit être bientôt fini, le projet, de toute façon ?

J'ai hésité un peu avant de répondre. D'habitude, ma sœur ne demandait jamais de nouvelles de Georges et elle avait choisi ce jour-là pour s'intéresser à ce qu'il faisait. Je savais que c'était pour être agréable et me donner une occasion de parler de mon copain, mais elle ne se doutait pas du genre de retrouvailles que j'avais vécues avec Georges ni dans quelles circonstances nous nous étions quittés à l'aéroport.

— Oui, j'imagine. Il n'est pas trop sûr encore…

Heureusement, cette réponse a semblé la satisfaire. J'en ai profité pour changer de sujet, encore une fois.

— Et toi? Ça va? Au travail?

— Ça va… C'est bizarre que tu me demandes ça parce que j'ai justement posé ma candidature pour un nouveau poste aujourd'hui même!

— C'est vrai? Lequel?

— La compagnie cherche une nouvelle acheteuse pour le rayon enfants. Bon, ce n'est pas ce que je veux faire le plus, mais je me dis que ça serait une bonne expérience. Et puis, ça fait assez longtemps que je réponds au téléphone pour eux! Il est temps de faire changement!

— Oh! Je te le souhaite, Rose! Tu vas avoir une réponse quand?

— Dans deux semaines environ, qu'ils ont dit. Ma patronne a dit que j'ai de bonnes chances parce que ça fait longtemps que je travaille pour l'entreprise.

— C'est vrai. En plus, les compagnies cherchent toujours à combler le poste à l'interne d'abord.

— Oui… Je garde les doigts croisés en tout cas!

J'ai regardé l'heure pour la dixième fois depuis que j'étais arrivée.

— Mon Dieu, Jas, tu me stresses! As-tu si peur d'arriver en retard?

— Non, mais je ne voudrais pas déranger toute la classe en entrant.

— Tu penses beaucoup trop aux gens qui ne pensent pas à toi. Le monde s'en fout si on arrive en retard ! À moins que tu ne veuilles pas arriver en retard pour ton bel Adonis…

— Tu es folle ! Franchement ! Mais, sérieusement, le cours commence dans cinq minutes. Allez, on y va.

Nous avons payé nos cafés et grimpé les escaliers jusqu'au studio. Enfin, je grimpais tandis que Rose me suivait nonchalamment.

J'ai retiré mon manteau avant d'ouvrir la porte du studio, question de reprendre mon souffle et d'attendre ma sœur par la même occasion.

— Tu es vraiment stressante, Jasmine. Qu'est-ce qui te prend ? m'a lancé ma sœur alors que je l'aidais maladroitement à enlever son manteau.

— Mais rien. Je t'aide, c'est tout ! Tu es prête ?

— Visiblement pas autant que toi. On dirait que tu t'en vas faire une compétition.

Je suis entrée la première et j'ai croisé le regard de Felipe. J'ai eu l'impression que ses yeux s'étaient illuminés pour s'assombrir presque aussitôt quand il a vu Rose me suivre. La possibilité que je fasse de la projection de mes propres émotions était aussi fort possible. Je lui ai souri de mon plus beau sourire et j'ai pris place au milieu de la salle, ma sœur à mes côtés.

Felipe a souhaité la bienvenue à tout le monde et a allumé la chaîne stéréo pour les échauffements. Les danseurs se sont rapprochés les uns des autres et ont entamé la séquence de pas que nous avions apprise la semaine précédente. Felipe s'est approché de nous.

— ¡ *Hola chicas* ! Alors, Jasmine, tu te souviens des pas de la semaine dernière ? Tu es capable de les montrer à ta sœur ?

— Allô! J'essaie, mais je ne me souviens plus exactement sur quel temps faire les pas.

— Tu n'as pas pratiqué cette semaine? m'a-t-il reproché à la blague.

— Pas vraiment… Non, en fait.

Il m'a tendu la main.

— Viens, on va montrer à ta sœur comment faire.

— Oh! Je…

Je me suis tue en lui présentant ma main. Je n'avais rien à dire d'intelligent, de toute façon. Au moment où il m'a prise dans ses bras, je me suis souvenue, comme par magie, de tout ce que nous avions appris au dernier cours. Mes mouvements étaient fluides, comme si j'avais dansé toute la semaine.

— Ça n'aurait pas été mieux que tu le montres à Rose directement? ai-je chuchoté à Felipe en croisant le regard de ma sœur, qui n'était pas dupe de cette méthode d'enseignement.

Il a ri doucement.

— Peut-être, mais j'aurais raté une occasion de danser avec toi.

Je ne savais pas quoi répondre et je me suis contentée de rougir, la tête penchée vers le sol. Sa simplicité me désarmait chaque fois. Ce genre de phrase, que j'aurais pris une semaine à mûrir dans ma tête, sortait de sa bouche en l'espace de quelques secondes. Ou bien il était particulièrement intelligent, ou bien il avait tout compris de la vie.

Pendant que je me faisais ces réflexions, dos à ma sœur, j'ai pu sentir son impatience. Je me suis légèrement décollée de Felipe et je me suis tournée vers elle. Elle me regardait avec de gros yeux. Un peu plus et elle se mettait à taper du pied par terre. J'ai marché dans sa direction.

— Tu m'attends après le cours? m'a demandé Felipe à l'oreille avant que je sois à la hauteur de ma sœur.

J'ai hoché la tête, gênée.

— Euh… je vais avoir besoin de beaucoup plus d'informations que celles que tu m'as données au café, m'a murmuré Rose.

— Quoi ? Quelles informations ?

— As-tu couché avec ?

— Ben non, voyons ! Pourquoi tu me demandes ça ?

— Si vous vous étiez vus ensemble, la question ne t'étonnerait pas.

— Franchement. Tu exagères, comme toujours.

— O.K., réponds à ça alors : comment ça a été avec Georges en fin de semaine ? Sérieusement. Et ne me sors pas tes phrases diplomatiques déjà mâchées.

— Ce n'est pas le moment pour parler de tout ça. Ni l'endroit.

— Mais qu'est-ce qui se passe, Jasmine ?

— Pourquoi tu…

La voix de Felipe a retenti dans la salle, m'interrompant par la même occasion :

— ¡ Un, dos, un, dos ! N'oubliez pas de garder le dos droit… Voilà, comme ça ! Très bien, vous deux ! a-t-il dit en pointant un doigt vers un couple près de nous.

Quand je l'ai vu marcher dans la direction opposée pour se rendre près d'un autre couple qui avait cessé de danser et qui essayait de capter son attention en agitant frénétiquement les mains dans les airs, je me suis retournée vers Rose pour recommencer ma phrase :

— Pourquoi tu me poses toutes ces questions ?

— Parce que j'essaie de comprendre ce que je vois. As-tu laissé Georges ?

— Non… pas encore.

— Pas encore ? Ça veut dire quoi ?

J'ai senti les larmes monter en moi.

— S'il te plaît, Rose, je ne veux pas en parler. Pas maintenant, pas ici.

— Est-ce que ça va ? m'a-t-elle demandé, inquiète.

— Ça n'a pas très bien été avec Georges. Je lui ai dit que j'avais besoin de temps pour penser à notre relation. Tu avais raison : il ne me traite pas comme je le voudrais. Ça fait deux jours que je pleure chez moi, et je voulais venir ici pour me changer les idées et ne pas en parler.

Rose m'a serrée très fort dans ses bras. Je pouvais sentir les regards curieux des personnes qui nous entouraient. Je me suis dégagée pour ne pas attirer plus d'attention qu'il n'en fallait et, surtout, pour ne pas attirer celle de Felipe.

— D'accord. Tu fais bien d'y réfléchir. Tu le sais que je suis là pour toi, hein ?

— Oui, je le sais.

Elle m'a fait un clin d'œil en me tendant la main solennellement pour m'inviter à danser, comme Felipe l'avait fait.

— Tu en as parlé à maman ? m'a-t-elle demandé alors que nous tentions de réussir les pas que tout le monde semblait maîtriser, sauf nous.

— Non et j'aimerais que ça reste comme ça pour l'instant.

— O.K… Tu veux aller prendre un verre après le cours ?

Encore une fois, la voix de Felipe a devancé la mienne :

— Bon ! C'est bien ! On va maintenant essayer de faire les mêmes mouvements, mais sur une musique plus rapide. Ne vous inquiétez pas, ce sont les mêmes pas ! Comptez-les et tout va bien aller.

Une musique beaucoup plus entraînante que la première a jailli des haut-parleurs. J'ai agrippé la main de Rose et lui ai répondu à mi-voix :

— Je ne peux pas… Je dois rentrer à la maison pour préparer un dossier.

— Oh ! Je comprends.

Pour la première fois depuis le début du cours, nous nous sommes appliquées à ce que Felipe nous demandait. Il s'était posté devant nous et nous avait observées, les lèvres pincées, pendant quelques minutes. Il avait ensuite hoché la tête en souriant et s'était éloigné. «Le talent n'y est pas vraiment, mais, au moins, nous faisons l'effort», ai-je pensé alors que nous tentions réciproquement de ne pas nous marcher sur les pieds. Au bout de quelques minutes, j'ai pris la parole:

— Je t'ai menti.

— Sur quoi?

— Je n'ai pas vraiment besoin de préparer un dossier en arrivant à la maison.

— Ben là! Tu as juste à me le dire si tu ne veux pas aller prendre de verre! Pas besoin d'inventer des histoires de dossiers!

— Ce n'est pas que ça ne me tente pas… C'est que Felipe m'a demandé de l'attendre après le cours.

J'en étais venue à la conclusion que je ferais mieux de lui expliquer le vrai motif de mon refus. Non seulement je me serais sentie coupable de lui mentir impunément, mais, en plus, comment aurais-je fait pour attendre Felipe sans le dire à Rose? Elle m'aurait attendue pour que nous quittions le studio ensemble et nous aurions pris le métro tous les trois sans qu'elle se doute qu'elle était la troisième roue.

— Il t'a demandé de l'attendre? Quand ça?

— Quand nous dansions ensemble il y a cinq minutes.

— L'attendre pourquoi?

— Je ne sais pas! Pour qu'on rentre ensemble, j'imagine.

— Rentrer où?

— Chacun chez soi! On a pris le métro ensemble la semaine dernière. On allait dans la même direction. Probablement qu'il ne veut pas faire le chemin tout seul.

— Mon Dieu, que c'est excitant! a presque crié ma sœur en bondissant sur place.

— Chuuuuuuut !

— Excuse-moi, a-t-elle dit en baissant la voix. Qu'est-ce que vous allez faire ?

— Prendre le métro, je t'ai dit. Rien d'autre.

Elle a regardé Felipe avec des yeux rêveurs.

— Tu dois quand même avouer qu'il est pas mal plus attirant que Georges. Pas mal plus attirant que les trois quarts des gars de la ville, même. Bon, pour les besoins de la cause, je vais partir rapidement après le cours. Tu diras que j'ai été rejoindre des amis ou quelque chose.

— Ça ne te dérange pas ?

— Bien sûr que non ! Pour une fois que tu fais quelque chose d'excitant.

J'ai levé les yeux au ciel en continuant à danser, non sans un regard furtif sur le couple à côté de nous pour voir où nous en étions. Un moment plus tard, la musique s'est arrêtée. Rose semblait suprise.

— Déjà ? J'ai l'impression d'avoir dansé dix minutes seulement !

— Ça, c'est parce qu'on n'a pas arrêté de parler.

— Tu penses ? Bon, on parle moins au prochain cours, alors. Sinon ce n'est pas très rentable financièrement. Je te laisse, je dois aller rejoindre des amis, a-t-elle continué en élevant la voix pour permettre à Felipe de l'entendre.

Ça sonnait tellement faux que je me suis dit que c'était certain que s'il avait effectivement entendu, il allait se douter de la machination. Je me suis tournée vers lui, mais il fouillait dans sa pile de disques et ne semblait pas accorder la moindre attention à ce qui se passait derrière lui.

J'ai raccompagné ma sœur jusqu'à la porte et j'ai récupéré mon manteau. Alors que les dernières personnes quittaient le studio, Felipe a poussé un cri de satisfaction.

— Je l'ai trouvé ! a-t-il proclamé en se tournant vers moi.

— Quoi?

— La chanson sur laquelle je veux qu'on danse, toi et moi.

— Pardon?

— *¡ Sí, sí !* Viens !

Il a mis son bras autour de ma taille pour m'emmener vers le milieu de la salle. Il a appuyé ensuite sur la télécommande, et la musique a envahi l'espace.

— J'ai retrouvé cette chanson sur mon ordinateur en fin de semaine et ça m'a fait penser à toi.

— À moi?

— Oui, à toi. Je me voyais danser avec toi là-dessus.

— Pauvre toi ! Est-ce que je te marchais sur les pieds dans ta tête?

— Non, viens, je vais te montrer comment je te voyais.

Il m'a pris une main et m'a enlacée. Je peinais à le suivre, malgré tous mes efforts. Il chantait les paroles dans le creux de mon oreille en me serrant contre lui. Je me sentais littéralement comme un chien dans un jeu de quilles. Son aisance et sa sensualité transpiraient dans chacun de ses mouvements alors que je devais me concentrer pour ne pas lui marcher continuellement sur les pieds.

Il a sûrement ressenti mon malaise, puisqu'au même moment, il m'a murmuré dans l'oreille :

— Ne pense pas aux mouvements. Pense à la musique.

J'ai inspiré profondément et je l'ai laissé me guider. Je me sentais belle, je me sentais en contrôle et, surtout, profondément désirée. Il m'a fait tournoyer sur moi-même pour ensuite me ramener violemment contre lui, comme s'il ne pouvait supporter l'idée que mon corps soit loin du sien. Ou peut-être est-ce moi qui ne le supportais pas? Je ne le savais plus. J'étais enivrée par la musique, par lui, par son dos en sueur sur lequel ma main était posée, par les paroles en espagnol qu'il murmurait dans le creux de mon oreille.

La musique s'est arrêtée quelques secondes plus tard. Nous sommes restés là, sans bouger, à reprendre notre souffle. J'ai reculé un peu pour le regarder. Il avait les yeux brillants.

— Tu es capable de le faire, Jasmine, tu vois? Quand tu oublies les règles des pas, tu sens la musique.

— Merci. C'est… c'est toi qui m'aides à le faire.

Il m'a regardée avec surprise et a souri.

— Je sais que tu as un copain et tout, mais… est-ce que tu voudrais m'accompagner à une compétition en fin de semaine? C'est samedi.

— Moi?

— Oui. En amis, si ça te rend plus à l'aise. J'ai deux billets pour y assister.

— Ouf! Pendant un instant, j'ai cru que tu voulais que je danse!

— Haha! Non. Pas encore, mais peut-être bientôt, qui sait?

— Moi, je sais que ce ne sera pas pour tout de suite! Mais oui, ça me ferait plaisir de t'accompagner.

— ¡Chévere! On se rejoint là-bas?

Il m'a donné l'adresse ainsi que son numéro de téléphone pour le joindre si jamais j'avais un imprévu. Heureusement, il n'a pas eu l'air de se souvenir que c'était la deuxième fois qu'il me le donnait. Ou peut-être avait-il la délicatesse de ne pas le relever.

Il a éteint les lumières du studio et nous nous sommes dirigés vers le métro. Comme la semaine précédente, je suis sortie du wagon avant lui.

De retour chez moi, j'ai regardé le bout de papier sur lequel il avait griffonné son numéro de téléphone. Cette fois, je ne l'ai pas déchiré et je ne l'ai pas jeté par une fenêtre de taxi. Je l'ai regardé, les yeux pétillants, et je l'ai accroché sur mon frigo.

CHAPITRE 13

Les jours suivants sont passés dans l'attente du samedi. Même ma situation avec Georges était reléguée au second plan, complètement masquée par ma nervosité de sortir avec Felipe. J'avais quand même fait les premiers pas avec Georges depuis son départ et j'avais eu l'impression de marcher sur mon orgueil quand je l'avais appelé pendant la soirée du jeudi pour avoir de ses nouvelles. Naturellement, une partie de moi s'était quand même attendue à ce qu'il montre de l'enthousiasme, voire du soulagement, en recevant mon appel. Il n'en avait rien été. Il s'était révélé froid et distant comme si je le dérangeais. Ça avait coupé assez rapidement ma volonté de dialoguer davantage. En raccrochant, je m'étais dit que le prochain contact devait venir de lui. Nous étions quand même deux dans le couple.

J'avais informé Roxanne de l'invitation de Felipe et je l'avais presque suppliée de m'accompagner pour me trouver une nouvelle robe digne de l'occasion.

— Pourquoi tu ne mets pas la petite robe bleue que tu as achetée quand on est allées au club?

— Précisément parce qu'il m'a déjà vue avec.

— Haha! Tu penses qu'il s'en souvient? Voyons! Un gars, ça ne se souvient pas de ce genre de détail.

— Même s'il ne s'en souvient pas, j'aime mieux avoir quelque chose de neuf. Tu vas m'aider?

— Bien sûr que je vais t'aider! Je ne peux pas croire que tu as une *date* avec Felipe!

— Ce n'est pas une *date*, je te l'ai déjà dit. On y va en tant qu'amis. C'est même lui qui l'a dit ! Et puis, tu sais bien que je ne serais pas à l'aise d'y aller si c'était une *date*.

— Mais il a dit ça parce qu'il pense que tu as encore un chum ! Tu ne me feras pas croire qu'il ne veut pas plus et que tu ne veux pas plus, toi aussi !

— Pour ton information, Rox, j'ai encore un chum… enfin pour le moment.

— Mon Dieu, que tu es plate ! Vis donc un peu ! Tu t'en vas à la compétition de salsa la plus importante de l'année avec le plus beau des profs de salsa de Montréal qui, en plus, a le béguin pour toi ! Réveille !

— Je ne peux encore pas croire que tu sais ce que c'est ! Je pensais que c'était juste une soirée comme les autres où les danseurs étaient simplement des intermédiaires et pas des débutants.

— Pffff, tu vois ? Tu ne mérites même pas d'y aller ! C'est moi qui devrais y aller à ta place ! a-t-elle lancé en riant. En plus, je serais en bonne et belle compagnie !

— Haha ! Tu dis la même chose que Rose !

— Je dis la même chose que n'importe quelle femme dirait en le voyant. Ceci dit, elle doit être pas mal énervée, Rose, par toute cette situation.

— Si tu savais… Je regrette de lui avoir dit qu'il m'avait demandé de l'attendre après le cours. Je te jure, elle est presque en train de planifier mon mariage. Elle dit qu'elle le sait que c'est l'homme de ma vie.

— Oh ! Elle a peut-être hérité des mêmes dons que ta mère !

Nous avons rigolé ensemble sur les dons de clairvoyance de ma sœur et avons convenu de partir à la recherche de l'ensemble parfait vendredi, en fin de journée.

J'avais eu un léger sentiment de culpabilité en pensant à Georges après avoir accepté l'invitation de Felipe, mais, comme me l'avait hurlé Rose, j'avais le droit de sortir et d'avoir du plaisir sans lui.

***

Trois jours plus tard, j'attendais mon amie, assise dans un fauteuil de la réception, en feuilletant une vieille revue que j'avais trouvée sur la table basse, sous une montagne de journaux.

— C'est long! Depuis quand tu fais des heures supplémentaires? ai-je lancé à Roxanne qui était devant son ordinateur. Il est 17 h 30, un vendredi! Il n'y a plus personne au bureau.

— Je sais. J'attends.

— Tu attends quoi?

— De gagner les enchères.

— Quoi?

— Ben oui, pour un sac sur eBay.

— Tu me niaises?

— Non. Ça fait trois jours que j'attends ce moment. Il y a une acharnée qui n'arrête plus de renchérir sur mes offres. Eh ben, crois-moi, elle ne l'aura pas, le sac. Je fais semblant que je n'ai pas vu qu'elle a misé plus que moi et au dernier moment... BOUM! je vais mettre un dollar de plus qu'elle!

— Ben là! Il faut attendre combien de temps encore?

— Une minute!

J'ai regardé Roxanne qui trépignait devant son ordinateur à mesure que les secondes avançaient.

— HA! Voilà! Ouiiiiiiiiiii! Je l'ai! Tiens, l'acharnée! Bien fait pour toi!

J'ai fermé ma revue et je l'ai applaudie, enthousiaste.

— J'espère juste qu'il n'y a personne qui va vérifier ton historique de recherche.

— Je l'efface chaque jour. Tu me prends pour une débutante? m'a-t-elle demandé en enfilant son manteau et en éteignant son ordi.

— Tu es comme la professionnelle de la feinte de travail !

— Absolument !

— Bon, on va où ? Tu as des idées ?

— Ben, premièrement, comment tu veux t'habiller ?

— Sexy ! Belle !

— Oui, ça, je m'en doutais… Mais professionnelle ? Décontractée ? Pantalon ? Robe ?

— Je n'ai pas choisi. Mais je ne retourne pas dans le magasin de Barbie ! Je t'avertis.

— Une robe de sirène, ça ne t'aurait pas tentée pour une compétition ? Je suis sûre que tu aurais fait des ravages, m'a-t-elle dit en prenant les mêmes poses que la vendeuse qui m'avait aidée à trouver la robe bleue.

— On va laisser tomber ce genre de ravages. Je veux juste quelque chose qui soit moi sans être un tailleur.

Elle m'a détaillée de la tête aux pieds en réfléchissant. Puis un éclair a illuminé son regard.

— Tu sais ce qu'il te faut absolument ?

— Une styliste ? ai-je demandé, presque honteuse de m'être fait dévisager de la sorte.

— Non ! Une petite robe noire. C'est le morceau de vêtement que tu n'as pas et qui te sauverait du temps tellement de fois.

— Noir ? Ce n'est pas trop sinistre ?

— Certainement pas ! Tout le monde le sait que chaque femme a besoin d'une petite robe noire ! C'est décidé, on t'achète une petite robe noire ! Et on la prend avec décolleté.

Je lui ai emboîté le pas alors qu'elle marchait, sûre d'elle, vers une destination que je ne connaissais pas encore.

— As-tu du budget ?

— Ben… j'imagine. Mais si je paye cher, je veux que ce soit de qualité.

— Parfait !

Nous avons marché d'un bon pas jusqu'à l'avenue de la Montagne, sur laquelle nous avons tourné à droite.

— On va où ?

— Tu vas voir !

Cinq minutes plus tard, nous nous arrêtions au coin de Sherbrooke, devant la vitrine d'Holt Renfrew.

— Holt ? Tu es folle ! Tu penses que j'ai les moyens de me payer quelque chose de chez Holt ? Manifestement, tu penses que mon chèque de paye est beaucoup plus élevé qu'il ne l'est. Tu dois lui ajouter quelques zéros qui n'y sont pas…

— On ne sait jamais ! Des fois, ils ont des ventes. Et puis, ultimement, je ne t'ai pas emmenée ici pour que tu achètes.

— Non ? Pourquoi alors ? Pour que je pleure devant tout ce que je ne pourrai jamais m'acheter ?

— Oh ! Ça, ça passe. Non, je t'ai emmenée ici parce que ce sont eux qui sont à la fine pointe de la mode. On regarde ce qu'ils proposent et on essaie de retrouver le même genre ailleurs.

— C'est long comme processus !

— Pas quand tu aimes magasiner. Tu demanderas à ta sœur ! Je suis certaine qu'elle fait la même chose.

Nous sommes entrées dans le magasin.

— Essaie d'avoir l'air riche, sinon on va se faire repérer, m'a chuchoté Roxanne alors que nous marchions entre les comptoirs de parfums.

— On va se faire repérer ? De quoi tu parles ?

— Ben, ils vont savoir qu'on ne vient pas vraiment pour acheter, et ils ne vont pas s'occuper de nous.

— Me semble que c'est ça qu'on devrait vouloir… Pauvre vendeuse qui va perdre son temps avec nous et qui n'aura pas de commission.

— Veux-tu arrêter de penser à tout le monde comme ça ? Pense à toi et à ta petite robe noire.

Nous nous sommes dirigées vers le rayon des femmes. J'essayais de contenir ma surprise devant les prix exorbitants des vêtements.

— Mon Dieu, Rox, regarde ! Un chandail à 689 $. Ce doit être une erreur. Peut-être qu'ils ont oublié la virgule et ça devrait être 68,90 $.

— Non, je ne pense pas que c'est une erreur. Tu l'as touché ? C'est du cachemire.

— Et puis ? Est-ce que ça se transforme en or quand ce n'est plus à la mode ?

— Chut !

— Le monde est fou de payer un tel prix ! Franchement !

Elle m'a prise par le bras pour m'entraîner vers la section du prêt-à-porter.

— Bon ! Tu vois quelque chose que tu aimes ?

— Je ne sais pas. J'ai peur de regarder le prix.

— Laisse faire les prix. Fais juste regarder les styles. Qu'est-ce que tu penses de ça ? m'a-t-elle demandé en me présentant une robe courte.

— Trop court. J'aimerais quelque chose que je puisse porter avec des talons hauts. Pas mes ballerines, comme la dernière fois. Oh ! Regarde celle-là !

Je me suis dirigée vers la robe que je montrais à mon amie. C'était honnêtement la plus belle robe noire que j'avais vue de ma vie. Elle s'arrêtait un peu au-dessus des genoux, à manches trois-quarts avec un col rond et une jupe un peu ballon. Le haut par contre était très ajusté.

— Wow ! Elle est tellement belle ! Essaie-la !

— Quoi ? Je pensais qu'on venait juste voir les styles.

— Mais il faut que tu l'essaies pour voir si le style te va, franchement !

— Mais la vendeuse va penser que je vais l'acheter.

— C'est son travail. Tu penses que toutes les personnes qui viennent ici achètent?

— Ben oui… C'est pour ça que je ne viens jamais, aussi… Je n'ai pas les moyens d'acheter.

Elle a poussé un soupir de désespoir et a décroché la robe de son cintre.

— Va l'essayer pendant que je continue de chercher.

— Il faut que j'aille où? ai-je chuchoté, embarrassée.

— Dans les cabines!

— Non, ça, je sais mais elles sont où?

— Dans le fond.

— Combien de fois par semaine tu viens ici, Rox?

Une fois devant les cabines d'essayage, j'ai attendu quelques secondes en cherchant une vendeuse du regard. L'étage semblait désert. J'ai poussé la porte et j'ai pénétré dans un genre de garde-robe qui était aussi grand que mon appartement. Il y avait d'énormes fauteuils en cuir disposés côte à côte devant un énorme miroir. Je suis entrée dans une des cabines sur la pointe des pieds, comme si j'allais déranger quelqu'un. J'ai rapidement enfilé la robe et suis sortie pour me regarder dans le miroir.

Devant mon reflet, je n'ai pas pu m'empêcher de me redire ce que j'avais dit à Roxanne: c'était la plus belle petite robe noire que j'avais vue de ma vie. J'avais l'air d'être tout droit sortie d'une réunion décisive sur l'avenir de la haute couture. Elle était parfaite.

— Jas? ai-je entendu derrière moi.

Je me suis retournée vers Roxanne qui entrait timidement, comme je l'avais fait, dans les cabines d'essayage royales. Elle s'est arrêtée net.

— Oh, mon Dieu, c'est la plus belle robe noire de la terre.

— Je sais ! Je viens de me dire ça ! Tu as vu comme elle fait bien ? Elle est parfaite !

— Il faut que tu l'achètes. On ne trouvera jamais le même style ailleurs. Jamais.

— Je ne peux pas l'acheter. Je n'ai pas les moyens d'acheter ici, tu le sais bien !

Au même moment, la tête d'une vendeuse est apparue dans l'entrée des cabines.

— Bonjour ! Est-ce que je peux vous aider ?

Roxanne m'avait tellement stressée avec ses histoires de repérage que je ne savais plus comment ni quoi répondre.

— Oh, merci, ça va. Je ne faisais qu'essayer, je m'excuse, ai-je répondu, confuse.

— Voulez-vous voir d'autres styles ? Plus actuels, peut-être ? C'est un vieux modèle, cette robe. C'est pour ça qu'elle est en solde. Je ne comprends même pas pourquoi ils ne l'ont simplement pas retournée au fournisseur.

Mon regard a croisé celui de Roxanne, mais nous avons fait semblant de rien. Mon attention à ce que disait la vendeuse s'était rendue jusqu'à l'expression « en solde » et avait stagné là.

— N'hésitez pas à me faire signe si vous avez besoin d'aide, nous a-t-elle dit en sortant.

Je l'ai remerciée aimablement. Roxanne et moi n'avons pas prononcé un mot jusqu'à ce que nous soyons certaines qu'elle ne pouvait plus nous entendre.

— Elle est en vente ! Il faut que tu la prennes ! m'a dit précipitamment Roxanne à mi-voix.

— Je ne sais pas combien elle est ! Viens voir ! ai-je répondu tout aussi rapidement.

Je lui ai tourné le dos pour qu'elle puisse sortir l'étiquette de la robe.

— Tu es prête ?

— Oui ! Vas-y !

— Elle est 350 $... Moins 50 % !

Elle sautait de joie. J'ai pivoté vers le miroir en scrutant mon reflet pour la énième fois.

— Tu penses que je devrais ?

— Me poses-tu la question sérieusement ? Tu t'achètes des tailleurs mille fois moins beaux que ça au même prix ! Tu vas faire des ravages !

J'ai souri en me soulevant les cheveux pour m'imaginer le résultat avec une belle coiffure, pas celle du vendredi en fin de journée.

— O.K. ! Je la prends !

— Bonne décision ! Tu vas me la prêter ?

— Si tu promets d'y faire attention, oui !

J'ai retiré la robe, puis je me suis dirigée vers la caisse pour la payer. J'étais tellement contente de ma nouvelle acquisition que je n'ai pas accordé d'importance au regard désapprobateur à peine voilé de la vendeuse qui, apparemment, ne pouvait concevoir l'idée que quelqu'un achète une robe de la saison dernière. Sa carrière de vendeuse était vraiment vouée à l'échec. Elle n'avait aucun talent.

Nous sommes sorties du magasin en nous tapant dans les mains, en nous félicitant d'avoir pu dénicher un tel vêtement et en riant de la vendeuse précieuse.

— Envoie-moi une photo avant de sortir demain !

— Promis ! Tu es certaine que ça ne va pas faire trop habillée ?

— Jas ! As-tu déjà vu les vrais danseurs de salsa ? Pas les vrais des bars, là. Ils sont habillés avec plein de paillettes et de brillants. Tu vas être parfaite.

Avant que nous nous séparions devant la bouche de métro, je lui ai promis de prendre des vidéos des danseurs pour pouvoir les lui montrer.

Arrivée chez moi, je me suis précipitée vers la chambre pour essayer la robe de nouveau et être certaine de sa splendeur dans mon environnement quotidien. Je me suis souri devant le miroir. C'était confirmé. Il n'y avait pas d'hésitation comme ça avait été le cas avec la robe que Barbie m'avait vendue.

Terrorisée à l'idée d'être fatiguée le lendemain – et bien qu'ayant pris le temps de me faire un masque d'argile et de me tartiner de crème qui me promettait une jeunesse éternelle –, j'étais au lit à 22 h, immobile sur le dos pour ne pas étendre ma viscosité faciale sur mes oreillers.

***

À 16 h, le lendemain, j'ai décidé que c'était enfin le moment de commencer à me préparer et j'ai fait couler ma douche. Alors que j'ouvrais le rideau pour poser mon pied droit à l'intérieur, j'ai entendu mon téléphone sonner dans la cuisine. J'ai hésité un instant, mais j'ai refermé le rideau pour me diriger vers la sonnerie. C'était un numéro que je ne connaissais pas.

— Allô?

— ¿Hola? Jasmine?

— Oui.

— Salut! C'est Felipe!

— Oh, salut! Ça va?

J'ai eu un réflexe soudain de chercher à m'envelopper le corps d'un morceau de tissu. Comme je n'avais pas ma serviette de bain à portée de main, mon jeté de divan a écopé de la tâche. Je me sentais gênée de lui parler, flambant nue, devant ma table de cuisine.

— Oui, oui, ça va. Est-ce que je te dérange?

— Non, pas du tout, ai-je répondu d'une voix posée alors que je me débattais avec ma couverture pour la faire tenir.

— Parfait ! Je voulais savoir si tu étais libre un peu plus tôt qu'à l'heure de la compétition…

Rose m'avait dit de toujours avoir l'air occupée quand un gars me demandait de sortir. Je trouvais ce conseil profondément ridicule, mais je n'ai pas pu m'empêcher de le mettre en application au cas où ça aurait vraiment été une recette infaillible que j'étais la seule à ne pas connaître.

— Euh… j'ai des plans, mais je pourrais m'arranger. Qu'est-ce que tu avais en tête ?

— Je me suis dit que tu pourrais peut-être venir au café avant. On pourrait prendre un apéro ici et aller là-bas après.

— D'accord ! La compétition est à 20 h, alors si je suis là à 18 h 30, c'est bon ?

— Parfait !

Il m'a donné l'adresse avant de raccrocher. Je me suis ruée vers la salle de bain. J'avais une heure de moins pour me préparer et je ne comptais pas perdre une minute. Comme je ne voulais pas prendre la voiture pour y aller, je devais en plus compter quarante-cinq bonnes minutes pour le transport en autobus. Je prendrais le taxi en revenant.

Alors que je me frottais vigoureusement la tête avec mon shampooing, j'ai calculé qu'au final, il me restait une heure trente pour tout faire. Pendant que je laissais le shampooing agir, j'ai commencé à me raser les jambes, qui, je devais l'avouer, étaient en piteux état depuis que je vivais seule, et que la saison me permettait de les négliger. Même si j'avais décidé de relever mes cheveux, je me suis dit que j'allais probablement manquer de temps pour le faire et je me suis résoluc à les sécher et à les lisser au fer plat. De toute façon, j'allais probablement les remonter au courant de la soirée puisque, après environ trois heures, je jurais contre eux et je fouillais habituellement dans mon sac avec l'énergie du désespoir à la recherche d'un élastique, d'un crayon, ou même d'un bout de corde pour pouvoir les attacher.

Une fois mes cheveux, mon maquillage et mon rasage terminés, je me suis dirigée vers ma chambre pour prendre ma robe que j'avais sagement accrochée. J'ai d'abord enfilé des collants avant de me glisser dedans. J'ai mis une paire de talons hauts *peep toe* et je me suis retournée vers mon reflet. Je me reconnaissais à peine. J'ai marché jusqu'à la cuisine pour prendre mon téléphone et envoyer une photo de moi à Roxanne. Alors que je revenais dans ma chambre, il a vibré entre mes mains.

Rox, 17 h 33
Tu fais ce que tu veux, mais si j'étais toi, je ne mettrais pas mon manteau de directrice des communications. Mets ton blouson de cuir. Ça va être FOU avec la robe.

J'ai souri en lisant le texto de mon amie. J'ai agrippé mon blouson qui était pendu dans l'entrée, à côté de mon manteau de directrice des communications qui, en réalité, n'était qu'un imperméable noir bien normal. J'ai revêtu le blouson devant le miroir et j'ai pris une photo pour la lui envoyer. La sonnerie a retenti exactement trente secondes plus tard.

Rox, 17 h 38
Mon Dieu, quelle robe ! Muy bonita ! :)

J'ai rangé mon téléphone dans mon sac après l'avoir mis sur le mode vibration, puis je suis sortie de chez moi pour marcher jusqu'à l'arrêt d'autobus. Je me sentais un peu extravagante de me promener habillée ainsi en transport en commun, mais ça m'importait peu.

***

Cinquante minutes plus tard, j'étais face au café de Felipe, de l'autre côté de la rue. C'était petit, coincé entre deux autres commerces, mais avec une immense vitrine. Je le voyais s'affairer à l'intérieur et, soudain, je me suis demandé si je ne jouais pas avec le feu et si c'était vraiment une bonne idée, cette soirée. Je n'avais pas encore pris de décision en ce qui concernait Georges et, déjà, je me précipitais vers quelqu'un d'autre? Mon cerveau me disait de rebrousser chemin, mais mes pas se sont dirigés vers l'entrée du café. J'ai poussé la porte qui a fait sonner la petite clochette qui se trouvait dans le haut.

Il y avait une musique latine qui résonnait dans la salle. Les lumières étaient tamisées et des photos tapissaient les murs. J'ai regardé celles qui étaient devant moi, près de la porte d'entrée. Il y en avait de toutes sortes : des couchers de soleil, l'océan, des gens devant une petite maison et la dernière, celle d'un enfant et d'un homme qui se tenaient par la main. Au même moment, j'ai senti une main se poser sur mon épaule. Je me suis retournée et j'ai vu le visage de Felipe sur lequel se dessinait un large sourire.

— Allô! ai-je dit en l'embrassant nerveusement sur les deux joues.

— ¡Holà! Ouf... ¡Aye que linda!

Je n'étais pas certaine de ce qu'il venait de dire mais, à en juger par la brillance de ses yeux, c'était un compliment.

— Merci!

— Viens, viens, m'a-t-il dit. Tu veux boire quelque chose?

— Bien sûr! Surprends-moi. C'est ton café, après tout.

Il m'a tiré une chaise et a disparu derrière le bar. J'en ai profité pour enlever mon blouson et regarder autour de moi. Il y avait une dizaine de clients assis à quelques tables.

Certains lisaient le journal, alors que d'autres regardaient dehors, probablement enchantés d'être dans une ambiance aussi chaude et feutrée. Quelques minutes plus tard, Felipe s'est assis devant moi avec deux verres à café.

— Ce sont des cafés brésiliens. Tu aimes?

— J'aime tout ce qui a le mot «café» dedans!

Il m'a regardée, amusé.

— Je suis content que tu sois venue.

— Moi aussi! C'est vraiment génial comme endroit! C'est toi qui as décoré?

— Pour la plus grande partie, oui. Mais les gens peuvent accrocher leurs photos au mur. Celles qui leur rappellent leur pays ou bien celles où ils ont été heureux.

— J'en ai vu une dans l'entrée qui est très belle… Celle avec l'enfant dessus. C'est quelqu'un que tu connais qui l'a mise?

— Oui. C'est moi. C'est moi et mon père quand nous vivions encore en Colombie.

— Oh! Il vit ici aussi maintenant?

— Non. Il est mort là-bas, il y a dix ans.

— Oh, je suis désolée de l'apprendre. Pardon de t'avoir demandé.

— Mais non, ne t'excuse pas. Tu ne pouvais pas savoir. Il est mort à cause de toutes les guerres qu'il y a eu en Colombie entre l'armée et le cartel. Ça fait longtemps de ça. Ce n'était pas des belles années pour mon pays.

Je me sentais profondément inculte de ne pas en savoir plus sur ce dont il était en train de me parler. J'avais vaguement entendu parler de ces horribles années en Colombie, mais sans plus.

— De toute façon, on ne parlera pas de ça ce soir. Ça finirait par nous déprimer tous les deux. Parle-moi de toi un peu. Tu aimes toujours les cours de salsa?

Je lui ai été reconnaissante de savoir changer de sujet. Non seulement c'était déprimant, mais ça mettait aussi l'accent sur mon manque de culture générale. Nous avons parlé de mon coup de cœur pour la salsa depuis le début des cours, de ma sœur, de mon travail, de lui, de sa mère qui l'aimait comme s'il était la huitième merveille du monde (comme celle de Georges, mais la différence, c'était que Felipe refusait d'adhérer à l'image que sa mère lui renvoyait de lui), de la difficulté qu'ils avaient eue pendant leurs premières années au Québec à s'habituer au climat et, finalement, au café qu'il avait ouvert et où sa mère l'aidait vaillamment tous les jours.

— Je pense que c'est bon pour elle. Elle ne s'est jamais vraiment fait d'amis autres que Colombiens, ici. Elle vit dans la nostalgie de la Colombie et quand elle est au café, elle parle avec des gens qui sont comme elle. Des gens qui ont fui la guerre, mais qui gardent un amour très fort pour leur pays d'origine, m'a-t-il expliqué.

— Et toi? Tu t'ennuies de ton pays?

— Non, pas vraiment. J'étais dans le début de la vingtaine quand on est arrivés et je me suis fait une vie ici.

J'ai hoché la tête, songeuse.

— Quand même... ça doit être quelque chose de partir et de tout recommencer ailleurs.

— Oui, mais ça se fait. Et on apprend tellement!

Il m'a souri et a regardé sa montre.

— Il faudrait partir bientôt pour arriver à l'heure. Tu es prête?

— Déjà? Oui, allons-y.

Je n'avais pas vu l'heure passer. Nous nous sommes engouffrés dans un taxi après que Felipe eut donné ses dernières recommandations à son employé pour la fermeture du café. La compétition avait lieu dans la salle de réception d'un hôtel du centre-ville, pas très loin du club où nous nous étions rencontrés. Une fois à destination, Felipe a payé la course, même si j'insistais pour en payer au moins la moitié, et est sorti de la voiture pour en faire le tour afin de m'ouvrir la portière. N'étant pas habituée à ce genre d'attention, je l'avais déjà ouverte et j'avais un pied sur la chaussée quand il s'est posté devant moi. Il m'a néanmoins tendu la main pour m'aider à sortir.

Nous sommes entrés dans la salle et un placier nous a indiqué où nous devions nous asseoir. Quelques minutes plus tard, les lumières se sont tamisées et les danseurs ont pris place sur la piste.

J'étais bouche bée. Ils me semblaient tous aussi bons les uns que les autres et j'étais émerveillée devant l'habileté qu'ils avaient à réunir leurs deux corps pour n'en faire qu'un seul. Les costumes brillaient sous les jeux d'éclairage et rendaient le spectacle encore plus impressionnant pour une personne non expérimentée comme je l'étais. Je me suis légèrement tournée vers Felipe pour épier ses réactions. Bien entendu, il en connaissait plus que moi et était certainement plus en mesure de voir les erreurs, si erreurs il y avait. Il observait les danseurs sérieusement, les sourcils froncés, comme s'il devait se concentrer. De temps à autre, il effectuait de subtils mouvements de pieds assis sur sa chaise. Je l'ai trouvé adorable.

La compétition a duré deux heures. Deux heures de pur plaisir à regarder les danseurs se mouvoir au rythme d'une musique tantôt douce, tantôt endiablée. Si Roxanne avait su ce qu'elle manquait, elle m'aurait certainement assommée avant la compétition pour pouvoir prendre ma place. Felipe ou pas. Au moment où j'ai eu cette réflexion, je me suis rendu compte que je n'avais rien filmé pour pouvoir le lui montrer. De toute façon, je serais probablement tellement enthousiaste quand je lui raconterais le spectacle qu'elle n'aurait pas d'autre choix que de me croire sur parole.

Une fois les gagnants couronnés et les applaudissements terminés, Felipe s'est tourné vers moi.

— À notre tour maintenant?

— Quoi? Comment ça? Non! Je ne vais pas danser devant tous ces professionnels! Jamais de la vie!

— Non, pas ici, mais on est à deux coins de rue du club… On y va? Ça ne te donne pas le goût?

J'ai plongé mon regard dans le sien.

— Oui. Bonne idée!

Nous avons mis nos manteaux et sommes sortis. J'avais l'impression d'être dans un spa nordique, tant la différence entre l'ambiance chaude et sensuelle de l'intérieur et la froideur de l'extérieur était frappante. Je voulais retourner au chaud. Je ne voulais pas me laisser happer par la réalité.

Après une courte marche, Felipe m'a ouvert la porte du club. Le portier l'a salué et nous nous sommes dirigés vers le bar. Il m'a aidée à retirer mon blouson et l'a remis au barman avec le sien pour qu'il puisse les garder derrière le bar.

— Oh! Toi, tu connais les bonnes personnes! Pas besoin de faire la file au vestiaire! lui ai-je dit en riant.

Il m'a fait un clin d'œil affirmatif et a levé le bras pour attirer l'attention du barman de nouveau. Il a commandé cinq *shooters* de tequila et deux verres de *caïpirinhas*, dont j'avais appris le nom avant de partir de chez moi. Il a donné un *shooter* au barman après l'avoir remercié en espagnol, et il a pivoté vers moi en levant son verre. Nous avons bu la tequila d'une traite, et nous nous sommes retournés vers la piste de danse en savourant lentement notre cocktail.

Il n'a même pas fallu trois minutes avant que Felipe ne se lève devant moi et me tende la main. Son excitation me rappelait celle de Roxanne. J'étais hors de ma zone de confort dans ce club. En même temps, juste le fait d'avoir accepté de l'accompagner à la compétition était probablement le plus grand pas que j'avais fait de ma vie hors de ma zone de confort. J'ai bu le reste de ma *caïpirinha* d'un coup et j'ai regardé Felipe dans les yeux en hochant la tête. J'avais la ferme conviction que tant que mon regard restait accroché au sien, je n'étais pas dans un club de salsa entourée de plein de gens qui savaient mieux danser que moi. Tant que mon regard était plongé dans le sien, nous étions seuls et la piste nous appartenait.

Il n'a pas lâché ma main alors que nous tentions de nous frayer un chemin jusqu'à la piste de danse à travers les tables et les chaises. Une fois au milieu de tous les couples, il m'a pris la taille et m'a attirée vers lui. Je sentais son corps bouger contre le mien doucement mais fermement. J'étais à lui. Comme lorsque nous avions dansé seuls dans le studio, je sentais la chaleur qui émanait de son corps. Je sentais son désir et il pouvait aussi sentir le mien qui était à présent devenu plus fort que moi. Il m'a fait tournoyer, puis m'a ramenée à lui. Il a pris mon visage entre son pouce et son index, et a plaqué ses lèvres sur les miennes. J'ai fermé les yeux. Le monde n'existait plus. Il n'y avait que ses lèvres chaudes et douces contre les miennes. Je me suis laissée emporter par la douceur de son baiser. J'ai croisé les mains sur sa nuque et l'ai embrassé à mon tour en me collant encore plus à son corps.

J'ai ouvert les yeux lorsqu'un couple qui dansait près de nous nous a accrochés. J'ai reculé brusquement en regardant autour de moi comme si je venais de me réveiller. Je l'ai regardé, lui. Ses yeux brillaient et il me tenait encore la main.

— Je… je ne peux pas… Je dois partir.

Je ne lui ai pas laissé le temps de répondre ni même d'avoir une réaction. Je me suis précipitée vers le bar et j'ai hurlé au barman que j'avais besoin de mon blouson. Il me l'a tendu, perplexe, en cherchant Felipe du regard pour savoir s'il devait lui remettre son manteau aussi. Je le lui ai arraché des mains et j'ai couru vers la sortie pour prendre le premier taxi. Une fois à l'intérieur, je me suis calée sur la banquette et j'ai remonté mon col. Je savais que ma réaction avait été démesurée, mais elle n'avait pas été réfléchie. Il fallait que je sorte. Le besoin avait été impératif.

Je ne voulais pas être la fille qui trompe son chum. Je ne voulais pas être celle qui joue sur deux terrains en même temps. Je ne voulais pas être ce genre de fille, mais je ne voulais pas non plus être celle qui ressent des émotions aussi fortes pour quelqu'un d'autre que celui avec qui elle est en couple. Je voulais être qui? Je voulais quoi? Et Georges? Pauvre Georges! Ne méritait-il pas au moins de se faire laisser avant de se faire tromper?

Assise dans le taxi, je me rongeais les ongles en regardant par la fenêtre, complètement absorbée par mes pensées. Le chauffeur a même dû se retourner et me demander si c'était la bonne adresse. Nous étions arrivés, et je ne m'en étais même pas rendu compte.

Je suis sortie de la voiture et j'ai regardé l'heure. Il était bientôt minuit. Plutôt que de rentrer chez moi, j'ai marché jusqu'à mon auto qui était stationnée au coin de la rue. J'ai ouvert la portière et me suis installée derrière le volant. J'ai démarré et j'ai quitté mon stationnement, la tête au bord de l'explosion. Je savais exactement où je devais aller.

CHAPITRE 14

Une demi-heure plus tard, je me stationnais devant la maison de ma mère. Il était tard, elle serait sûrement paniquée de me voir débarquer en plein milieu de la nuit, mais j'avais besoin de la voir. J'avais besoin de me retrouver dans un environnement familier qui ne me rappelait ni Georges ni Felipe. J'ai cherché la clé de la maison familiale dans mon trousseau et j'ai déverrouillé la porte.

— Maman ?

Je l'ai entendue se lever de son lit et dévaler les escaliers jusqu'au premier étage. Elle a allumé les lumières du corridor. Ses yeux avaient de la difficulté à s'habituer à la clarté. Elle portait le même pyjama que lorsque Rose et moi habitions avec elle. Celui où il était écrit « Meilleure maman de la terre », et que nous lui avions offert il y avait environ quinze ans. Avec le temps, l'écriture avait presque disparu, mais ma mère n'avait jamais voulu s'en départir. Elle plissait les yeux, probablement en raison de la lumière et du fait qu'elle n'avait pas pris le temps de mettre ses lunettes.

— Jasmine ? Mais qu'est-ce qui se passe, ma chérie ?

Quand je l'ai entendue prononcer ces mots, quand je l'ai entendue me parler comme quand j'étais toute petite, j'ai fondu en larmes. J'ai tendu les bras vers elle. Elle a marché rapidement vers moi pour répondre à mon besoin d'étreinte.

— Qu'est-ce qu'il y a ? Qu'est-ce qui s'est passé ?

— Je ne veux plus être une adulte, maman, ai-je pleuré dans le creux de son cou. Je veux avoir cinq ans encore et ne pas prendre de décision.

Je l'ai sentie soupirer de soulagement. Elle s'était probablement imaginé le pire en me voyant arriver au beau milieu de la nuit. Elle m'a aidée à retirer mon blouson et m'a pris la main pour m'emmener jusqu'au salon. Elle a enveloppé mes épaules avec une couverture, a doucement essuyé mes larmes avec un mouchoir et s'est dirigée vers la cuisine.

Elle est revenue dans le salon cinq minutes plus tard en portant un plateau sur lequel se trouvaient deux tasses et une théière. Elle s'est assise à côté de moi, a versé du thé dans les deux tasses et m'en a tendu une. Je la regardais faire en reniflant.

— Je t'écoute, m'a-t-elle dit simplement en approchant sa tasse de ses lèvres.

— Je… Il n'y a rien à dire. Je ne sais plus quoi faire. Je pense que j'ai rencontré quelqu'un.

— Et c'est ça qui te fait pleurer ?

— Non, c'est la décision que je dois prendre qui me fait pleurer. Comment est-ce que je suis supposée savoir ce qui est le mieux ? Comment je peux être certaine que ce gars-là, cet autre gars, est mieux que Georges ? Peut-être que c'est juste un coup de foudre. Ça ne dure jamais, les coups de foudre. Regarde Rose ! Toute la peine que ses coups de foudre lui font parce qu'ils ne sont jamais les bons. Comment je fais pour savoir si c'est le bon ?

Ma mère m'a doucement flatté les cheveux en hochant la tête.

— Est-ce que c'est le gars de ton cours de danse ?

J'ai fait oui de la tête avant de prendre une gorgée de thé dans ma tasse que je tenais à deux mains.

— Rose t'en a parlé ?

— Rose m'a seulement dit qu'elle ne t'avait jamais vue comme ça. Elle m'a dit qu'à vous regarder, elle était certaine que vous étiez faits pour être ensemble.

— Oui, mais c'est Rose. Tu la connais, c'est ta fille! Ce n'est pas la personne la plus crédible quand il s'agit d'amour, elle est tellement fleur bleue.

— Peut-être, mais elle n'a jamais dit ça de toi et Georges.

J'ai déposé ma tasse sur la petite table basse et je me suis mouchée bruyamment.

— Toi, tu penses quoi? ai-je articulé péniblement.

— Moi? Je ne veux que ton bonheur, Jasmine. Tu es ma fille.

— Mais tu penses que je devrais faire quoi?

— C'est à toi de prendre ta décision. Pense à comment ce jeune homme te fait sentir et demande-toi si tu te sens comme ça avec Georges.

— Mais c'est sûr que non! Ça fait beaucoup plus longtemps que je suis avec Georges. On ne se sent plus comme ça après un moment.

— C'est là que tu fais erreur, Jasmine. Oui, la routine s'installe, mais la routine et l'amour, ce n'est pas la même chose. J'ai laissé ton père parce que je ne me sentais plus comme ça.

— C'est pour ça que tu l'as laissé? ai-je demandé d'une petite voix.

Ma mère ne parlait que très rarement de sa relation avec mon père. Je pense qu'elle s'en était voulue d'avoir fait des enfants avec un homme qui n'en voulait pas vraiment. D'ailleurs, après leur divorce, mon père était devenu de plus en plus distant avec nous, pour finir par ne nous envoyer qu'une carte de Noël chaque année. Rose lui avait parlé il y avait de cela quelques années, et il lui avait dit qu'il avait rencontré quelqu'un avec qui il avait décidé de fonder une nouvelle famille. Ma sœur en avait été si ébranlée qu'elle n'avait plus cherché à communiquer avec lui, trop blessée qu'il songe à avoir d'autres enfants alors qu'il n'assumait aucunement son rôle paternel avec nous.

— Oui. Je ne me sentais plus aimée comme avant, et je ne l'aimais plus avec la même force qu'au début non plus.

— Oui, mais maintenant tu es seule. Je ne veux pas être seule toute ma vie !

J'étais bien consciente de mon égocentrisme, mais c'était plus fort que moi.

— Ma chérie, tu ne seras pas seule. Tu es tellement jeune encore, tu as toute la vie devant toi. Ne la perds pas avec quelqu'un qui ne te regarde pas tous les matins comme la meilleure chose qui lui soit arrivée. Ça ne vaut pas le coup.

— Georges ne me regarde plus comme ça, ai-je laissé tomber.

Ma mère a passé un bras autour de mes épaules en silence et m'a embrassée dans les cheveux.

— C'est pour lui que tu t'es mise belle comme ça, ce soir ?

— Oui. On a été voir une compétition de salsa.

— Et tu as eu du plaisir ?

— Oui.

J'ai repensé à notre soirée. À son baiser. À ses yeux qui me regardaient comme si, effectivement, j'étais le bout du monde.

— Je l'ai embrassé, maman. Je suis la pire personne. Pauvre Georges.

— Tu as fait ce que ton cœur te disait de faire, Jasmine. Maintenant, suis-le. Sois honnête. Avec toi et avec les autres.

J'ai soupiré longuement. Je savais ce que j'avais à faire. À ce moment précis, je me suis rendu compte que je le savais depuis longtemps, ce que j'avais à faire. J'avais essayé de l'ignorer, de croire que tout finirait par s'arranger, mais ce n'était pas le cas. J'aimais encore Georges, mais pas comme au début. Pas pour passer ma vie avec lui.

— Oh, maman, c'est fini! C'est vraiment fini.

— Qu'est-ce qui est fini?

— Georges et moi. J'ai tellement fait d'efforts pour ranimer ce qu'on avait déjà eu, mais… mais je pense que c'est parti.

J'ai replié mes jambes et je me suis calé le visage sur les genoux en pleurant. Ma mère m'a serrée très fort et nous sommes restées là, côte à côte, assises sur le canapé, en silence.

— Il va falloir que je le lui dise, ai-je sangloté. C'est ça qui va être le plus difficile…

— Ça va être difficile, mais je pense que c'est la bonne chose à faire, ma chérie.

Je me suis couchée sur le sofa et j'ai mis ma tête sur les genoux de ma mère.

— Je suis heureuse que tu sois venue me voir ce soir. Ça me rassure de voir que tu as encore besoin de ta maman même si tu es rendue une grande fille.

J'ai souri à travers mes larmes.

— Je me suis toujours trouvée tellement différente de toi et de Rose, et je pensais que je retenais plus de papa, mais je me rends compte que, finalement, je ne suis pas si différente de vous.

— Tu vas voir, m'a-t-elle dit en passant ses doigts dans mes cheveux, ce n'est pas si pire que ça, être comme nous. Avec un peu de pratique, tu vas être une vraie championne!

Je me suis endormie sur les genoux de ma mère. J'étais épuisée. Épuisée d'avoir pleuré, épuisée d'avoir passé la soirée avec Felipe en essayant de combattre ce qui m'apparaissait maintenant comme une évidence, épuisée de vivre des montagnes russes d'émotions depuis deux mois.

Je me suis réveillée le lendemain matin au son de casse-roles qui provenait de la cuisine. J'ai repoussé la couverture qui m'enveloppait et me suis dirigée vers le bruit. Ma mère s'affairait à nous préparer à déjeuner. J'ai saisi une veste qui traînait sur le dossier d'une chaise et je l'ai mise sur mes épaules en m'asseyant à la table.

— Tu as bien dormi, chérie ? Tu veux un peu de café ? m'a-t-elle demandé en déposant une assiette de fruits frais devant moi.

— Bien dormi et oui pour le café. Je ne me suis même pas réveillée quand tu es allée te coucher !

— C'est parce que je suis restée sur le divan avec toi une bonne partie de la nuit. Tu dormais profondément quand je me suis levée.

Ma mère a sorti une assiette du four remplie de crêpes et est venue s'asseoir devant moi.

— Qu'est-ce que tu vas faire aujourd'hui ? m'a-t-elle questionnée en remplissant mon assiette comme si je n'allais pas manger pendant les trois prochains jours.

— Je vais appeler Georges.

Elle m'a regardée avec douceur.

— Mais je vais d'abord rentrer chez moi et prendre une bonne douche. Je me sens mieux ce matin. Comme si prendre la décision m'avait enlevé un énorme poids des épaules. Toi ? Qu'est-ce que tu vas faire ?

— Peut-être aller voir Youssef…

— Oh ! Il y a une conférence aujourd'hui ? Un dimanche ?

Ma mère m'a décoché un drôle de regard, comme si elle devait essayer de se convaincre de me dire quelque chose.

— Non… On avait planifié d'aller au parc marcher.

— Pourquoi ? Vous faites des conférences extéricures maintenant ?

Elle a pris une profonde respiration avant de me répondre.

— On se fréquente, Youssef et moi.

— Quoi ? ai-je dit en m'étouffant avec ma bouchée de crêpe. Depuis quand ?

— Quelques mois…

— Pourquoi tu n'as rien dit ? Rose le sait ?

— Non… Je suis votre mère. Mon rôle, c'est de vous écouter, de vous guider et de vous consoler. Je savais que ça n'allait pas vraiment bien entre toi et Georges, et je voyais que Rose avait de la difficulté avec ses amours aussi. Je ne voulais pas vous embêter.

— Oh, maman !

J'ai regardé ma mère avec des yeux ronds, complètement déroutée. Maintes fois, je lui avais reproché de ne pas être assez maternelle et trop ésotérique. Pourtant, ce matin, elle me prouvait le contraire. J'avais devant moi une femme dont je ne soupçonnais pas l'existence. Une femme qui aimait, et voulait se faire aimer par un homme, et qui essayait de concilier son rôle de mère à cette nouvelle situation.

— Toi et ta sœur êtes les deux êtres les plus importants dans ma vie. Votre bonheur passe avant le mien, tu le sais bien.

Je me suis levée d'un bond et j'ai serré ma mère dans mes bras. Je me retenais pour ne pas pleurer, mais pas de tristesse cette fois.

— Je t'aime, maman, lui ai-je simplement dit.

— Moi aussi, ma chérie. Allez, mange pendant que c'est encore chaud ! Tu as besoin de reprendre des forces.

J'ai fini mon déjeuner et j'ai quitté la maison de ma mère en lui promettant de lui téléphoner bientôt. Je ne pouvais pas croire qu'elle avait un chum ! Ma mère ! J'ai souri toute seule au volant de ma voiture. Mes pensées se sont ensuite tournées vers Felipe. Il m'avait envoyé un texto alors que j'étais chez ma mère pour me demander si j'étais correcte, mais je ne lui avais pas répondu. Je voulais attendre d'avoir parlé à Georges. Je ne voulais mentir à aucun des deux. Inévitablement, quelqu'un allait avoir de la peine à cause de moi, mais je voulais rester honnête.

J'ai stationné la voiture devant chez moi et suis entrée dans l'appartement. J'ai lentement marché de pièce en pièce, à me remémorer les souvenirs des moments que j'avais partagés ici avec Georges. Je ne pouvais presque pas croire que j'allais le laisser. Je me suis assise sur le sofa et j'ai fixé ses bâtons de golf dans un coin du salon. Est-ce que je prenais la bonne décision ? Est-ce que je voyais ma vie sans Georges ? Est-ce que je ne laissais pas tout tomber pour un feu de paille ?

J'ai soupiré en me levant pour me rendre à la salle de bain. J'ai fait couler l'eau et me suis dévêtue lentement. Je savais que je devais appeler Georges après avoir pris ma douche et j'y suis restée le plus longtemps possible. J'ai essayé de retrouver les mêmes émotions que la veille, chez ma mère. Je voulais retrouver la certitude que j'avais eue. Plus les minutes passaient, plus je la sentais s'estomper. Finalement, je suis sortie de sous l'eau après quarante-cinq bonnes minutes. De toute façon, il fallait bien que je l'appelle. Je verrais comment irait la conversation et j'agirais en conséquence. J'ai attaché mes cheveux mouillés et j'ai mis un jeans et un coton ouaté.

Je me suis assise devant mon ordinateur et j'ai lancé Skype. J'ai pris une grande respiration et j'ai cliqué sur « appel vidéo ». Après cinq coups, je me suis rendue à l'évidence que Georges n'était pas dans sa chambre. Ou pas devant son ordinateur. J'en étais presque soulagée.

J'ai ouvert mon profil Facebook pour tuer le temps. Je savais pertinemment que si je m'éloignais de mon ordinateur, je trouverais une excuse pour ne pas y revenir. J'avais une notification de Roxanne qui avait affiché sur mon mur une vidéo de danseurs de salsa professionnels en inscrivant «*CALIENTE*» en majuscules en guise de commentaire. J'ai souri en levant les yeux au ciel. Elle devait attendre mon appel pour savoir comment ma soirée s'était déroulée. Je suis retournée sur mon fil d'actualité. J'ai cliqué sur une photo qu'un collègue de Georges, que j'avais rencontré quelques fois, avait publiée. On y voyait les membres de l'équipe du Grand Nord. Ils étaient assis autour d'une table dans un bar avec des pichets de bière. «Ça fait presque du bien d'être de retour dans des températures glaciales!» avait-il écrit. J'ai regardé chaque visage à la recherche de celui de Georges, mais je ne le trouvais pas.

Puis mon regard s'est attardé sur un couple en arrière-plan. J'ai agrandi la photo et j'ai rapproché l'écran de mes yeux. Mon cœur a arrêté de battre l'espace de quelques secondes. Le couple, c'était Georges avec une fille. Il était devant elle et avait les deux mains posées sur le mur où elle était accotée. Ses bras à elle étaient noués autour du cou de mon copain. La distance d'environ trois centimètres qui séparait leurs deux visages et leurs sourires béats ne laissaient aucun doute sur ce qui s'était passé après la photo.

Je me suis éloignée de l'écran et j'ai violemment fermé l'ordinateur. Je ne pouvais pas y croire. Je me sentais comme si on venait de m'ouvrir la poitrine sans anesthésie, qu'on m'avait arraché le cœur, et qu'on me le montrait en riant. Je tournais en rond dans le salon, comme un animal en cage. Comment avait-il pu? Comment avait-il osé me dire qu'il m'aimait encore alors qu'il couchait probablement déjà avec elle avant qu'il ne revienne passer la fin de semaine à Montréal? Comment avait-il osé revenir à Montréal tout court, et me regarder dans les yeux? J'ai poussé un cri de rage et j'ai saisi mon téléphone pour composer le numéro de ma sœur.

— Rose? ai-je hurlé en entendant sa voix à l'autre bout du fil. Viens chez moi. MAINTENANT!

J'ai aussitôt raccroché. Je savais que peu importe ce qu'elle était en train de faire, elle allait le laisser tomber pour venir. J'ai lancé mon téléphone sur le divan et j'ai continué à faire les cent pas. Je ne voulais pas revoir la photo. Pas toute seule, du moins. J'ai marché jusqu'au réfrigérateur et j'ai sorti une bouteille de vin. Il n'était pas encore midi, mais j'avais toutes les raisons du monde pour justifier la rasade que je venais de me verser dans un verre de bière.

Trente minutes plus tard, Rose a sonné à la porte. Je me suis levée de la chaise avec la bouteille de vin dans la main. Le verre était décidément trop petit pour contenir la quantité d'alcool dans laquelle je voulais me noyer. Au dernier moment, j'ai dû me retenir contre le mur pour ne pas tomber. J'ai ouvert la porte devant Rose, qui me regardait, complètement paniquée.

— Veux-tu ben me dire ce qui se passe?

— Tu veux savoir ce qui se passe? ai-je crié.

Je me suis dirigée vers mon bureau et j'ai ouvert l'ordinateur en montrant l'écran à ma sœur.

— C'est ça qui se passe! Ça!

Elle m'a dévisagée, surprise, et s'est avancée vers le portable en enlevant son foulard. Elle a scruté la photo, désespérément à la recherche de ce qui me mettait si en colère. Je la regardais froncer les sourcils, concentrée.

— Je ne vois rien…, a-t-elle dit après quelques secondes.

J'ai posé la bouteille à côté de l'écran et j'ai agrandi la photo, comme je l'avais fait une heure auparavant.

— Ça, tu le vois? ai-je aboyé en pointant l'index vers Georges.

Maintenant qu'elle savait quoi regarder, elle a approché l'écran de ses yeux.

— Mais… mais c'est Georges?

— Oui, c'est Georges! Et la fille avec qui il est, ben, ce n'est pas moi!

— OH! NON!

J'ai repris la bouteille et j'ai bu une grosse gorgée avant de continuer:

— Tu te rends compte de ce que ça veut dire?

Ma sœur me fixait, pendue à mes lèvres, probablement trop terrifiée pour répondre. Je devais effectivement faire peur.

— Ça veut dire que je suis cocue. C-O-C-U-E! ai-je épelé en criant.

— Mais… c'est qui, cette fille?

— Tu penses que je le sais? Tu penses qu'il me l'a dit, le chien sale?

Je hurlais chaque mot. Rose s'est retournée vers l'écran et en a regardé le coin droit.

— Valérie St-Pierre, a-t-elle murmuré.

— Quoi? C'est qui?

— C'est la fille. Regarde, son nom est dans la légende de la photo. Il y a juste un nom de fille, alors ça doit être elle…

Elle a jeté un coup d'œil dans ma direction avant de cliquer sur le nom. Je me suis assise à côté d'elle, toujours avec ma bouteille dans les mains.

— Pfff, Valérie St-Pierre, ça a l'air d'un nom de briseuse de couple en plus. Jamais je n'appellerais ma fille Valérie.

Rose a regardé la bouteille de vin dont j'avais bu plus de la moitié en une heure et a tourné la tête vers l'ordinateur. Le message était clair.

— Quand même, faut le faire, tromper sa blonde et oser revenir passer une fin de semaine avec elle… C'est quoi, il voulait juste s'assurer qu'il ne manquait rien avec moi?

— Je sais…, a répondu ma sœur. Je ne peux pas y croire. Et en plus, c'est super public, son affaire! Ils sont dans un bar! Tu l'as vue ce matin, la photo?

— Oui! J'ai dormi chez maman cette nuit et je l'ai vue en revenant.

— Tu as dormi chez maman? Pourquoi?

— Ce n'est pas important, montre-moi son profil.

— Es-tu certaine? Tu le sais bien que ça va juste te faire encore plus mal.

— Je m'en fous! Tu penses que je n'ai pas mal, là?

Rose a cliqué sur le nom. Elle n'avait pas vraiment eu le choix: j'avais posé ma main sur la sienne pour qu'elle le fasse.

— Ça dit qu'elle est stagiaire pour la firme de Georges.

— Stagiaire! Ben oui! Stagiaire de briseuse de couple? Je ne peux pas croire qu'il m'a trompée avec la stagiaire. C'est tellement cliché.

Rose gardait le silence. Il n'y avait que trois photos qui étaient publiques et qu'on pouvait voir sans être son amie: une d'elle en bikini tellement petit que ça s'apparentait plus à une ficelle qu'à autre chose, une où elle posait au pied de la tour Eiffel et la dernière, où elle s'apprêtait sûrement à sortir dans un club, puisqu'elle était en minirobe et en talons hauts. Elle ne me ressemblait pas. Elle ressemblait à la vendeuse du magasin de Barbie.

— Je ne peux pas y croire! Tu vois sa robe sur la troisième photo? C'est celle que Roxanne m'a fait essayer pour rire! Pour rire! me suis-je insurgée. Et elle, elle la porte sérieusement! Tu as vu de quoi elle a l'air? D'une pute! Et peux-tu croire qu'il me disait quasiment que ma robe était *too much* quand je suis sortie avec Roxanne? Et elle, elle est pas *too much*, tu penses?

J'ai ravalé mes larmes. Je ne voulais pas pleurer tout de suite; j'avais encore trop de rage. Ça me mettait hors de moi de voir ces photos. À mon plus grand désespoir, je devais admettre que c'était une belle fille malgré tous ses artifices pompeux et ridicules.

— Et tu sais c'est quoi, le plus ironique dans toute l'histoire? ai-je continué.

— Quoi?

— Je l'ai appelé tantôt pour le laisser. Il n'a pas répondu et je suis allée sur Facebook pour passer le temps jusqu'à ce que j'arrive à le joindre.

— C'est vrai? Tu as finalement pris la décision? Au moins, tu es assurée que c'est la bonne.

— Alors, si je comprends bien, tu penses que je suis chanceuse?

— Non, pas du tout, voyons! Je le déteste de t'avoir fait ça, tu le sais bien.

— Comment est-ce qu'il a pu me faire ça? Comment? Tu penses qu'ils ont ri de moi, ensemble?

J'ai mis ma tête entre mes mains. Rose m'a frotté le dos. Je savais qu'elle cherchait quelque chose à me dire, mais je ne lui laissais pas le temps de placer un mot.

— Et moi qui l'attendais! Moi qui me suis retenue avec Felipe parce que je ne voulais pas faire ça à Georges! Je voulais le laisser avant de faire quoi que ce soit. C'est moi la pauvre conne dans l'histoire.

— Arrête, Jasmine. Je ne sais pas ce qui s'est passé avec Felipe, mais ce que je sais, c'est que tu as agi comme une bonne personne. C'est Georges, le dégueulasse. Ne doute jamais de ça.

— Ça fait combien de temps que ça dure, tu penses, son histoire?

— Je… je ne sais pas, Jas. Ce n'est pas à moi que tu dois poser ces questions. Tu ne devrais même pas les poser. Ça va juste te faire du mal. Tu voulais le laisser, alors laisse-le. Passe à autre chose.

— Passer à autre chose ? Comment je suis supposée faire ça, Rose ? Comment je suis supposée espérer commencer une nouvelle relation un jour sans être terrorisée par l'idée de me faire tromper ?

— Le bon gars ne te fera pas ça. C'est toi-même qui me l'as dit. Georges n'a jamais été le bon. Je le savais, moi.

J'ai regardé ma sœur et j'ai éclaté en sanglots. Je me sentais tellement minuscule, tellement trahie, tellement brisée.

— Je voudrais ne l'avoir jamais connu. Comment je vais faire pour le regarder dans les yeux ?

— Tu n'as plus à le regarder dans les yeux. C'est fini, Jas. Il ne te reste plus qu'à lui dire.

Elle a doucement retiré la bouteille de vin de mes mains et est partie avec dans la cuisine. Elle en est ressortie quelques minutes plus tard avec un grand verre d'eau et une boîte de mouchoirs.

— Bois ça. C'est mieux pour toi.

Docile, j'ai pris le verre qu'elle me tendait.

— Je suis tellement tannée de pleurer tout le temps, ai-je dit en me mouchant.

— Veux-tu que je passe l'après-midi avec toi ? J'ai un rendez-vous avec une amie, mais je peux l'annuler si tu as besoin de moi.

— Non… non, ai-je répondu en m'éclaircissant la gorge. J'ai texté Roxanne. Elle s'en vient.

— O.K. Tu veux que je l'attende avec toi ?

— Non, ça va. Va rejoindre ton amie, ai-je dit en essayant de sourire pour la rassurer.

— Je vais quand même attendre, franchement! Comme si j'allais te laisser toute seule.

Elle est venue s'asseoir à côté de moi, sur le canapé.

— Je le déteste, Rose. Si tu savais comme je le déteste!

Elle a pris ma main et l'a gardée sur elle. Un instant plus tard, la sonnette a retenti. Ma sœur s'est levée pour se diriger vers la porte en agrippant son manteau par la même occasion. Je l'ai suivie en traînant les pieds. C'est Rose qui a ouvert. Elle a regardé Roxanne qui était aussi inquiète qu'elle-même à son arrivée.

— Qu'est-ce qui se passe? J'ai fait aussi vite que j'ai pu.

— Georges l'a trompée, a répondu ma sœur en chuchotant, comme si c'était un secret que je ne devais pas entendre.

— QUOI? Non! Pas vrai!

— Je vous laisse. Jasmine, appelle-moi plus tard, m'a ordonné ma sœur en quittant mon appartement.

J'ai hoché la tête et j'ai regardé Roxanne debout devant moi dans le corridor. Elle avait l'air incrédule.

— Il te l'a dit?

— Qu'est-ce que tu en penses? Bien sûr que non. Je l'ai vu sur Facebook.

J'ai traîné mon amie par la main jusque devant l'ordinateur pour lui montrer la photo. La rage que j'avais extériorisée avec ma sœur s'était envolée. En l'espace de trente minutes, j'avais l'impression que toute la lourdeur du monde s'était abattue sur mes épaules. Je me sentais épuisée physiquement, mais mon cerveau fonctionnait à cent milles à l'heure. Je repensais à des phrases que Georges m'avait dites, et je les comprenais maintenant différemment.

— Je ne peux pas y croire, a murmuré Roxanne, médusée devant l'écran. C'est qui?

— La stagiaire. Rose et moi, on a regardé son profil.

— Quel épais!

— Comme je le disais à Rose, le plus ironique, c'est que je l'appelais pour le laisser. J'avais finalement pris ma décision après avoir braillé une bonne partie de la nuit sur les genoux de ma mère. Et tu sais quoi? Plus j'y pense, plus je réalise qu'il m'avait donné tous les signes.

— Comment ça?

— Tu te souviens quand j'ai été le reconduire à l'aéroport? Il m'a regardée avec un drôle d'air et il m'a demandé si j'allais être correcte sans lui.

— Et puis?

— Moi, je pensais qu'il voulait dire pendant qu'il allait être dans le Grand Nord, mais peut-être qu'il me parlait de la vie.

— Ça, ça impliquerait qu'il la connaissait avant qu'il parte et qu'il se passait déjà quelque chose entre les deux.

— Je sais, ai-je répondu, douloureusement. Et tu te souviens de la baise qu'on a eue quand il est revenu? Je t'ai juste parlé de la durée, mais il n'a jamais voulu que j'allume les lumières. Il n'a jamais voulu me regarder dans les yeux. Et quand il n'est pas rentré et que je l'attendais en déshabillé toute seule dans la chambre… Tout ça, c'était des signes. Je ne voulais juste pas les voir.

— Qu'est-ce que tu vas lui dire?

— Je ne sais pas encore. Enfin, je vais lui dire que je ne veux plus être avec, mais je ne sais pas comment je vais aborder tout le reste.

— Je ne peux pas croire qu'il t'ait fait ça. Moi, je mettrais son linge à la rue.

— Je ne peux pas faire ça, Rox, ai-je dit en soupirant.

— Qu'est-ce que je peux faire?

— Rien. Je voudrais que quelqu'un d'autre le fasse à ma place. C'est la seule chose que je voudrais, mais c'est moi qui dois le faire. Je ne sais même pas comment je vais réussir à le regarder sur Skype. Il m'écœure.

Elle m'a regardée d'un air triste.

— Tu n'es pas obligée de le faire aujourd'hui…

— Oui. Je veux en finir. Il va probablement m'appeler quand il va voir que j'ai essayé de le joindre. Et puis, demain, il va m'écœurer autant qu'il m'écœure aujourd'hui.

— Est-ce que tu me permets de te poser une question ?

— Depuis quand tu me le demandes ? Ben oui !

— Qu'est-ce qui t'a poussée à le laisser ? Est-ce que c'est ta soirée d'hier ?

— Oui, entre autres. Je ne veux pas t'en parler aujourd'hui, mais oui, je me suis rendu compte que je ressentais quelque chose de fort pour Felipe et que ce n'était pas normal de ressentir ce genre de chose pour un autre gars que son chum.

— Ooooohhhhhhh ! Raconte !

— Tu le sauras, mais pas maintenant. Je te le raconterais sans enthousiasme et j'ai vraiment eu une belle soirée.

J'ai soupiré longuement.

— Je ne peux pas croire que je vais le laisser pour vrai, Rox. Qu'on ne vivra plus ensemble. Ça me fait bizarre d'y penser.

— C'est normal, mais tu vas être correcte. Regarde, ça fait presque trois mois que tu es seule ici et ce n'est pas si pire. Bon, il y a toujours l'épisode des assiettes à pizzas pochettes que tu peinturais, mais c'était peut-être juste une expérience que tu devais vivre !

J'ai ri. Juste un peu. À travers mes larmes, ma haine et mon dégoût.

— Merci de me faire rire, même si c'est en riant de moi. Ça fait du bien. J'ai l'impression que ça fait depuis que Georges est parti que je pleure. Je dois commencer à t'énerver.

— Toi ? Jamais ! Tu pourrais pleurer toute la vie, tu ne m'énerverais pas. Je ne serais pas particulièrement enchantée, mais tu ne m'énerverais pas. Ce n'est pas facile, ce que tu vis, Jas. Tu as marché sur tes propres émotions quand Georges t'a dit qu'il partait pour qu'il puisse réaliser son rêve à lui. Tu as tout essayé pour que la relation fonctionne même si c'était à distance. C'est sa perte. C'est lui qui ne s'est jamais rendu compte de ta valeur. Laisse-le être avec sa Barbie de stagiaire et laisse-la se faire tromper à son tour parce que je t'assure que c'est ça qui va arriver. Tu vaux plus que toutes ces histoires à la con.

J'ai serré sa main, incapable de prononcer le moindre mot.

— Allez, viens, je t'emmène manger, m'a-t-elle dit. Tu vas avoir besoin de force pour faire face au gros imbécile tantôt.

— Je ne veux pas sortir.

— On n'ira pas loin. Qu'est-ce que tu penses du petit chinois à côté du métro?

— Ark! Il n'y a jamais personne. Ce doit être pour une raison.

— Parfait! On va pouvoir être tranquilles.

— Je ne suis pas sortable…

— Me niaises-tu? Il n'y a jamais personne et tu es ben correcte.

Je me suis levée à contrecœur pour la suivre dans le vestibule. Nous nous sommes habillées, et je l'ai accompagnée péniblement jusqu'au restaurant du coin. Elle m'a tenu la main tout le long. J'avais fait tellement de tours avec mon foulard qu'au moins, personne ne pouvait voir que je ne faisais que pleurer et renifler dedans. Nous avons marché en silence. Une fois à l'intérieur du miteux établissement, je me suis affaissée sur la chaise et j'ai écouté Roxanne passer la commande. Je n'avais pas faim, mon estomac était à l'envers, et je commençais à ressentir les effets désagréables de ma beuverie matinale. Elle a insisté pour que je mange au minimum une soupe. Je l'ai fait, de peine et de misère. Au fur et à mesure que les minutes passaient, je sentais mon estomac se nouer et j'avais l'impression que j'allais mourir, étouffée par mes organes qui s'emmêlaient entre eux. Je pensais à Georges et je sentais que j'allais être malade. Je voyais bien que Roxanne s'efforçait de me changer les idées et de me faire rire, mais je l'écoutais à peine. Je regardais ma soupe, je regardais mon reflet dans la vitrine sale du restaurant, et je me demandais comment j'en étais arrivée là.

Une demi-heure plus tard, nous sortions du restaurant. Roxanne voulait m'accompagner jusque chez moi, mais j'avais besoin d'être seule avant de parler à Georges. Je lui ai promis d'être au bureau le lendemain et de tout lui dire. Elle m'a serrée dans ses bras, m'a embrassée sur la joue et m'a laissée partir, les jambes et le cœur lourds, vers ma rupture.

CHAPITRE 15

J'avais eu tort de penser que Georges allait me rappeler quand il allait voir que j'avais essayé de le joindre. Cinq heures s'étaient écoulées depuis mon appel et je n'avais encore aucune nouvelle de lui. Au point où nous en étions, je me suis dit qu'il ignorait probablement mes appels ou, pire encore, qu'il était avec sa stagiaire. Plus les heures avaient passé, plus j'avais senti la rage revenir en moi.

À 18 h, j'ai tenté de l'appeler pour la seconde fois. Au bout de trois coups, j'ai entendu sa voix. Il a fallu un peu plus de temps pour que l'écran affiche son visage. Je l'ai entendu me dire d'attendre un peu : sa caméra n'était pas allumée. Je le regardais, mais je ne le voyais plus de la même façon. Je le méprisais. Je le maudissais. Je le haïssais.

— Bon ! Salut, ça va ? m'a-t-il dit finalement.

— Pas vraiment, non.

— Pourquoi ?

— Devine… Tu n'as rien à me dire ?

Il m'a regardée avec un air qu'il voulait intentionnellement perplexe, j'en étais sûre.

— De quoi tu parles ?

— Si je te parle de ta stagiaire, as-tu quelque chose à me dire ? Valérie St-Pierre, ça te dit quelque chose ?

Il a gardé le silence. Je l'observais. L'image n'était pas assez bonne pour que je puisse voir son visage rougir, son regard fuyant ou les gouttes de sueur qui perlaient sur son front. Je me les suis tout de même imaginés. Il fallait que je les imagine. J'avais besoin de croire que ces trois dernières années avec lui n'avaient pas été uniquement un mensonge.

— Je… je ne comprends pas, m'a-t-il répondu d'une voix pitoyable.

Je pense que s'il m'avait tout avoué du premier coup, j'aurais gardé une infime partie du respect que j'avais déjà eu pour lui, mais visiblement il préférait jouer la carte du gars qui n'a rien à se reprocher, et qui ne comprend pas les accusations que sa blonde porte contre lui.

— Tu ne comprends pas? Qu'est-ce que tu ne comprends pas, Georges? Peut-être que tu devrais aller voir la photo que ton ami Louis a mise sur Facebook dans ce cas-là. Ça rafraîchirait ta mémoire.

— Mais… de quoi tu parles? Quelle photo?

J'ai explosé.

— La photo où tu la tiens quasiment dans tes bras, ta stagiaire! Va la voir. Allez, vas-y. Je reste en ligne.

Il m'a regardée d'un drôle d'air. Ses yeux se sont ensuite dirigés vers le bas de son écran. J'en ai déduit qu'il lançait son application Facebook pour aller voir. J'ai vu ses sourcils se froncer, probablement à la recherche de sa personne dans la photo en question. Il s'est raclé la gorge et a fixé sa caméra pour revenir à moi.

— La photo avec les gars au bar?

— Oui, la photo avec les gars au bar!

— Mais je ne fais rien! Il y avait beaucoup de bruit, on n'entendait rien. Je n'avais pas le choix d'être proche!

— Mais je rêve!… Georges, tu me prends pour une épaisse?

— Quoi? Mais non!

— Ben, arrête de me dire n'importe quoi. La photo, elle ne trompe personne. Ou plutôt si, elle me trompe, moi. Ne viens surtout pas me faire croire que tu t'es mis dans cette position parce que tu n'entendais pas ce que ta greluche te disait. Ça fait combien de temps que ça dure? Ça fait combien de temps que je suis la pauvre conne qui t'attend à la maison?

— Mais, Jasmine… je ne sais pas de quoi tu parles.

— Arrête, Georges. Plus tu nies, plus tu es pathétique.

— Mais… je…

— Je ne peux pas croire que tu as eu le culot de me faire ça! As-tu pensé à moi? As-tu pensé à comment ça m'aurait fait sentir? Non, bien sûr que non! Tu as pensé à toi! Comme toujours! À toi seulement.

Je criais. Lui, il ne disait rien. Au moins, il avait cessé de nier. Il avait un visage coupable.

— Et dire que je me disais que c'était juste une période difficile parce que tu étais loin! Te rends-tu compte combien j'ai été naïve? Pourquoi tu es revenu, Georges? Pourquoi?

— Je… je n'ai jamais voulu te faire de peine.

— C'est toujours ça que tu dis, mais tu vois? Tu me vois là? Tu m'en fais de la peine. Tu m'en as fait.

J'ai fait une pause avant de continuer. Je sentais la question que je ne voulais initialement pas poser se former dans ma tête, s'imposer dans mes pensées. J'ai pris mon courage à deux mains, et lui ai demandé, presque en fermant les yeux de peur d'entendre sa réponse:

— Georges, par respect pour ce que nous avons eu ensemble, par respect pour moi, dis-moi la vérité. As-tu couché avec?

J'ai eu l'impression que chaque seconde de son silence était une éternité. Il regardait le clavier de son ordinateur en se tenant la tête à deux mains. Puis il a relevé les yeux, m'a regardée, ses lèvres se sont ouvertes et il a murmuré un « oui » à peine audible avant de reporter son regard sur son clavier.

J'ai fondu en larmes, même si ce n'était pas une surprise. Je l'avais senti dans mes tripes que quelque chose n'allait pas quand il ne m'appelait presque plus, quand il m'avait tourné le dos après avoir fait l'amour et quand il avait préféré rester avec ses amis au bar alors qu'il savait que je l'attendais. Toutes mes certitudes ne m'exemptaient malheureusement pas du choc de la réalité.

Je m'en voulais de me montrer si vulnérable devant lui, qui n'avait probablement pas hésité une seconde devant le décolleté refait de sa stagiaire (j'avais automatiquement présumé qu'il était refait à partir du moment où j'avais constaté qu'elle portait des robes de sirène). J'avais l'impression, plus que jamais, de verser des larmes pour quelqu'un qui ne les valait pas. J'ai attrapé un mouchoir et j'ai essuyé mes yeux. Il me regardait d'un air implorant qui me dégoûtait. J'ai pris une grande inspiration.

— Je ne veux plus te voir. Tu vas venir chercher tes affaires et tu vas partir.

— Mais…

— Je ne veux plus rien entendre. Je me fous complètement de l'endroit où tu iras. Va chez ta mère, chez ta stagiaire, en dessous d'un pont que tu as construit, je m'en fous. Je ne veux plus te voir ici. Pour les meubles et les électros qu'on a achetés ensemble, on communiquera par courriel pour voir ce qu'on va faire.

— …

— Je n'ai plus rien d'autre à te dire. La seule chose positive de toute cette histoire, c'est que, grâce à ton égocentrisme, je ne te pleurerai pas longtemps. Écris-moi pour me dire la date où tu penses venir chercher tes choses, et pour les meubles. Sinon je ne veux même pas voir ton nom dans ma boîte de courriel. Salut!

J'ai cliqué sur l'icône pour mettre fin à l'appel. J'ai éteint mon ordinateur et me suis levée de ma chaise, comme pour vraiment mettre fin à la conversation que je venais d'avoir.

Étrangement, le poids qui me pesait depuis l'après-midi s'était envolé. Oui, ma fierté venait d'en prendre un coup, mais je commençais à comprendre que, sans Georges, ma vie ne deviendrait pas misérable. C'est en restant avec lui qu'elle le serait devenue.

***

Quand je suis arrivée au bureau le lendemain matin et que j'ai fait part à Roxanne de l'aveu de Georges, nous avons convenu, elle et moi, d'aller souper après la journée de travail. J'avais tellement de choses à lui dire, et elle avait tellement de questions à me poser, que je savais qu'une simple heure de dîner ne suffirait pas. De toute façon, je n'ai même pas pris d'heure de dîner cette journée-là, puisque monsieur Richer m'avait annoncé la tenue d'une autre « rencontre de ma vie » la semaine suivante, et je devais m'y préparer.

J'ai quand même pris le temps d'appeler ma sœur et ma mère pour les mettre au fait des événements, et de répondre au texto que Felipe m'avait envoyé. Je le faisais avec deux jours de retard, mais, au moins, je le faisais. Je me suis rapidement excusée de mon comportement en lui assurant que ce n'était aucunement sa faute. Je l'ai également remercié pour la soirée que nous avions passée et lui ai dit que j'allais le voir le lendemain, au cours de salsa. Je m'étais décidée à ne pas lui parler de la relation que j'avais eue avec Georges, sauf peut-être pour l'informer qu'elle était maintenant terminée. Ça, c'était s'il souhaitait encore me parler. Je ne pouvais pas faire autrement que de reconnaître que j'avais eu l'air un peu dérangée en m'enfuyant du bar comme si j'en avais été chassée.

J'ai secrètement espéré qu'il me réponde en me disant de ne pas m'en faire, mais je n'ai rien reçu. Dans le pire des

cas, si la situation était vraiment gênante au cours du lendemain, je n'aurais qu'à arrêter d'y aller.

***

— Comment tu te sens? m'a demandé Roxanne quelques
heures plus tard alors que nous étions attablées devant nos
apéritifs.

J'avais insisté pour souper dans un bon restaurant afin
de célébrer ma nouvelle vie qui commençait. Je savais que
Roxanne n'avait pas les moyens de se permettre une aussi
grosse dépense, et c'est pourquoi je l'avais invitée.

— Étrange, mais bien. J'ai un peu peur aussi, mais c'est
une peur excitante. Pour la première fois, je me rends compte
que je n'ai pas toute ma vie de planifiée.

Roxanne a hoché la tête en buvant son Bloody Ceasar.

— Et Georges? Il t'a dit quoi, le gros épais?

— Rien. Au début, il niait, mais après il ne disait plus
rien. Tu sais, même si j'étais convaincue qu'il me trompait, je
devais l'entendre de sa bouche.

— Pffffff, il niait? Faut-tu être innocent!

J'ai énergiquement secoué la tête à mon tour.

— C'est drôle parce que j'ai l'impression que ça me fait
moins de peine que je devrais en avoir.

— Moins de peine? Tu ne devrais pas avoir de peine du
tout, si tu veux mon avis. C'est un gros colon.

J'ai souri devant la diversité de qualificatifs que Rox utilisait
sans relâche pour parler de Georges. Ma sœur faisait la même
chose avec Felipe, mais en termes beaucoup plus élogieux.

— Dans le fond, ça ne m'étonne même pas qu'il n'ait rien
dit avant que tu lui demandes, le gros abruti, a-t-elle poursuivi. Il n'a jamais eu un sens de la conversation très élaboré.
C'est comme ça, les ingénieurs. Ça sait construire des choses,
mais pour le reste… on repassera.

Elle paraissait satisfaite du lien qu'elle venait d'établir entre la conversation des gens et leur profession. En même temps, ma rupture avec Georges ne faisait qu'augmenter son aversion pour les ingénieurs.

— De toute façon, ça n'aurait servi à rien qu'il élabore, ai-je déclaré au bout d'un moment. Tout était déjà fini. Je pense que je n'ai pas vraiment de peine parce que ça faisait longtemps que je le savais. Je ne voulais juste pas que ça devienne réel parce que c'était ça qui me faisait peur. Sa stagiaire a été la goutte de trop. C'est presque une bonne chose, vu comme ça.

— Tu es plus sage que moi. Je pense que j'aurais été dans le Grand Nord lui arracher la tête si j'avais été toi.

— Mais non, tu n'aurais pas fait ça. Tu te serais rendue à l'évidence que, des fois, on doit laisser aller dans la vie.

— Oui, tu as raison, on doit laisser aller… mais après avoir arraché la tête aux gros épais de ce monde !

— Amen ! ai-je dit en levant mon verre vers elle.

Nous avons pris quelques minutes pour regarder le menu que le serveur venait de déposer sur notre table.

— Tu sais à quoi j'ai pensé aussi ?

— Quoi ? m'a demandé Roxanne en gardant les yeux rivés sur son menu.

— Je pense que je vais déménager.

— Dis-moi que ce n'est pas lui qui te l'a demandé ! s'est-elle exclamée en relevant brusquement la tête.

— Non, mais je pense que ça va être mieux pour moi. Cet appartement-là, c'était à lui et à moi. Je voudrais commencer quelque chose de nouveau. Et puis, ça me fend le cœur de le dire, mais s'il a été capable de me tromper là-bas, qu'est-ce qui me dit qu'il ne l'a pas fait ici ? Dans notre lit ?

— Ah, ben ça ! Ça, ce serait le comble ! Sérieusement, si un jour tu apprends que c'est le cas, dis-le-moi. Je vais aller lui arranger son compte.

— Je voulais acheter un condo, en plus. Pourquoi je n'en profiterais pas maintenant ? C'est sûr qu'il va être moins grand que si nous avions été deux à l'acheter, mais je n'ai pas besoin que ce soit grand, je vais habiter seule. Je pourrais m'acheter un chat aussi…, ai-je poursuivi songeusement, plus pour moi-même que pour mon amie. Georges était allergique, donc c'était hors de question.

— Ben, en tout cas, ça me rassure de voir que tu as des projets ! s'est réjouie Roxanne en me tirant de mes réflexions. Va de l'avant et laisse le gros imbécile traîner de la patte avec sa nunuche. Il ne mérite pas mieux. Assez parlé de lui maintenant ! On ne devrait plus perdre une minute de nos existences sur son cas. Il n'en vaut pas la peine. Parle-moi donc d'exotisme et de chaleur…

J'ai éclaté de rire et me suis mise à lui raconter ma soirée avec Felipe. Honteusement, je lui ai avoué que je n'avais pas pensé à prendre des vidéos des danseurs pour les lui montrer.

— Mais je te jure que si tu les avais vus, tu en serais tombée de ta chaise ! C'était hallucinant. Et c'était vraiment compliqué comme routine, mais, à les voir aller, c'était comme s'ils avaient fait ça toute leur vie.

— C'est probablement le cas… Ha ! J'ai tellement raté ma vocation ! Pourquoi ma mère ne m'a pas fait prendre des cours de danse ? Elle s'obstinait à me faire prendre des cours de natation. De natation ! Non, mais… C'est-tu plate, des cours de natation ! Même pas de nage synchronisée là… de natation ! Et le pire, c'est que je nage encore en petit chien parce que je trouve ça moins compliqué. Que de temps perdu !

J'ai mis un frein à son élan de déception en continuant à lui relater ma soirée. Comme je voulais avoir son avis, je n'ai omis aucun détail. Je ne me suis pas arrêtée une fois, sauf quand le serveur a déposé nos plats devant nous. Je lui ai raconté la discussion que Felipe et moi avions eue sur ses origines quand nous étions au café, son expression renfrognée adorable quand il observait les pas des danseurs et, enfin, l'épisode du bar où, plus j'y pensais, plus je m'en rendais compte, j'avais agi comme une déséquilibrée sociale.

— Wow! Il t'a embrassée passionnément? m'a-t-elle demandé, une fois mon monologue terminé.

J'étais déroutée. Elle semblait presque romantique et aucunement préoccupée par l'épisode de ma fuite.

— Passionnément, je ne sais pas, mais il m'a embrassée, oui.

— C'était comment?

Mon regard s'est perdu dans mes souvenirs. Depuis samedi, j'avais revécu ce moment dans ma tête des dizaines de fois. C'était celui auquel j'essayais de penser quand l'image de la photo de Georges revenait me hanter.

— C'était… Je ne sais pas comment te le dire! ai-je ri nerveusement. C'était comme quelque chose que je n'avais jamais ressenti avant. Toute cette soirée était comme ça, en fait. Je sais que ça va vraiment avoir l'air quétaine, ce que je vais dire, mais chaque fois qu'il me prenait la main ou la taille pour danser, j'avais l'impression de recevoir un choc électrique.

— Ouf, je te l'accorde, c'est un peu quétaine. Mais je vois ce que tu veux dire.

— Je me sentais bien avec lui, je me sentais en sécurité. Comme si rien ne pouvait m'arrêter. Je me retenais pour ne pas l'embrasser chaque fois qu'on se regardait dans les yeux.

— Mais pourquoi tu ne l'as pas fait?

— À cause de Georges! Est-ce que je peux te dire à quel point je le regrette aujourd'hui?

— Tu es toujours trop bonne pour des gens qui ne le sont pas avec toi. Tu le sais, ce n'est pas la première fois que je te le dis.

— De toute façon, ça ne sert à rien que je parle de ce qui aurait pu se passer parce que ce n'est pas comme ça que ça s'est déroulé. Ce qui est à retenir dans toute l'histoire, c'est que je me suis sauvée.

— Oui, revenons là-dessus. Tu t'es sauvée ? Sauvée comment ? En courant ? Es-tu certaine que tu n'exagères pas quand tu dis que tu t'es « sauvée » ?

— Non, non, je n'exagère pas. Je me suis sauvée. Littéralement. Je ne me souviens même plus si je lui ai dit qu'il fallait que je parte. Je pense qu'entre le moment où on a arrêté de s'embrasser et celui où j'étais dans le taxi, il s'est passé deux minutes. Deux minutes trente secondes maximum.

Roxanne a fait une espèce de simagrée qui ne laissait présager rien de bon.

— Ta face n'est tellement pas encourageante !

— Je m'excuse… Je ne sais pas quoi te dire. Je ne le connais pas, Felipe. Mais tu avoueras que le message que tu envoies en te sauvant quand un gars t'embrasse n'est pas nécessairement positif.

— Je sais… Mais je lui ai écrit aujourd'hui !

— Et ?…

— Et il ne m'a pas répondu.

— Tu vas le voir au cours de demain, non ?

— Oui, mais qu'est-ce qui arrive s'il ne veut plus que je vienne ?

— Quoi ? Pourquoi il ne voudrait plus ?

— Parce qu'il me trouve déséquilibrée.

— Ben non, il ne va pas te trouver déséquilibrée ! Étrange, peut-être, mais pas déséquilibrée.

— Étrange… C'est pas très bon, étrange. Étrange, c'est comme spéciale. C'est juste une façon plus polie de dire « folle ».

— Attends à demain avant de te faire des scénarios. Tu vas le savoir aussitôt que tu vas le voir. Les hommes, ce n'est jamais très bon pour cacher leurs émotions.

J'ai acquiescé en pensant à Georges et à la fin de semaine qu'il avait passée à la maison avant de retourner dans le Grand Nord. Effectivement, il n'avait pas été très bon pour me laisser croire que rien n'avait changé entre nous. J'ai soupiré.

— En tout cas, a conclu mon amie, pour une fille qui n'avait rien de nouveau dans sa vie il y a quatre mois, je te dis que tu en fais, du progrès !

J'ai souri et nous avons continué à parler des hommes, de mon futur condo et de sa décoration et de tous les projets que j'étais maintenant libre de faire à ma guise.

***

Le lendemain, en arrivant au studio de danse, j'ai dû reconnaître que Roxanne avait raison. À la minute où mon regard a croisé celui de Felipe, qui était arrivé à l'avance, j'ai su que je m'étais inquiétée pour rien. Il m'a regardée en souriant, m'a fait un clin d'œil et s'est approché de moi sans lâcher mon regard. Plus il approchait, plus je sentais mes jambes défaillir.

— J'avais peur que tu ne viennes pas…, m'a-t-il avoué une fois devant moi.

Je me suis contentée de lui faire mon plus beau sourire.

— Je vais commencer le cours bientôt, mais tu m'attends après ?

— Oui.

— Ta sœur n'est pas là ce soir ?

— En retard… Comme toujours. Mais elle m'a dit qu'elle allait venir.

— Dommage…

Il s'est éloigné alors que je soupirais de soulagement. Je l'ai regardé se diriger vers un couple pour le saluer. Il était tellement charismatique! Ma situation de nouvelle célibataire le faisait apparaître sous un jour différent. Je pouvais maintenant l'admirer sans aucune culpabilité, ce qui me donnait le même air pâmé que la moitié des femmes présentes dans la salle.

J'ai jeté un coup d'œil vers la porte du studio au moment où la musique s'est mise à jouer. Ma sœur n'était toujours pas là, et les couples commençaient à se mettre en place. Felipe m'a fixée avec un sourire en coin et m'a fait signe d'approcher pour danser avec lui. Alors que j'allais m'avancer, j'ai entendu la porte s'ouvrir et j'ai vu Rose entrer en trombe dans le studio en me regardant avec un air digne d'un héros qui vient sauver le monde. À la voir, on aurait cru qu'elle avait bravé toutes les tempêtes pour venir au cours. Elle a rapidement enlevé son manteau et est venue me rejoindre. J'ai regardé Felipe en souriant et en haussant les épaules.

— Je suis là, ne t'inquiète pas! m'a dit Rose, essoufflée. J'ai couru jusqu'ici!

— Toi? Tu as couru?

— Ben, j'ai couru dans les escaliers. C'est déjà ça. Je ne voulais pas que tu penses que je t'abandonnais, moi aussi.

Chère Rose. Même si elle était parfois maladroite dans sa façon de s'exprimer, je ne pouvais pas lui en vouloir. Nous nous sommes mises en place et avons répété les mouvements que Felipe effectuait à l'avant.

— Tu sais que maman a un chum?

— QUOI? m'a-t-elle demandé, les yeux écarquillés, en arrêtant de bouger.

— Oui. Je ne sais pas si j'avais le droit de te le dire, mais elle me l'a dit samedi quand j'ai été chez elle, ai-je répondu en lui prenant la main pour qu'elle recommence à danser.

— Je ne peux pas y croire. Maman ? Un chum ? Mais…
c'est qui ?

— Youssef.

— Youssef ?… Le Youssef qui fait des conférences sur les
roches ?

— Oui… Et ça fait quelques mois en plus !

— Oh ! Mais pourquoi elle ne nous a rien dit ?

— Parce qu'elle a dit que son rôle de mère, c'était de nous
écouter et de nous consoler, et qu'on n'était ni l'une ni l'autre
dans une bonne période de notre vie. Elle ne voulait pas nous
ennuyer avec ses histoires.

— Elle a dit ça ?

— Oui… C'est beau, hein ? Je n'ai jamais entendu maman
parler comme ça. J'étais tellement touchée que j'ai presque
pleuré !

Apparemment, nous ne partagions pas la même vision.

— Je ne peux pas croire qu'elle ne nous l'a même pas
présenté, a-t-elle murmuré, outrée.

Pour Rose qui se faisait un devoir de nous présenter ses
copains dès les premiers jours, c'était presque une insulte que
ma mère n'ait pas eu le réflexe d'agir de la même façon.

— Elle ne voulait pas nous ennuyer, qu'elle a dit !

— Ben là ! Ça ne m'aurait pas ennuyée, moi. C'est pour
ça qu'elle ne voulait pas que je vienne chez elle il y a deux
semaines…. Elle m'a dit qu'elle voulait faire son ménage…
Je me souviens d'avoir trouvé ça bizarre, qu'elle veuille faire
le ménage, un vendredi soir en plus ! *Anyway*. Toi ? Comment
ça se passe depuis que tu as laissé le gros cave ?

— Bien, je dois dire. C'est quand même difficile de rentrer à l'appartement et de voir toutes ses choses, mais ça va
quand même bien. Mentalement, je veux dire. Je pense même
que, finalement, je vais l'acheter, mon condo.

— Pour vrai ? Lequel ?

— Je ne sais pas encore. Ce que je veux dire, c'est que je pense que c'est moi qui vais déménager. Je ne veux pas rester dans cet appartement-là.

— Oh! Et tu vas déménager avec le dieu colombien? m'a-t-elle chuchoté en me faisant des clins d'œil.

— Chuuuuut. Ben non, voyons! Je vais déménager toute seule parce que je vais l'acheter toute seule.

Nous nous sommes placées côte à côte pour faire l'enchaînement de pas en solo comme Felipe venait de le demander. Il s'était placé dos au groupe pour que nous puissions faire la même chose que lui. Nos regards se sont croisés dans le grand miroir qui était devant nous. J'ai baissé les yeux, gênée.

— D'accord, d'accord. Mais tu vas finir par le faire, a continué Rose.

Le regard de Felipe m'avait fait perdre le fil de notre conversation.

— Faire quoi?

— Déménager avec! Je le sens. J'ai un don, pour ce genre de choses, tu sais.

J'ai préféré ne pas répondre. Felipe se promenait maintenant dans la salle et j'étais tellement terrifiée à l'idée qu'il nous entende que je voulais changer de sujet le plus vite possible. S'il entendait ma sœur parler de notre éventuel déménagement ensemble, c'est probablement lui qui se sauverait.

— Tu sais, moi aussi, j'ai une nouvelle à t'annoncer! a-t-elle clamé en comprenant probablement que je ne poursuivrais pas sur le topo d'un déménagement avec Felipe.

— Quoi?

Pendant un bref instant, j'ai eu peur qu'elle ne m'annonce qu'elle était revenue avec son monsieur muscles, et qu'il l'avait reconquise en lui offrant un nouveau plan d'entraînement avec la promesse d'être moins pathétique.

— J'ai eu le poste!

— Wow! Mais c'est une bonne nouvelle, ça! Félicitations! me suis-je exclamée en arrêtant mes pas de salsa pour la prendre dans mes bras. Tu commences quand?

— Lundi prochain. Ma patronne me l'a dit ce matin.

— Je suis vraiment fière de toi!

Nous devions vraiment être les pires élèves de Felipe, voire les pires élèves dans l'histoire de l'enseignement de la salsa, en ne dansant que pendant la moitié du cours et en se racontant nos vies pendant l'autre moitié. Je me suis demandé si nous ne nuisions pas au bon fonctionnement de la classe et si nous ne serions pas mieux de simplement aller prendre un café au lieu de suivre un cours.

— On s'en fout! a rétorqué Rose. On paye, nous aussi. On a le droit de parler! Ce n'est pas une église, quand même!

Nous avons marché jusqu'au banc où se trouvaient nos manteaux.

— As-tu besoin que je parte en courant encore cette semaine? m'a-t-elle demandé avec un sourire moqueur.

— En courant, non, mais il m'a demandé de l'attendre après le cours.

Elle m'a embrassée avant de mettre son manteau et de quitter la salle en me disant qu'elle appellerait notre mère pour en savoir plus sur sa relation secrète. Pauvre maman. Rose lui ferait sûrement subir la grande inquisition. J'ai pris mon manteau à mon tour et me suis tournée vers Felipe dans le fond de la salle. Il regardait un couple qui dansait devant lui, et m'a fait discrètement signe que ce ne serait pas long.

Quelques minutes plus tard, nous descendions côte à côte les escaliers de l'immeuble. Il y avait un silence gênant, même lourd, entre nous. Je pouvais presque l'entendre essayer de se convaincre intérieurement de me parler. Une fois sur le trottoir, il a pris la parole.

— Jasmine, je voulais m'excuser.

— Ben voyons ! T'excuser pour quoi ?

— Pour mon comportement. Clairement, je t'ai mise mal à l'aise samedi et je m'en excuse. J'ai peut-être été trop rapide. Je le sentais comme ça, alors je me suis laissé aller… tu comprends ?

— Je comprends parfaitement, et je ne veux pas que tu t'excuses. C'est plutôt à moi de le faire, encore une fois.

— Non, non, tu avais tes raisons et c'est correct. Tu as fait ce que tu ressentais.

Nous nous sommes regardés dans les yeux, puis nous avons éclaté de rire. Nous avions l'air ridicule, sur ce coin de rue, à nous confondre en excuses qui n'avaient même pas lieu d'être.

— Bon, alors on se pardonne tous les deux ? lui ai-je demandé une fois notre rire dissipé.

— On se pardonne ! Je ne recommencerai plus !

J'aurais voulu lui dire que je souhaitais ardemment qu'il recommence, là, maintenant, tout de suite, mais j'étais trop timide. Je lui ai quand même proposé d'aller le voir à son café le jeudi soir suivant, après ma journée au travail. Je n'étais peut-être pas assez dégourdie pour lui demander de refaire exactement ce qu'il avait fait sur la piste de danse du bar trois jours plus tôt, mais j'étais quand même capable de provoquer le genre de situation où ça allait peut-être arriver encore. Il a semblé à la fois heureux et surpris de ma proposition. Peut-être qu'il se demandait pourquoi je prenais les devants. Ou peut-être pas, non plus. Peut-être qu'il ne faisait que vivre sans se poser de questions.

Nous avons pris le métro ensemble en nous remémorant nos souvenirs de la compétition. Je lui ai dit que je m'en voulais de ne pas avoir pris de vidéos pour les montrer à Roxanne.

— J'ai toujours des billets pour ces compétitions. Elle viendra avec nous la prochaine fois, si elle veut.

Mon cœur a bondi en l'entendant dire «nous».

— Je suis sûre qu'elle serait vraiment contente. Tu sais qu'elle la connaissait, la compétition à laquelle nous sommes allés?

— Ça ne m'étonne pas, si elle aime les danses latines. C'était quand même un gros événement.

— Oh! Je devrai me tenir au courant, alors!

Il a ri et m'a touché le bras. Décharge électrique, ai-je tout de suite pensé. Contrairement aux fois précédentes, je n'avais pas envie de reculer. Je n'avais plus peur de la force de l'émotion que je ressentais quand nos corps étaient en contact. J'aurais voulu me pendre à son cou, j'aurais voulu qu'il m'enlace et me tienne contre lui.

— Donc, tu vas venir jeudi?

— Oui. Je viendrai après le travail. Tu auras mangé? On pourrait aller souper. Je t'invite. Je te le dois bien après t'avoir laissé seul au milieu de la piste de danse!

— On s'est dit qu'on se pardonnait! Tu ne me dois rien du tout. Mais c'est une bonne idée, on pourrait aller manger. Comment ça se passe la vie en solo? Tu t'y fais un peu plus?

J'ai inspiré profondément avant de lui répondre.

— C'est correct… Je m'y suis fait et je vais devoir continuer à le faire, tu sais, parce que mon copain et moi avons rompu.

Je l'avais dit d'un trait, en fixant une carte du métro barbouillée de graffitis qui était affichée au-dessus du siège devant moi. J'ai ensuite tourné la tête vers lui. Il m'a regardée longuement sans dire un mot. J'ai cru voir, dans ses yeux, l'empathie mélangée à la surprise pour passer ensuite au contentement. C'était beaucoup d'émotions révélatrices dans un seul regard. J'ai détaché mon regard du sien pour voir où nous étions rendus. Je me suis levée de mon siège en constatant que je devais descendre à la station suivante. J'étais debout devant lui. Il m'a pris la main, l'a serrée et l'a relâchée.

— À jeudi, *hermosa*, m'a-t-il dit du bout des lèvres en me regardant dans les yeux.

Je suis sortie du wagon, troublée. Jamais un homme ne m'avait fait sentir de cette façon avec un regard. Quelquefois, j'avais littéralement l'impression qu'il me déshabillait des yeux et, maintenant que j'étais célibataire, je pouvais m'imaginer nue, à sa merci.

J'ai marché jusqu'à mon appartement en me faisant des scénarios toujours plus osés avec Felipe. J'étais tellement absorbée par mes pensées que je ne me suis même pas souvenue que je n'aimais pas marcher seule à la noirceur. Une fois arrivée chez moi, j'ai pris une douche pour refroidir mes ardeurs et me suis installée confortablement dans mon lit avec mon ordinateur et une tasse de thé à la recherche de condos qui pourraient satisfaire mes goûts et mon budget. Je ne voulais pas m'éterniser dans l'appartement. Le plus vite je trouverais, moins j'aurais le sentiment désagréable de coexister avec Georges. Déjà que je trouvais difficile l'idée de le faire dans la même ville que lui, je ne voulais pas devoir le côtoyer dans les pièces où s'était écrite notre vie de couple.

J'ai repéré deux condos que je jugeais intéressants, et qui ne semblaient pas demander beaucoup de rénovations. J'ai envoyé des courriels pour demander s'il était possible de les visiter. Satisfaite de mes démarches, j'ai éteint mon ordinateur et me suis enfoui la tête dans l'oreiller en pensant à ce qui se serait passé si Felipe avait été là, à côté de moi. Je ne me reconnaissais presque plus. Je me faisais penser à l'adolescente que j'avais été jadis, follement amoureuse de Nicolas, un garçon boutonneux de quatorze ans à l'hygiène douteuse et qui ne m'avait, que je sache, jamais remarquée. J'avais l'impression que mes émotions étaient de la même intensité, mais, cette fois, avec un homme qui me remarquait et qui, en plus de danser comme un dieu, en avait l'apparence.

CHAPITRE 16

Le lendemain matin, à la minute où j'ai mis le pied dans mon bureau, mon téléphone a sonné. J'ai jeté un regard sur l'afficheur en me disant qu'il ne me servait à rien de répondre avant même que mon ordinateur soit allumé. Alors que je m'attendais à voir un numéro de client, c'est le numéro de ma mère qui s'affichait.

— Allô, maman ! ai-je répondu tout en retirant mon manteau.

— Bonjour, ma chérie ! Comment tu vas ?

— Ça va… Un peu occupée avec le travail, mais je ne m'en plaindrai pas. J'aime mieux rester au bureau que rentrer à l'appartement. Ça me déprime de voir les choses de Georges partout, chaque fois que je pose les yeux sur quelque chose.

— Je comprends, ma puce. D'ailleurs, ta sœur m'a dit que tu pensais à déménager ?

Je n'ai pas pu réprimer un soupir. Rose était vraiment incroyable ! Ça ne faisait même pas vingt-quatre heures que je lui avais fait part de mon désir de déménager que, déjà, ma mère était au courant.

— Mon Dieu, maman, c'est à croire que Rose est ton espionne attitrée !

Elle a ri de bon cœur.

— Et moi, je pourrais te dire la même chose parce que Rose m'a appelée hier pour me reprocher de ne pas vous avoir informées de ma relation avec Youssef !

J'avais presque oublié l'indignation de Rose devant la relation secrète de ma mère.

— Elle t'a engueulée?

— Non, mais elle m'a dit que ça la blessait. Tu connais ta sœur, c'est une âme sensible. Je m'excuse si vous avez eu l'impression que je vous cachais quelque chose.

— Mais non, maman, ne t'excuse pas. Tu le dis toi-même : Rose est sensible. C'était presque écrit dans le ciel qu'elle allait réagir comme ça.

— Quoi qu'il en soit, je voudrais que vous veniez souper toutes les deux à la maison vendredi pour pouvoir rencontrer Youssef. Il a bien hâte de vous connaître aussi. Penses-tu que tu peux te libérer?

Vendredi, c'était la journée qui suivait jeudi, et jeudi, c'était la soirée où j'allais voir Felipe. Mon cœur se serrait chaque fois que j'y pensais, comme si la vie s'arrêterait après cette rencontre, comme si ce serait jeudi pour toujours.

— Oui, bien sûr, lui ai-je dit en gardant mes idées de romance extrême pour moi.

— Parfait! À 19 h? Ça te va?

J'ai répondu par l'affirmative avant de lui souhaiter une bonne journée et de raccrocher. Je n'avais même pas voulu parler de mes plans avec Felipe à Roxanne, de peur que rien ne se passe comme je l'espérais. En plus d'être intense, je devenais superstitieuse. Un peu plus et je me mettais à invoquer les roches, moi aussi. Je lui avais vaguement mentionné que je planifiais d'aller le voir au café, mais je n'avais pas voulu m'étendre sur le sujet, à son grand désespoir.

— De toute façon, tu le sauras bien assez vite. C'est demain que j'y vais.

— Je ne peux pas croire que tu lui as proposé d'aller le voir. Ça ne te ressemble tellement pas de faire les premiers pas comme ça! Je suis impressionnée. Vous allez faire quoi?

— Je ne sais pas, et je ne veux rien planifier. Et si on continue d'en parler, c'est sûr que je vais finir par planifier quelque chose, alors arrête ! m'étais-je exlamée en riant.

Elle m'avait fait une moue boudeuse et avait changé de sujet à contrecœur. Je savais pertinemment que j'avais l'air un peu ridicule de refuser d'en parler, mais je savais aussi qu'elle m'aurait trouvée encore plus ridicule si je lui avais dit que, dans les vingt-quatre dernières heures, j'avais pensé à Felipe au moins soixante fois et que je l'avais imaginé dans mon lit la veille. Même moi, je considérais que je frôlais dangereusement le pathétisme. J'avais beau me répéter de me calmer, que Felipe n'était qu'un homme parmi tant d'autres, que je sortais à peine d'une relation, rien à faire. Juste le fait de prononcer son nom dans ma tête me donnait des papillons dans l'estomac.

***

Le lendemain midi, j'ai reçu un texto de Felipe, qui voulait s'assurer que je n'avais pas changé d'idée. À défaut de lui dire que je pensais tout le temps à lui depuis mardi, je lui ai répondu que non, je n'avais pas changé d'idée et que je serais présente au rendez-vous.

J'ai passé toute la journée à essayer de me concentrer sur mon travail, mais c'était peine perdue. Ma capacité de concentration ne dépassait pas les cinq minutes et, aussitôt que je cessais de lire un courriel ou un dossier, je pensais aux possibilités de la soirée. Je faisais des ébauches de conversations qu'on pourrait avoir, j'échafaudais des répliques et je m'entraînais à faire une panoplie de regards séducteurs.

À 18 h, avant de quitter le bureau, je me suis dirigée vers les toilettes pour m'assurer que rien ne dépassait, que mon maquillage ne coulait pas ou que je n'avais pas une trace de rouge à lèvres sur les dents. Alors que je souriais exagérément devant la glace, Roxanne a poussé la porte.

— Euh… qu'est-ce que tu fais? m'a-t-elle demandé en s'arrêtant net dans l'embrasure.

— Hein? Rien. Je voulais juste être certaine que je n'avais pas de rouge à lèvres sur les dents. Comment tu me trouves? l'ai-je interrogée en pivotant vers elle. Est-ce que je suis correcte?

Roxanne a hoché la tête en souriant.

— Tu es parfaite!

J'ai soupiré de soulagement. Je me suis retournée vers mon reflet pour réajuster mon décolleté.

— De toute façon, je ne veux pas me faire de trop grandes attentes, tu sais. Je veux vraiment laisser les choses aller.

Elle a pouffé de rire.

— Ha oui! Tu as l'air de quelqu'un qui ne se fait pas de trop grandes attentes! T'es-tu vue aller? On dirait que tu te prépares pour Miss Canada ou quelque chose.

J'ai pris un air faussement contrarié.

— Pffff… tu exagères!

Mon amie s'est approchée de moi et a touché ma veste, comme pour en connaître la matière.

— Ce n'est pas nouveau, ça?

— Peut-être… Pourquoi?

— Pour rien…, m'a-t-elle dit en me regardant avec un sourire moqueur.

— Bon, quoi? Tu trouves que c'est trop?

— Pas du tout! Je trouve juste ça drôle que tu essaies de me faire croire que tu considères ta soirée comme n'importe quelle autre soirée, alors que ce n'est clairement pas le cas!

— Bon, O.K., tu veux la vérité? Je suis tellement nerveuse que je me retiens pour ne pas vomir de stress. Voilà, c'est dit.

— Tu es sérieuse? Mais voyons donc! Pourquoi?

— Je ne sais pas. C'est juste l'effet qu'il me fait.

— Mais vomir de stress? Mon Dieu, ça doit être horrible comme sentiment!

Roxanne me dévisageait, incrédule. Je devais avouer que l'expression «vomir de stress» n'était peut-être pas la meilleure image que je pouvais envoyer.

— Mais non! Tu n'as jamais été tellement stressée d'aller voir un gars que ça te mettait toute à l'envers?

Elle a eu l'air de repasser des souvenirs dans sa tête.

— Oui, mais ça n'a pas duré longtemps. Le stress, je veux dire. Je voulais encore vomir, mais de dégoût.

J'ai éclaté de rire en la serrant spontanément dans mes bras.

— Une chance que tu es là pour me ramener les deux pieds sur terre. Si je parlais de ça avec Rose, je m'enflammerais tellement vite et elle me convaincrait probablement de me ruer chez Birks pour acheter une bague de fiançailles!

— Chose que tu ne ferais pas réellement, j'espère!

Je me suis empressée de la rassurer. Mon ton avait dû être moyennement convaincant, puisqu'elle m'a regardée d'un drôle d'air.

— Fais juste attention à toi, O.K.?

— Promis! Je fais toujours attention, tu le sais bien!

Ça, au moins, c'était vrai. Même si je montrais la même intensité exaspérante qu'une adolescente devant son premier amour, elle était bien obligée d'admettre que je faisais toujours attention, et que je ne prenais pratiquement jamais de décision sur un coup de tête. Ce soir serait peut-être différent, mais à quoi bon parler de quelque chose qui n'était même pas encore arrivé?

Nous nous sommes séparées quelques minutes plus tard sur le trottoir, devant l'entrée d'Oméga. Elle se dirigeait vers le métro, alors que j'avais pris ma voiture pour me rendre au bureau, sachant que l'heure de pointe des autobus serait passée à l'heure où je voudrais revenir chez moi. Je me suis installée derrière le volant en me répétant que je n'avais aucune raison d'être nerveuse et qu'à défaut d'y croire réellement, il ne fallait pas que j'aie l'air de quelqu'un sur le bord de la syncope en entrant dans le café. Non, je devais être détendue et faire comme si j'atterrissais dans le café par pur hasard. Il n'y a rien de plus embarrassant qu'un enthousiasme unilatéral.

À mon sens, j'ai eu l'air profondément ridicule quand j'ai poussé la porte et que nos yeux se sont croisés. Je ne voulais tellement pas avoir l'air pâmé que je lui ai décoché un regard qui aurait pu se traduire ainsi : « Oh ! Tiens ! Tu travailles ici ? Je ne savais pas ! Ça fait plaisir de te voir, en tout cas ! » Il n'a semblé pourtant rien remarquer de ma mascarade et s'est avancé vers moi avec empressement.

— ¡ *Hola chica* !

Son accent me donnait toujours l'impression d'être sous le soleil. Un accent qui donnait envie de plonger ses pieds dans le sable chaud des plages de Colombie et de le laisser glisser entre ses orteils. Enfin, c'est ce que je me plaisais à penser.

— Salut ! Ça va ? ai-je demandé en me mettant légèrement sur la pointe des pieds pour l'embrasser sur les deux joues.

Il m'a prise par la taille pour m'attirer vers lui et m'embrasser à son tour.

— Ça va bien ! Tu as passé une bonne journée ?

— Correct, et toi ? lui ai-je répondu, touchée par sa question.

— Oui, comme d'habitude. Je t'offre quelque chose à boire ?

— Euh… oui, O.K. ! Est-ce que tu veux aller souper quelque part après ?

— Oui. J'ai déjà une idée en tête, mais c'est une surprise.

J'aurais voulu lui dire qu'en tant que personne qui planifiait jusqu'à l'ordre dans lequel arpenter les rangées à l'épicerie, c'était contre ma nature de me réjouir de surprises, mais si je lui avais dit ça, son enthousiasme aurait été unilatéral et je ne pouvais me résoudre à cette idée. J'ai donc collé un sourire amusé sur mes lèvres en faisant semblant de partager son entrain. Ça ne faisait même pas dix minutes que j'étais avec lui et, déjà, j'avais eu l'occasion de montrer mes talents d'actrice à deux reprises. Je n'étais pas peu fière de mes performances : il ne remarquait rien de louche.

Je l'ai regardé se diriger vers le comptoir pour aller chercher nos boissons. Il était aussi beau de dos que de face, ai-je pensé en rougissant, alors qu'il passait la main dans ses cheveux pour ramener vers l'arrière ses mèches rebelles.

— Tu dois sûrement te demander c'est quoi la surprise, hein ? m'a-t-il demandé alors qu'il posait deux coupes de vin blanc sur la table vers laquelle il m'avait guidée.

J'ai fait oui de la tête en souriant.

— Tu te souviens des questions que tu me posais sur la Colombie la fin de semaine dernière ? Eh bien, je me suis dit que j'allais te faire découvrir la Colombie, ici, à Montréal.

Je l'ai regardé d'un air interrogateur.

— Je vais te faire à souper ! m'a-t-il dit fièrement.

— C'est vrai ? Ici ?

— Ici même ! On ferme le café dans trente minutes. Il n'y a presque personne de toute façon et Cristian, le serveur, voulait partir plus tôt aujourd'hui.

— Wow ! Tu es certain ?

— ¡ Claro que sí ! Tu vas voir, je suis un bon cuisinier !

Je me suis demandé si cet homme avait des défauts, à part celui de m'enlever toute trace d'esprit rationnel. J'étais consciente du fait qu'on essaie toujours de paraître sous son meilleur jour, surtout devant des personnes qu'on connaît peu, mais, franchement, il ne laissait voir aucune faille, aussi minime soit-elle. Ça en devenait presque complexant.

— Dis-moi, as-tu des défauts, toi?

Je n'avais pas pu m'empêcher de poser la question. Il a ri doucement en touchant ma main posée sur la table.

— Bien sûr que oui! Comme tout le monde.

J'aurais voulu lui demander lesquels parce que, même avec tous les efforts du monde, je ne les voyais pas, mais je me suis dit que c'était quasiment de l'acharnement.

***

Quarante-cinq minutes plus tard, une fois Cristian et les derniers clients partis, Felipe prenait place devant le grand four commercial derrière le comptoir. Il avait tellement l'air dans son élément, c'était beau à voir. J'avais insisté pour l'aider dans sa préparation, mais il m'avait gentiment reconduite à la table et avait rempli mon verre de vin.

— La prochaine fois, tu cuisineras si tu veux. Ce soir, c'est moi! Et puis, j'ai déjà commencé la recette cet après-midi. Il ne reste presque plus rien à faire.

Il était retourné à son poste, satisfait. Sur son chemin, il avait allumé la chaîne stéréo et y avait inséré un disque de salsa.

— Tu peux pratiquer tes pas, si tu veux! m'a-t-il lancé en riant.

Je lui ai fait un sourire sarcastique en prenant une gorgée de mon vin. Déjà que je n'avais jamais été particulièrement ravie d'avoir ma sœur comme partenaire de salsa, s'il fallait en plus que je danse toute seule en faisant semblant d'avoir un partenaire, ça aurait été le comble du pathétisme. Non, je ne ressentais aucune envie de me lever et de danser. Je préférais de loin regarder Felipe s'affairer derrière son comptoir en exécutant quelques pas de danse entre deux coups de couteau. Je me suis rapprochée de lui.

— Ça fait longtemps que tu cuisines?

— Pas mal, oui. C'est ma mère qui m'a montré. Elle rentrait tard du travail et c'était moi qui devais faire le souper.

Encore une fois, j'ai pensé à ce qu'avait dû être sa vie quand il était arrivé ici. Moi qui me plaignais, quand j'étais ado, de mon manteau d'hiver, que je refusais de porter plus de deux hivers de suite, sous prétexte que ce n'était plus à la mode, j'avais honte. J'ai ensuite eu le réflexe de le comparer à Georges, même si je savais que ce n'était pas nécessairement sain. Je n'ai pas pu m'empêcher de reconnaître les énormes différences qu'il y avait entre eux. Peut-être était-ce justement à cause du genre de vie qu'ils avaient eue. Je ne connaissais pas beaucoup Felipe, mais une bonté et un calme rassurant émanaient de lui. C'était un homme, alors que Georges avait toujours été un éternel adolescent rejetant toutes responsabilités qui n'allaient pas lui donner un sentiment de gloire personnelle.

J'ai eu une révélation à cet instant précis : j'étais comme ma sœur, mais en moins courageuse. Moi aussi, je voulais être avec l'homme de ma vie, l'homme de mes rêves, mais, plutôt que de le chercher et de risquer d'être déçue, je m'étais contentée de la stabilité et de la routine en me faisant croire que c'était ce que je voulais. J'ai été tentée d'appeler Rose pour m'excuser de toutes les fois où j'avais banalisé ses recherches et où je m'étais évertuée à lui dire qu'elle ne cherchait pas la bonne chose. Je regrettais presque d'avoir eu cette prise de conscience alors que j'étais accoudée au comptoir du café de Felipe.

J'ai secoué subtilement la tête pour revenir à l'environnement dans lequel j'étais. Felipe ne s'était aperçu de rien et continuait à chanter en espagnol. Il a fait tourner une assiette sur le bout de ses doigts, a pivoté vers moi et m'a solennellement annoncé que le souper était servi. Je l'ai suivi jusqu'à la table.

— Hummm, ça a l'air bon, ai-je dit en humant les effluves qui s'échappaient de mon bol. C'est quoi ? Ça ressemble à un pot-au-feu…

— On peut dire. Ça s'appelle un *sancocho*. C'est avec du bœuf, du poulet et des bananes plantains aussi.

Il a dû lire l'étonnement dans mes yeux quand j'ai entendu les mots « bananes » et « bœuf » comme ingrédients d'un même plat parce qu'il s'est hâté d'ajouter :

— Goûte ! Je sais que ce n'est pas un mélange de saveurs auquel vous êtes habitués ici, mais c'est vraiment bon. Et c'est typiquement colombien !

J'ai hésité un moment entre la cuillère ou la fourchette posées à côté de moi. Est-ce que c'était au choix, comme ceux qui mangent leur spaghetti en faisant alterner les deux ustensiles ? J'ai jeté un regard furtif à Felipe et en le voyant saisir la fourchette, j'ai opté pour celle-ci à mon tour. La cuillère était probablement juste pour la fin parce qu'à voir la grosseur des morceaux de bœuf et de poulet, je me suis même demandé pourquoi le couteau ne faisait pas partie des ustensiles requis. J'essayais de manger avec le plus d'élégance possible, mais ce n'était pas facile de jongler entre le bouillon et les morceaux de viande. Le premier me coulait le long du menton, alors que je tentais de mastiquer un morceau de viande plus gros que ma bouche. Décidemment, c'était peut-être un bon plat (les saveurs se mariaient étonnamment bien), mais c'était un des pires à manger en tête-à-tête avec quelqu'un que l'on tente de séduire. Je croyais que la soupe tonkinoise était la seule à proscrire dans ce genre de situation, mais je découvrais que le *sancocho* n'était pas loin derrière.

Alors que Felipe me parlait avec nostalgie des fois où il avait mangé ce plat en Colombie, je me concentrais pour l'écouter et manger en même temps. Comme se faisait-il que, lui, il pouvait le faire sans la moindre difficulté et, en plus, avoir l'air à l'aise? Un peu plus et je devrais porter une bavette! J'ai déposé ma fourchette pour prendre une gorgée de vin. De toute façon, je n'avais plus faim.

— Tu es un bon cuisinier, en tout cas! lui ai-je dit en poussant légèrement mon bol vers le centre de la table pour lui signifier que j'avais terminé.

— Merci! Tu as fini? C'est nourrissant, hein?

— Vraiment. Il va t'en rester pour des semaines!

— Ma mère le cuisinait quand on recevait la famille. La recette, je suis capable de la faire, mais seulement en grosse quantité, a-t-il avoué en riant. Ce n'est pas grave, je vais emmener le reste chez ma mère. Je suis certain qu'elle va trouver des gens à inviter pour le finir.

Il s'est levé de table et a emporté les deux bols derrière le comptoir. J'en ai profité pour me faufiler vers les toilettes afin de me refaire une beauté et, surtout, de m'assurer que je n'avais pas des traces de bouillon sur le menton ou de la coriandre entre les dents. Après une brève inspection somme toute satisfaisante, je suis retournée dans la salle rejoindre Felipe. Il était de retour à sa place, un seau à champagne à ses côtés. Intriguée, je me suis assise devant lui.

— Du champagne? Wow! On célèbre quoi?

— Rien en particulier. Est-ce qu'on est obligés de célébrer pour pouvoir apprécier les bonnes choses de la vie? Si tu veux, on peut faire semblant qu'on célèbre ton initiation au *sancocho*!

Il a fait sauter le bouchon et a rempli les deux flûtes qu'il avait posées sur la table. Nous avons bu et avons reposé nos verres.

— Veux-tu un café? Un dessert?

— Mon Dieu, non! Je suis pleine. Si je mange autre chose, je devrai rouler jusqu'à ma voiture en sortant d'ici! Mais je reprendrais bien un peu de champagne. J'adore le champagne ! On n'en boit pas assez dans la vie, tu ne trouves pas ?

— Ça, c'est parce qu'on le garde uniquement pour célébrer les gros événements. On ne devrait pas. On devrait en boire quand on en a envie. Comme le vin.

J'ai approuvé sa façon de penser. Il avait raison, après tout. Pourquoi devoir attendre qu'un événement extraordinaire arrive pour se gâter ? J'ai levé mon verre dans sa direction. Il a empli le sien et l'a délicatement cogné contre mon verre. Il s'est ensuite levé et m'a ouvert les bras en guise d'invitation à danser.

— Mais ce n'est pas de la salsa…, lui ai-je dit après avoir écouté quelques instants la musique qui sortait des haut-parleurs placés dans les coins de la salle.

— Je sais. C'est du tango.

— Du tango ? Mais je ne sais pas comment danser ça ! J'ai déjà assez de difficulté avec la salsa ! Tu imagines avec le tango ? Tu vas vouloir mourir d'ennui ! Ou de rire, c'est selon…

— Je commence le tango. Je suis pratiquement au même niveau que toi.

— Haha ! Je ne penserais pas, non. Tu as déjà le sang chaud !

J'ai rougi instantanément. Est-ce que je venais vraiment de dire qu'il avait le sang chaud ? Les bulles me montaient à la tête. Il m'a regardée un instant, interloqué, puis a éclaté de rire.

— Le sang chaud ?

— Oh, mon Dieu, je ne sais pas pourquoi j'ai dit ça.

J'aurais voulu rentrer six pieds sous terre. Clairement, j'étais influencée par tous les surnoms que Rose lui donnait. Au moins, je ne lui avais pas dit qu'il était un étalon colombien.

— Allez, viens danser avec l'homme au sang chaud, m'a-t-il dit en me tendant de nouveau la main.

Je n'avais plus le choix. Je me suis levée et l'ai suivi jusqu'au milieu de la pièce. Les notes de guitare résonnaient dans ma tête. Les bulles de champagne battaient dans mes veines. Il m'a attirée contre lui d'un geste ferme. Il a levé ma main et y a plaqué la sienne.

Je ne savais pas trop ce que je faisais, mais j'avais l'intime conviction que je ne m'y prenais pas trop mal. Je n'avais aucune notion des pas, mais, comme il me l'avait montré, je me laissais emporter par la musique et, surtout, par la puissance de ses mouvements à lui. Je pouvais sentir son souffle dans le creux de mon oreille. Il m'a renversée vers l'arrière. Nous sommes restés un moment ainsi, haletants. Il m'a ensuite ramenée à ma position initiale. Je l'ai regardé en reprenant mon souffle. J'ai mis mes bras autour de son cou et j'ai approché mon visage du sien. Le message ne pouvait pas être plus clair. Il a pris ma nuque d'une main et a plaqué ses lèvres contre les miennes. Cette fois, je ne me suis pas enfuie. Cette fois, j'ai tiré son corps vers le mien. Cette fois, j'ai lentement monté ma jambe entre les siennes alors qu'il continuait à m'embrasser à pleine bouche. Il me pressait de plus en plus fort contre son corps.

Il m'a soulevée de terre. J'étais maintenant à cheval contre lui, dans ses bras, en plein milieu du café, devant la vitrine qui donnait sur le trottoir. Il me tenait d'une main alors que l'autre était posée derrière ma tête, comme pour m'empêcher de reculer. S'il avait su à quel point j'avais fantasmé sur cet instant. S'il avait su qu'il n'y avait aucun besoin de me retenir.

Comme s'il avait lu dans mes pensées, il s'est dirigé vers l'arrière du café, dans l'entrepôt. La musique jouait toujours, mais nous l'entendions désormais en sourdine. Il m'a posée sur le bout d'un comptoir et a commencé à défaire un à un les boutons de mon chemisier. J'étais enivrée par son odeur, ses gestes, son souffle. J'ai défait sa ceinture et déboutonné son jeans. Il s'est arrêté, m'a regardée dans les yeux, a dégagé mon visage des cheveux épars qui le couvraient, et m'a encore empoigné la nuque pour attirer mes lèvres vers les siennes. Je frissonnais de désir alors que mes mains l'agrippaient furieusement. Jamais, je n'avais ressenti une telle urgence. Je voulais me fondre en lui. Il m'a légèrement repoussée et a grimpé sur le comptoir à son tour. Il était à présent au-dessus de moi, une main à côté de ma tête et l'autre, affairée à retirer son sous-vêtement. Je l'entourais de mes jambes et je pressais le bas de mon corps contre lui pour l'inciter à se dépêcher. Je pensais que le monde autour de nous n'existait plus quand nous dansions au club, mais, là, le monde aurait pu être en train de brûler et nous en aurions été totalement inconscients. Il m'a pénétrée alors qu'il continuait à m'embrasser sauvagement. Il m'entourait la taille de son bras et je ne pouvais contenir mes gémissements. Je ne savais plus où donner de la tête.

L'acte en lui-même n'a duré qu'une dizaine de minutes tout au plus, mais ce n'était en rien comparable à tout ce que j'avais pu vivre avant. Felipe s'était lentement retiré et s'était affaissé sur une chaise à côté du comptoir. Il n'avait pas prononcé un mot. Moi non plus d'ailleurs. Je me suis assise péniblement sur le comptoir. J'étais presque certaine que j'allais avoir des bleus dans le bas du dos le lendemain, mais, sur le coup, je n'avais rien senti, trop absorbée dans l'instant et dans sa perfection. Je me sentais comme si je me réveillais en plein milieu d'un rêve. Je l'ai observé discrètement en arrangeant mon soutien-gorge. Il me regardait faire.

— Je… Wow.

C'était lui qui avait parlé. J'ai plongé mon regard dans le sien. J'aurais voulu lui dire que c'était la chose qui frôlait le plus la perfection que j'avais vécue. J'aurais voulu lui sauter dans les bras. J'aurais voulu rire et pleurer à la fois. Il a placé ses cheveux derrière ses oreilles, mais une mèche restait obstinément devant ses yeux. Il était tellement beau.

— C'était fou, s'est-il contenté de dire à mi-voix.

J'ai acquiescé, troublée. Il a secoué la tête et s'est mis à la recherche de ses vêtements. Il m'a embrassée encore une fois avant d'enfiler son chandail. Je n'avais jamais été dans ce type de situation et je ne savais pas quoi faire. Est-ce que je devais m'en aller ? Rester pour un café ? Comment fallait-il agir ?

Il s'est dirigé, pieds nus, vers l'avant. Je suis restée dans l'entrepôt à essayer d'arranger mes cheveux à la vitesse de l'éclair avant qu'il ne revienne. J'étais convaincue que j'avais du maquillage jusqu'au menton. J'ai regardé autour de moi à la recherche d'un miroir, mais en vain. Je me suis rapidement essuyé le visage avec la manche de ma veste et j'ai remonté mes cheveux. Felipe est revenu au même moment avec deux flûtes de champagne. Au moins, ça réglait mon hésitation entre partir maintenant et rester un peu.

— Que tu es belle ! s'est-il exclamé en me tendant une flûte.

J'ai souri en le remerciant. Décidément, cet homme était parfait. Il a repris sa place sur la chaise et posé ses pieds sur le comptoir où j'étais assise. Je ne savais pas quoi dire. Qu'est-ce qu'on disait habituellement après avoir couché avec quelqu'un qui n'était pas son copain ? J'aurais dû demander à Roxanne de me préparer à ce genre de situation. J'avais l'impression que tout ce que j'aurais pu dire aurait été complètement insignifiant.

— Tu travailles demain ? a-t-il commencé.

— Oui…

— Tôt ?

— Quand même. Je dois préparer une rencontre, alors je pense que je vais être au bureau pour 8 h. Pourquoi ?

— J'allais te demander de venir passer la nuit chez moi.

J'ai souri. Il l'avait dit timidement, comme s'il en demandait trop.

— J'aurais aimé, mais tu sais, les filles, on a besoin de beaucoup de trucs pour se préparer le matin ! ai-je dit en blaguant à moitié.

— Je sais, je sais, s'est-il résigné en levant, impuissant, les bras au ciel.

Une vingtaine de minutes plus tard, je lui disais au revoir. Je ne voulais pas m'éterniser, de peur de gâcher le moment parfait qui venait d'arriver. Il s'est levé et m'a embrassée fougueusement avant de me laisser partir.

— À bientôt, a-t-il murmuré dans mon oreille.

— Oui, à bientôt.

Il m'a reconduite jusqu'à la porte d'entrée et m'a regardée marcher vers ma voiture. Je me suis assise à l'intérieur en lui faisant un signe de la main, puis j'ai démarré. J'avais un sourire collé aux lèvres que je n'arrivais pas à réprimer. Je suis rentrée chez moi, j'ai enlevé le reste de mon maquillage qui avait résisté à la tempête, et je me suis couchée dans mon lit. Évidemment, je n'ai pas fermé l'œil de la nuit. Je n'arrêtais pas de repasser ma soirée dans ma tête, et je soupirais d'extase.

CHAPITRE 17

Le lendemain, je suis entrée chez Oméga avec un sourire béat. Même si je n'avais pas dormi de la nuit, et que j'aurais pu être au bureau à 8 h, j'avais préféré rester assise sur mon divan, à me repasser en boucle les événements de la veille. Je suis donc arrivée à la même heure que d'habitude, à 9 h 15.

— Oh, mon Dieu, tu as tellement couché avec ! s'est exclamée Roxanne en me voyant arriver. Raconte, raconte !

Elle m'a poursuivie dans le corridor jusqu'à mon bureau. Elle a refermé la porte derrière elle et s'est assise sur une chaise.

— Rox… si tu savais ! C'était parfait. Parfait !

Je lui ai tout raconté, mais j'ai gardé les détails intimes pour moi. Je ne m'étais jamais sentie à l'aise d'en parler ouvertement. À mon sens, ça devait rester dans la sphère du privé, au grand désespoir de mon amie. Elle avait des yeux rêveurs, ce qui était presque aussi déroutant que ma nouvelle en elle-même.

— Et vous allez vous revoir ?

— Ben oui… Pourquoi on ne se reverrait pas ?

J'ai soudain été prise d'un horrible doute.

— Tu penses qu'il voulait juste coucher avec moi ?

— Ce n'est pas ce que je voulais dire, voyons !

— Mais qu'est-ce qui arrive si c'est le cas ? Qu'est-ce qui arrive s'il ne me rappelle pas ?

— Je suis certaine qu'il va te rappeler. Tu l'as dit toi-même : c'était parfait.

— Je sais, mais peut-être que, moi, je n'étais pas parfaite et que, lui, il l'était tellement que ça a rejailli sur moi.

— Euh… t'écoutes-tu parler? Tu ne fais aucun sens.

Je lui ai lancé un regard désespérément dramatique.

— Je veux juste dire que peut-être que, sous le coup de l'émotion, je pensais que j'étais parfaite aussi.

— Je ne comprends rien. As-tu fait la planche, coudonc?

— Non, bien sûr que non! lui ai-je répondu en considérant tout de même secrètement cette possibilité.

— Bon, ben arrête de t'en faire, il va rappeler.

— Mais quand?

— Je ne sais pas! Laisse-lui le temps. Il est 9 h et tu es partie à minuit.

J'ai soupiré.

— C'est de ta faute aussi. Tu n'aurais jamais dû me demander si on allait se revoir.

— Avoir su que tu allais réagir comme ça, en effet, non, je n'aurais pas dû te poser la question!

— Tu penses que je devrais lui écrire?

— Quoi? Maintenant?

— Ben oui… Pour le remercier pour la soirée.

— Non! Absolument pas! Tu attends. Il va t'écrire!

Je me sentais ridicule. J'ai regardé Roxanne en faisant semblant de la croire. Il y avait des limites à m'exposer de façon aussi pitoyable.

— Je dois retourner en avant. Ne lui écris pas! m'a-t-elle ordonné en quittant mon bureau.

J'ai reculé sur ma chaise et j'ai fixé mon téléphone pendant une heure en essayant de lui envoyer des ondes positives. Ma mère aurait été fière de moi, mais je n'ai pas réussi à communiquer avec Felipe par télépathie. J'avais reçu un texto pendant ma méditation et j'avais agrippé mon téléphone le cœur battant, mais ce n'était que Rose qui me demandait de venir la chercher pour qu'on se rende ensemble chez notre mère. J'avais complètement oublié le souper. Comment est-ce que j'arriverais à me concentrer? Je ne pouvais quand même pas fixer mon téléphone à table devant le nouveau copain de ma mère. J'ai répondu par l'affirmative à la demande de Rose en lui disant que j'allais être très occupée pour le reste de la journée et qu'il ne fallait pas qu'elle m'écrive. Je ne pouvais quand même pas me permettre de frôler la crise cardiaque chaque fois que mon téléphone sonnait. Surtout si c'était pour des questions de covoiturage.

J'avais parfaitement conscience de mon pathétisme, et c'est pourquoi, pendant notre heure de dîner, j'ai fait un effort presque surhumain pour ne pas me ronger les ongles de stress devant Roxanne et vérifier à tout bout de champ si mon cellulaire ne s'était pas éteint par lui-même. Au bout de trente minutes, je n'en pouvais plus.

— Veux-tu me dire comment tu fais pour survivre à l'attente de l'appel? me suis-je exclamée, à la limite de ma patience.

— De quoi tu parles? Quel appel? a-t-elle répondu en croquant nonchalamment dans sa pomme.

Je l'ai regardée avec de gros yeux en montrant mon téléphone d'un air évident.

— Felipe!

— Ah! Ben, je ne sais pas comment on fait… Je ne laisse jamais mon numéro, moi, donc je n'attends jamais d'appel.

Elle a pris une autre bouchée de sa pomme en jetant un œil sur mon téléphone.

— Tu devrais le ranger. Ça va te rendre folle.

— Ça m'a déjà rendue folle, ai-je maugréé en appuyant sur le bouton principal pour la millième fois de la journée afin de m'assurer qu'il était toujours allumé. C'est quoi, la durée limite de l'indépendance?

— Je ne comprends pas…

— Ben, admettons que je ne veux pas jouer la fille indépendante, est-ce que je pourrais l'appeler ?

— Mais sérieusement, Jas, tu vas l'appeler pour lui dire quoi ? Tu vas le remercier ? Et après ? Il va y avoir un genre de silence embarrassant parce que tu ne sauras pas quoi dire d'autre.

— Je vais trouver autre chose à lui dire !

— Laisse-le donc t'appeler. Un gars, ça aime ça, prendre les choses en main. Si tu l'appelles, tu vas lui enlever son illusion d'homme alpha.

— C'est là que tu te trompes ! Il n'est pas du tout comme ça.

— Tu es aveugle, ma pauvre amie. Ils sont tous comme ça. Tu ne le connais pas depuis dix ans, ton Felipe.

J'ai fait une moue boudeuse. J'ai pris ma fourchette et j'ai poussé les oignons de ma salade vers les rebords de l'assiette en continuant de fixer mon téléphone.

— O.K., je vais te permettre une chose, a commencé Roxanne.

— Oui ? Quoi ?

J'avais presque bondi de ma chaise comme si Roxanne s'était magiquement transformée en prophète dont je devais absolument obtenir l'approbation avant de faire quoi que ce soit.

— Nous sommes vendredi. Si jamais il ne t'a pas appelée d'ici dimanche, tu peux lui envoyer un texto.

— Dimanche ? C'est dans trop longtemps, dimanche !

— Je ne t'ai jamais vue comme ça ! Il va falloir que tu te calmes. Sérieusement, je suis en train de me demander si ce serait si bon que ça qu'il t'appelle aujourd'hui. Tu as l'air aussi allumée qu'une ado en puberté.

— Pffffff, je devrais en parler à Rose. Elle, elle me dirait de l'appeler !

— Évidemment, qu'elle te dirait de l'appeler. Elle te dirait aussi de prendre l'après-midi de congé pour aller te stationner en avant de son café et l'observer travailler, et de te dessiner des cœurs sur les paupières et aller lui faire des beaux yeux. *Come on*, Jas! Sois plus indépendante!

J'ai soupiré en regardant le cercle parfait d'oignons qui bordaient mon assiette.

— O.K., ai-je concédé. Dimanche, c'est bon.

— En plus, tu rencontres le nouveau chum de ta mère ce soir. Ça doit être important pour Madeleine de vous le présenter.

— Pardon? Depuis quand tu penses aux émotions de ma mère, toi?

— Ben, quoi! C'est vrai!

Elle a haussé les épaules. J'ai jeté un coup d'œil sur mon téléphone pour vérifier l'heure.

— Arrête!

— Je regardais l'heure! Pour vrai! Et pour te le prouver, je t'informe que si on ne part pas maintenant, tu ne seras pas de retour pour 13 h. Il est 12 h 50.

— Déjà? Oh non! Vite!

Je l'ai regardée lancer les restes de son dîner dans son cabaret. Elle s'est levée précipitamment pour enfiler son manteau, l'attacher, le détacher parce qu'elle s'était rendu compte qu'elle avait oublié de mettre son foulard, et le rattacher.

— Tu viens ou pas?

— Mon Dieu, depuis quand est-ce que tu te dépêches comme ça? Ce n'est pas la première fois que tu vas arriver en retard, pourtant.

— Je sais, mais j'ai eu un avertissement. Un avertissement! Comme à l'école secondaire!

— Ben voyons! De qui? Monsieur Richer?

— Lui-même !

Comprenant que si je voulais entendre l'histoire, je devais me lever et m'habiller pour la suivre jusqu'au bureau, j'ai étiré le bras pour prendre mon manteau.

— Il te l'a dit quand ?

— La semaine dernière. Je ne te l'ai pas dit parce que je trouvais ça trop gênant. Imagine… je vais avoir trente-deux ans et je me fais avertir comme à l'école.

— Es-tu arrivée en retard si souvent que ça ?

— Même pas ! C'est l'autre tarte qui a été faire une plainte.

— Quelle tarte ? ai-je demandé en faisant glisser la fermeture éclair de mon manteau et en relevant mon col.

— Celle à qui j'ai dit de faire une plainte ! Tu te souviens la fille qui avait essayé de rentrer dans les toilettes quand tu pleurais et que j'avais barré la porte ? Elle.

— Non ! Elle a fait une plainte pour vrai ?

— Vrai de vrai. Elle a dit que je lui avais manqué de respect et que c'était totalement inacceptable sur un lieu de travail.

— Alors, ce n'est même pas pour les retards ?

— Non, mais j'aime mieux être à l'heure. Un coup que les patrons ont quelque chose à te reprocher, il faut être plus vigilant.

— Donc, j'imagine que c'est terminé, le magasinage en ligne ?

— Malheureusement, pour l'instant, oui. Te rends-tu compte ? Il faut que je travaille réellement pendant toute une journée !

Elle semblait dépassée par sa propre affirmation.

— Je me sens presque mal. C'est à cause de moi que tu lui as parlé comme ça !

— Bah ! Si c'était à refaire, je lui dirais la même chose et même pire. Non, mais ! Faut-tu être déconnectée pour aller faire une plainte sur la réceptionniste quand ça fait deux semaines que tu travailles à une place?

— On saura de ne pas aller lui parler au souper de Noël!

— Pas lui parler? On ne devrait même pas la regarder! En plus, je pense que Mathieu lui tourne autour.

— Mathieu? Le gars des ventes?

— Oui.

— Et? Ça te déçoit?

— Non! Je ne pensais pas qu'il était ce genre de gars là. C'est tout.

J'ai senti une pointe d'amertume dans sa voix. Je n'ai pas voulu insister, sachant trop que Roxanne se confierait uniquement lorsqu'elle en ressentirait le besoin. Ce n'était pas le genre de personne qu'on pouvait brusquer. Nous sommes arrivées au bureau à 12 h 58. Elle s'est dépêchée de retirer son manteau et de s'asseoir à sa place.

— Je te jure, je restais ici parce que je trouvais que j'avais quand même beaucoup de liberté. Là, je commence à considérer de chercher ailleurs, m'a-t-elle dit à mi-voix en mettant son casque d'écoute sur sa tête. Ce n'est pas vrai que je vais commencer à me faire surveiller!

— Ben, c'est sûr que si tu as cette impression-là, effectivement, tu ne devrais pas rester. Ce n'est pas très bon pour l'ambiance de travail, ai-je répondu en feuilletant une revue que quelqu'un avait laissée sur son bureau.

Elle a hoché la tête en répondant au téléphone qui venait de sonner. Je me suis dirigée à pas lents vers mon bureau. Ça faisait exactement treize minutes que je n'avais pas regardé mon téléphone et ça me démangeait de le savoir dans ma poche, en mode silencieux. J'avais éteint la sonnerie parce que je me disais que ça allait me faire une belle surprise de le regarder et de m'apercevoir que Felipe avait tenté de me joindre. J'ai poussé la porte de mon bureau et j'ai enlevé mon manteau. Puis j'ai fouillé dans ma poche pour prendre mon cellulaire et je ne l'ai regardé qu'au moment de m'asseoir dans mon fauteuil.

À part la photo de ma sœur et de moi qui était toujours affichée en fond d'écran, il n'y avait rien. Pas d'appel manqué, pas de texto. J'ai eu envie de lancer l'appareil au bout de mes bras et d'ensuite courir vers l'endroit où il aurait atterri pour sauter dessus à pieds joints en le traitant de tous les noms. Roxanne avait raison. Je ne me ressemblais pas. Je n'étais qu'une bombe émotive à retardement. Je n'étais qu'une version beaucoup plus maladroite de ma sœur.

***

J'ai quitté le bureau plus tôt qu'à l'habitude. Premièrement, parce que je devais me rendre chez moi pour aller chercher ma voiture et ensuite conduire jusque chez Rose et, deuxièmement, parce que je n'étais nullement productive. Une cellule de concombre effectuait probablement plus de travail que moi avec sa division cellulaire. J'étais parfaitement consciente que la réunion qui stressait tant monsieur Richer était le lundi suivant, mais je me suis dit que mon état végétatif tourné vers la communication cosmique avec Felipe ne faisait aucunement avancer mon travail. Je me suis donc accordé le reste de la journée en me promettant cependant de travailler chez moi pendant la fin de semaine, une fois que Felipe m'aurait contactée (je pratiquais assidûment la visualisation positive depuis les dernières heures).

Je suis passée devant le bureau de Roxanne en lui envoyant la main et en lui faisant un signe de téléphone pour lui dire que j'allais l'appeler au courant de la fin de semaine. Elle a levé la main et a demandé à la personne avec qui elle était en ligne de bien vouloir patienter.

— Jas? N'oublie pas. Dimanche. Pas avant.

J'avais espéré qu'elle ne me le dise pas parce que j'aurais pu faire semblant que je n'avais pas retenu la journée. J'aurais pu faire semblant d'avoir confondu «maintenant» et «dimanche».

— Ben oui. C'est bon, j'ai compris.

— O.K.! Je voulais juste être certaine. On s'appelle en fin de semaine! Dis bonjour à Madeleine pour moi!

Je suis sortie de l'immeuble en traînant les pieds jusqu'à l'arrêt d'autobus. Il faisait froid, c'était humide. J'ai essayé de cacher mon visage dans le col de mon manteau pour me protéger du vent glacial. J'ai changé le mode silencieux sur mon cellulaire pour le mode vibration et je le tenais dans ma main, dans le creux de ma poche. Arrivée chez moi, je me suis rendue à l'évidence que ma technique ne fonctionnait pas. Roxanne m'avait dit dimanche? Eh bien, dimanche ce serait. Je n'allais plus y penser jusque-là. J'ai enfilé un jeans, un pull en laine noire et j'ai attaché mes cheveux. Ma mère ne s'attendait sûrement pas à ce que nous arrivions en robe de bal, de toute façon.

***

Je me suis stationnée devant chez Rose environ une heure plus tard. Comme je l'avais textée deux heures à l'avance, elle venait tout juste de terminer de se préparer quand je suis arrivée. Je l'ai regardée descendre les escaliers avec sa tuque noire et son pompon en fourrure qui se balançait au gré du vent. Elle était en jupe crayon et portait une paire de bottes à plateforme en suède noir qui montaient jusqu'à mi-mollet. J'ai jeté un regard découragé sur mon vieux jeans que j'avais depuis sept ans et qui n'avait presque plus de tissu sur les genoux et les fesses.

— Salut! m'a-t-elle dit en ouvrant la portière du côté passager et en prenant place à côté de moi.

— Allô! Ça va? Tu as passé une bonne journée?

— Pas mal occupée! C'est demandant, hein, un nouveau poste! Il y a tellement de procédures à retenir! Je te jure, j'ai un cartable où elles sont toutes inscrites et c'est honnêtement le plus gros livre que j'aie jamais lu de ma vie.

— Je ne pense pas qu'on peut considérer ça comme un livre, un cartable de procédures…

— Pourquoi pas? C'est pour lire.

J'ai souri en regardant la route. À quoi bon la contredire? Je la sentais m'observer.

— Qu'est-ce que tu as? m'a-t-elle demandé, surprise.

— Hein? Rien, pourquoi?

— Tu n'es pas comme d'habitude.

— Qu'est-ce que tu veux dire?

— Je ne sais pas, tu souris, tu ne me reprends pas… Tu as l'air dans ton monde.

— Ben non, pas particulièrement. Je suis un peu préoccupée, c'est tout.

— Par quoi? OH! Est-ce que ce serait par qui je pense que c'est? Felipe?

— Oui… mais je ne devrais pas en parler parce que j'ai décidé de ne pas l'appeler avant dimanche.

— Quoi? Pourquoi? Il s'est passé quelque chose?

J'ai souri éloquemment en me mordant un peu les lèvres.

— Ouiiiiiiiiiiiiiiii! a-t-elle hurlé en tapant des mains et en se tortillant sur son siège. C'était comment? Est-ce que vous vous êtes dit que vous vous aimiez?

— Ben non, voyons! Mais j'ai passé toute la soirée avec lui hier et j'ai attendu son appel toute la journée! Vraiment. TOUTE LA JOURNÉE.

— Et?

— Ben, il ne m'a pas encore appelée. Je pense que je vais le faire.

— L'appeler ?

— Oui.

— Surtout pas ! Tu dois attendre. C'est comme ça. C'est une règle.

Je me suis rapidement tournée vers elle pour la regarder avec les sourcils levés.

— Toi, tu me dis ça ? Toi, la plus que passionnée ? Je ne peux pas croire que tu me donnes le même conseil que Rox.

— Elle t'a dit ça aussi ? Ben, voilà ! Écoute-nous, on est deux à te le dire. Et on a pas mal plus d'expérience que toi en la matière.

— Mais comment tu fais pour attendre ?

— Tu fais autre chose, tu t'occupes, tu viens souper chez maman.

— Je ne sais pas comment tu fais, ai-je dit en prenant la sortie de l'autoroute.

— Ça vaut la peine d'attendre. Tu vas voir, tu vas être tellement excitée quand il va t'appeler !

— Je sais ! Je ne fais que ça, attendre !

Rose a éclaté de rire.

— Tu comprends comment je me sens, maintenant !

Au même moment, j'ai senti une vibration dans ma poche arrière.

— OH, MON DIEU ! me suis-je écriée.

— Quoi ? Qu'est-ce qu'il y a ? a hurlé Rose en s'avançant sur son siège pour regarder la chaussée. Tu as frappé quelque chose ?

— Mon téléphone a vibré !

Je me suis rangée sur le côté. Heureusement, c'était un quartier résidentiel et je pouvais le faire. Je me serais mal vue sortir ma main par la fenêtre sur l'autoroute pour avertir les conducteurs que je venais de recevoir un texto et que, par conséquent, je DEVAIS arrêter ma voiture pour voir de qui il provenait. Mon estomac s'était noué et je tentais de sortir mon cellulaire de ma poche en remontant mon manteau. J'étais prise dans ma ceinture et je n'arrivais pas à atteindre mon téléphone. Je me débattais alors que Rose me regardait en attendant, avide. C'était presque trop théâtral pour la situation.

— Et puis? C'est qui? C'est qui?

Un énorme sourire s'est dessiné sur mon visage quand j'ai finalement lu le nom de Felipe sur mon écran. Rose continuait à me bombarder de questions, mais je ne l'entendais qu'à moitié. Je me suis tournée vers elle en brandissant mon cellulaire devant ses yeux.

Felipe 17 h 03
Merci pour la soirée. Je pense à toi depuis que tu es partie.

CHAPITRE 18

Quatre mois plus tard…

— Je ne m'étais jamais rendu compte à quel point tu avais beaucoup de livres ! s'est exclamée ma mère alors qu'elle s'affairait à les placer, un à un, dans ma nouvelle bibliothèque. Je peux t'en emprunter ?

— Mais oui ! Prends ceux que tu voudras, ai-je répondu en ouvrant de mon côté une boîte de carton renfermant mes casseroles.

— Et moi, je peux t'emprunter ce chapeau ? a crié Roxanne de la pièce du fond.

J'ai éclaté de rire en la voyant arriver dans la cuisine coiffée d'un chapeau de sorcière que j'avais mis pour l'Halloween il y avait au moins dix ans. Ma sœur la suivait en poussant une boîte de livres avec ses pieds et en râlant.

— Je ne comprends pas pourquoi c'est moi qui dois me faire mal au dos avec toutes tes boîtes ! Pourquoi tu ne demandes pas à ton chum de venir le faire ? Il est musclé, lui ! a-t-elle soupiré en faisant glisser la boîte jusqu'à côté de ma mère.

Je l'ai regardée en souriant avant de lui répondre.

— Parce que mon chum travaille aujourd'hui. Il donne des cours de salsa. Tu te souviens ? Les cours que nous avons suivis ensemble avant Noël ?

Rose m'a souri sarcastiquement.

— Tu sais que tu devrais te confondre en remerciements… Sans moi, tu ne l'aurais jamais revu, ton beau Felipe !

— Oh ! C'est vrai, ma belle petite sœur ! Merci, merci, merci ! ai-je blagué en me précipitant vers elle pour la serrer dans mes bras.

— O.K., O.K. ! Ça va ! Tu vas défaire mes cheveux !

J'emménageais dans *mon* nouveau condo. Il n'était pas aussi grand que celui que j'avais voulu acheter avec Georges, mais il était à *moi*. Je l'avais choisi toute seule et je le décorerais selon *mes* goûts. L'achat avait été rapide. Presque aussi rapide que le déménagement de Georges chez sa stagiaire. Je l'avais appris par l'entremise de sa page Facebook et, même si j'étais vraiment heureuse avec Felipe, ça m'avait fait un pincement au cœur. Nul besoin de dire que si j'avais oublié de le supprimer de mes contacts à ce moment-là, je l'avais fait dans la seconde qui avait suivi.

J'ai regardé l'heure sur ma montre et je me suis retournée vers ma sœur.

— Tu n'auras plus besoin de forcer longtemps, Felipe m'a dit qu'il serait ici vers 18 h. Les cours sont donnés deux fois par semaine maintenant. C'est bizarre, il y a eu une hausse d'inscriptions.

— Haha ! Peut-être que le mot est passé et que toutes les femmes de Montréal veulent danser avec ton bel étalon !

— Tssss, il a hérité des cours de l'après-midi. Je me demande bien quel genre de fille a le temps de suivre un cours un mercredi à 14 h !

— Oh ! Moi, j'aimerais ça, aller suivre son cours ! C'est parfait, l'après-midi ! s'est exclamée ma mère, enjouée, sans même se retourner vers nous.

Rose et moi nous sommes regardées en souriant. Nous avions un exemple du genre de femme qui allait là.

On a sonné à la porte quelques minutes plus tard. Rose s'est dirigée vers l'entrée, trop heureuse de laisser tomber ses tâches physiques.

— Non! me suis-je écriée en bondissant de la chaise où j'étais assise. Je veux ouvrir! C'est la première fois que ça sonne!

Je me suis ruée vers l'entrée pour appuyer, enthousiaste, sur le bouton qui déverrouillait la porte d'entrée. Felipe est apparu en souriant.

— Et puis, m'a-t-il murmuré avant de m'embrasser, comment on se sent maintenant qu'on est propriétaire?

J'ai ri doucement dans le creux de son cou. « Extraordinairement bien », ai-je pensé. Il a enlevé son manteau dans le vestibule et est entré dans le salon. Ma mère a prestement lâché le livre qu'elle tenait pour courir vers lui et le serrer dans ses bras. Il a salué Roxanne et a débarrassé Rose de la boîte qu'elle déplaçait péniblement.

— Alors, Madeleine, tu as pratiqué ton espagnol, cette semaine? a-t-il demandé à ma mère en déposant la boîte à ses pieds.

Felipe s'était mis en devoir d'apprendre les rudiments de l'espagnol à toute ma famille, mais il n'y avait que ma mère qui était complètement enchantée par l'idée et qui montrait le même enthousiasme que lui.

— Oui! Mais j'ai des questions sur les temps de verbes.

— Tu as apporté ton cahier? On pourrait regarder ensemble tout à l'heure.

Ma mère a hoché vigoureusement la tête alors que Roxanne arrivait dans la cuisine, son manteau sur le bras.

— Tu ne restes pas pour souper?

— Non…, m'a-t-elle répondu, gênée. Je dois partir, j'ai un rendez-vous.

— Un rendez-vous? Oh! Un rendez-vous amoureux? ai-je demandé en riant.

— Oui, justement…

J'ai écarquillé les yeux.

— Pour vrai?

— Oui… J'ai rencontré quelqu'un, je pense.

J'ai ouvert la bouche de surprise, mais avant que j'aie pu émettre un son, elle m'a fait signe de me taire.

— On s'en parlera une autre fois, d'accord? Ce… ce n'est pas aussi parfait que toi et Felipe, et je veux t'en parler d'abord quand nous serons seules, toi et moi.

Je l'ai regardée, intriguée, et je l'ai prise dans mes bras.

— D'accord. On s'en reparle. Merci d'être venue m'aider aujourd'hui!

— De rien. Je suis tellement fière de tout le chemin que tu as fait! Je t'aime très fort, mon amie, m'a-t-elle dit en me serrant à son tour.

Elle a salué Felipe et ma famille, et a quitté le condo. Je suis restée pensive sur ce qu'elle venait de me dire. J'avais beau essayer de chercher ce qu'elle voulait dire par «pas aussi parfait» que Felipe et moi, je ne trouvais pas. De toute façon, je le saurais bien assez vite.

J'ai été tirée de mes pensées par de grands éclats de rire en provenance du salon. J'ai marché jusqu'à l'embrasure de la porte pour voir Felipe qui dansait avec ma mère sur une musique imaginaire. Il la faisait tournoyer dans le salon devant ma sœur, qui les regardait en riant.

J'ai souri devant cette scène avant de me joindre à eux. Je me sentais bien. Je me sentais aimée. Et surtout, je me sentais vivre.

À suivre…

Achevé d'imprimer
sur les presses de
Imprimerie H.L.N.
Imprimé au Canada - Printed in Canada